目錄

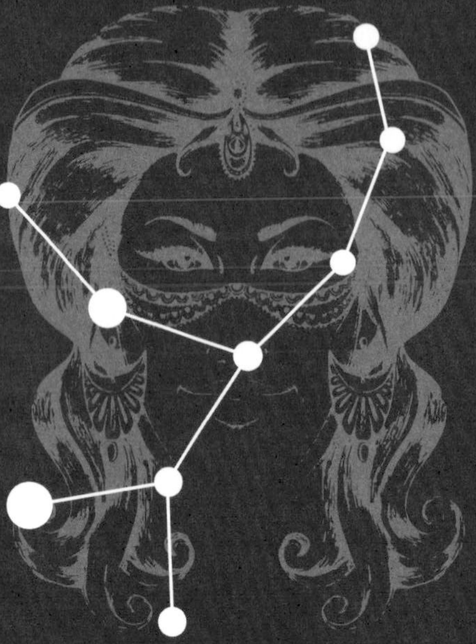

處女座

媽媽

（8月23日～9月22日）

媽咪魔力——妳的優點：

有組織和條理、實事求是、健康習慣、
知性

媽媽咪呀——妳的挑戰：

愛評判、憂慮和神經質、自以為是、
過度分析的傾向

知名的處女座媽媽：

莎瑪．海耶克、費絲．希爾、珍妮佛．哈德森、
瑞奇．雷克、仙妮亞．唐恩、碧昂絲、蜜雪兒．威廉絲、
潔達．蘋姬．史密斯、瑞秋．佐伊、妮可．李奇、
蜜雪兒．杜格爾、艾米．波勒，紅粉佳人、蘇菲亞．羅蘭

✶妳的教養風格

緊張與自由奔放的處女座媽媽是個令人好奇的對比綜合體。母親的身分，一方面，讓傾向秩序的處女座有藉口能計畫、領導和管理；另一方面，也會帶出有趣、務實的一面，這是讓妳放鬆玩樂的特別通行證，呦呼！

一些處女座媽媽對母親身分如魚得水，能從獨立搖滾樂頻道轉到兒童教育節目《嘎巴寶寶》（Yo Gabba Gabba）；不過對另一種媽媽來說會比較麻煩，需要一些時間適應，特別是如果妳喜歡閱讀、又重視私人空間的內向處女座。伴隨孩子的到來，個人隱私受到侵入，先不提強行奪取妳思考時間的這一點，嗯，我們得誠實一點：這個報償總是無法平衡妳所失去的。對於說服聰明的處女座，自己的思考會從博士程度降轉到ABC，是很難以置信的事情。

不過，即使是有點抗拒的處女座，也會逐漸愛上媽媽這個身分。當然，妳每天會上演吹毛求疵和神經質的傾向，是因為母親的身分所遇到的驚嚇狀況觸發出來。不過妳可能需要依照內容做轉換——比起對黏膩、沾滿葡萄果凍的手指放在臉頰使妳厭惡，反而要學習享受可愛孩子用小手托起妳的臉龐說：「我愛妳，媽媽。」弄平妳的鼻子、鬆開嘴唇，用可愛的小嘴吃著花生醬和果凍，妳是不是覺得孩子很可愛呢？

幾乎每個我們談到的處女座媽媽，都會表達她們對制定紀律、設定穩固界線及指導小孩的能力感到自豪。即使妳只是以兩個不可妥協的規則過活，妳還是會使下一代印象深刻：適當的餐桌禮儀、不看電視的政策、打架時暫時隔離。在妳的想法裡，這些對孩子來說，從來不會因為年紀太小而無法學習。在養育小孩的清單中可能就有這些條件：良好教育、文化素養以及呼吸大量新鮮空氣。處女座是土象星座，讓孩子花時間在大自然上，對妳而言相當重要。

處女座象徵健康與幸福，妳可能對飲食習慣有所堅持，每天偷偷在孩子餐盤裡加些新鮮水果、或為他選擇無麩質餐點，只因研究宣稱含有小麥、裸麥及大麥的食物會引發自閉症。不過做這些事，對妳來說也很容易，因為處女座掌管消化系統，或妳可能本身就對一大堆食物過敏。

儘管妳帶有強迫症的天性，但還是有較放鬆的一面。妳的第四宮由射手座掌管，這個星座象徵旅行、冒險、智慧及更高尚的情操，受到這樣波希米亞式的影響，補償了妳焦慮和視野狹隘的缺陷，幫助妳以更宏觀的態度看待事物，並相信孩子未來一切都會變好。射手座是意見提供者，對妳星盤的影響是使妳更容易成為朋友間的「媽媽行動搜尋引擎」；此外，也喚醒幽默和冷靜的面向，幫助妳將母職視為是一場巨大冒險。雖然有些女性會突然感覺到「衰老」，及了解身為母親所賦予的責任有多重大，不過小孩能減緩妳的憂慮。「我對孩子笑臉常開感到自豪，他們總是會對我笑」，處女座媽媽凱倫說，「我們很開心。」

如果妳結婚了或有固定伴侶，忙裡偷閒會擴展你們之間的關係。伴隨妳顯著的規劃能力，妳會為晚間約會和大人的逃跑時間妥善安排，「關鍵在小孩出生以前，找時間做喜歡的事」，凱倫說道，「我和丈夫從十八歲就在一起，到現在已經二十年了。我們會一起享受表演，(最近)我們終於抽空去看了兩場表演，三週的獨處時間。這讓我們重拾自我。即使是每天早上在孩子起床前花半小時一起喝杯咖啡也很有用！」

不過也不是說妳控制狂的一面沒有展現出來，其實每個處女座都隱藏一個大女人。伴隨處女座的批判性質，妳常常有點像個女修道院院長，批評其他女性的教育風格(即使妳不會承認)。在朋友間，妳雖然是冠軍和啦啦隊隊長，但妳可能也會暗地裡中傷他們。「艾莉森是很棒的媽媽，但我就是不懂她怎麼敢讓她兒子吃整罐花生醬，然後直接放回廚櫃」，妳帶著感嘆聲說道。「難道不會有細菌嗎？我想『我的』小孩不會到在她那裡吃午餐。」

面對陌生人時，同理心可能不一定會發揮作用，特別當妳感覺到有點受威脅和排斥，妳可能會以緊張或輕蔑態度，仔細打量他們管教小孩的方式。在遊樂場上，妳會靠近那位管教鬆散的照顧者，要求知道為什麼她不告訴小孩停止丟沙、或者該換別人使用輪胎鞦韆。雖然妳宣稱討厭「媽媽戰爭」，但妳可能還是要負起一些挑起戰火的責任。

處女座，我們知道妳只是想試著協助，只是要記住當妳已經發表了意見，妳的原則對其他人而言就像批判。此外，在這些刺耳的信仰背後會產生什麼問題？這些非常有可能都是出於妳處女座完美主義的影響。妳為自己設下高標準，可能對自己最為嚴苛。當然擁有個人教育風格和哲學是好的，但妳可能需要問自己，是否要求自己過於「符合」一些理想媽媽的形象？這真的是妳真心感到快樂的表達方式嗎？

與其他媽媽比較，不僅讓妳感受到沒必要的不安，同時也阻撓妳去形塑支持團體，結果對妳身心產生不好影響。研究顯示，女性大腦有著比男性較高的壓力反應，我們會把「戰鬥或逃跑」的模式昇華成「照料與結盟」，簡單來說就是女性在壓力下會開始為孩子（或寵物）洗淨和照護，並與其他女性結盟；這促使大腦釋放催產素，也就是「親密賀爾蒙」，會減少恐懼，讓妳感到放鬆。處女座，這就是贊安諾（Xanax，一種抗焦慮藥品）藥品的替代品。停止評判其他人的想法，參與媽媽的聚會吧！

妳的完美主義並不見得對孩子都好，這樣的態度可能會把母性轉變成一種對孩子的壓抑。如果妳開始表現出像直升機父母的行為，請尋求他人的協助。妳非常可能會開始擔心一些具體的事，像是學校體系或鄰居是否適合妳的孩子，而且妳會為此做些改變。這當然可以，沒有問題，只要確保孩子不會受到妳焦慮、過度分析所帶來的影響。如果孩子感受到妳的焦慮或神經質，在未來寬廣的世界裡，他可能會變成容易不安的人，這一定是妳最不樂見的事。

經典幼童發展書《魔法歲月》（The Magic Years）將「神經質」定義為長期對自己過於嚴苛，處女座媽媽，就是在說妳。我們認識的一位處女座媽媽帶著她的兒子去診所治療憂鬱，結果醫師也認為她有同樣的診狀；另一位朋友的處女座媽媽一旦把家人單獨留在家中五天，就會變得神經衰弱，後來她宣稱只是食物過敏。在這樣的狀況下，妳大可先忘記養育孩子的目的，是促進他成為獨立、自給自足的人，讓他安全進入成年階段。資訊對處女座媽媽而言是最好的解藥，妳需要了解每個發展階段的機制，及運用策略複製這些機制。當妳的分析雷達知道事情如何運作時，就能提前準備，這會讓妳感到放鬆並活在當下。

但作為十二星座的終極伴侶，妳目前最需要的是讓其他人來幫助妳。母職是享受公共事務最佳的角色，所以請發揮創意分配任務。如果是大家庭呢？參考蜜雪兒．道格（Michelle Duggar），她是TLC旅遊頻道節目《19個孩子不嫌多》（19 Kids and Counting）的處女座媽媽。她用夥伴系統方式撫養她的孩子，指派最大的孩子照顧兩、三個年紀較小的孩子。雖然她的方式對大部分的人來說過於極端，不過這也顯示處女座媽媽善於解決能力的天賦。記住，給孩子負責任的方法，教導他自力更生和生存的技巧。

妳也能廣泛閱讀後期小兒科醫師兼心理分析師唐諾．威尼科特（Donald Winnicott）的著作，提出「夠好的母親」（good enough mother）的理論。他相信，成為好媽媽的方式是夠好就好，夠好的母親在人類與三維空間裡提供一個安全和餵養的環境，但不要迎合孩子的每個需求，把他當成宇宙萬物中心對待或消耗妳自己。這對處女座而言是個挑戰，畢竟妳喜歡將每件事做到完美。但是成為母親能教會妳的一些事中，最重要的就屬解放自我批判的傾向，不對自己過度嚴苛並善待自己。

✶如果妳有女兒

優點

妳冷靜的天性終於有個出口能宣洩。和女兒一起，妳同時是媽咪、治療師和最終摯友。當遇到困難時刻或女孩心情低落時，妳是她最安全的港口，也會是她這個世上最貼心的那個人，既體貼又能給予她支援。「我的處女座媽媽雖然遇到小事就會發瘋，但是當我們遇到困難時，她完全知道要做什麼、該打給誰該如何解決。」蘇西說道。

妳對兒童發展感興趣，可能會廣泛涉獵相關書籍，熟悉所有專家及其理論；也會閱讀關於女孩自尊心相關議題的內容，像是媒體對身體意象的影響等。但妳也想確認女兒對她的外觀是否感到自信。她在上高中時，妳就會帶她去給專業人士化妝，或到價格不菲的美髮院弄頭髮（甚至挑染）。妳了解，有時打扮漂亮和心情好是同時存在的，就算是稍微捲翹睫毛也能提振精神，所以就去做吧！對於會自我否定的處女座媽媽而言，女兒同時也是讓自己「變糟」（雖然我們希望妳否認這個字出現在妳的字典裡）的好藉口。妳可能會是沉溺活動裡的媽媽：逛街、在昂貴餐廳吃飯、揮霍舉辦生日派對——即使妳只需要一年全力以赴一次就好，也要讓女兒知道她對妳有多特別。

缺點

妳是十二星座裡最會自我批評的，不過若以這樣的方式撫養迷你版的妳，會表現出存在焦慮的意識。「如果她變成跟我一樣，怎麼辦？」一位即將成為媽媽的處女座苦惱說道。比起對自身缺點過度焦慮，更需要建立一個合理且愛自己的寶庫；固定與一群互相支持的朋友參與女性團體或見面會，這樣就有安全的管道能發洩，同時擁抱妳的本質，不要為了成為媽媽犧牲自己的興趣和天賦。即使妳暫時離開工作崗位，還是需要參與廣大世界所發生的事，感覺到妳正在做些改變，這些都能激發妳的自信。我們知道的一位處女座媽媽在地下室建造了一間藝術家工作室，並且布置得很漂亮。最後，不要對自己過於節儉：熱瑜伽、皮拉提斯、早晨蔬菜奶昔及晚間有機肌膚養生，不要因為妳是媽媽，就對這些寵愛自己的事情半途而廢。若妳不再是那個最關心自己的人，妳的心情和自我形象會變得低落，並開始懲罰自己，接著很有可能將自己的煩惱投射在女兒身上。然而成為重要的女性典範不是件容易的事，妳需要更擔當得起這樣的責任，這些是妳必須記得並每天提醒自己的事！

許多處女座媽媽對於母女關係之間尚未解決的事感到為難，像是妳可能擔心如何與女兒相處。此時，需要提前準備好寬恕孩子的心理準備，特別是妳曾理想化妳的媽媽，或是譴責她是個容易犯錯的人。如奧斯卡．王爾德（Oscar Wilde）睿智地寫道：「所有女性會變得跟她們的母親一樣。這是女人的悲劇。但沒有男人變成他們父親，這是他們的悲劇。」

記住處女座媽媽，即使妳的幼童時期曾經歷一些困難、憤怒的時候，但不代表女兒要承襲與妳一樣的不安與憂慮。就我們所知，她可能會保有不慌不忙的信心，或是跟妳完全不一樣的體質。是的，這世界對女孩來說很殘忍，妳想要保護她免於霸凌、身體意象議題、及對女性過於嚴厲的糟糕政策的影響。但是不要「餵養一隻怪物」，不要因過度專注在妳「不想要」她變成那樣，而產生自我實現預言。妳可以試著做出一些先發制人的方式：透過知識幫助女兒認識更多危險、保護自己、事前讓她了解人生需要達成的目標，當她有疑問時，以開放心態接納。妳冷靜、聰慧的回應會灌輸她培養出驚人自信。妳必須做到讓她遠離那些焦躁又驚恐的狀態。

✶如果妳有男孩

優點

請王子進來！雖然妳可能永遠不想承認，但處女座媽媽對於養育兒子和女兒有完全不同的雙重標準。因為他和妳不同性別，讓妳完美主義及成為理想媽媽典範的壓力稍微舒緩。對於疼愛、寵愛與理想化兒子這點，妳感到更自由，是的，妳變得更自由。我們知道的一位處女座媽媽在為兒子命名前足足等了「十二週」，她想等到「完美」的名字降臨，不願意用隨便的名字替代。雖然這代表她得一直呼喊兒子「寶寶」和「可愛熊熊」整整三個月，以及忍受其他人催促她趕緊為兒子取名（處女座可不想隨意妥協）。當名字「自己出現」時，她和另一半舉辦了盛大的寶寶命名儀式。

妳想要孩子的童年時期自由、有趣且充滿冒險，比起和女兒相處，和兒子一起時，妳憂心忡忡的一面較不會頻繁出現。妳對自己如此嚴苛，傾向將自己的「缺陷」放大到女兒身上或和她比較，會使事情變得更棘手，因為妳將自己視為最大的審查者。和男孩一起，妳比較能把他看成是獨立個體，相信他保有彈性，能自己調整情緒和身體議題，妳也讓他隨心所欲。我們認識的一位處女座媽媽，讓兒子在她全新的專業廚房高櫃中建立一個躲藏處，甚至在角落為他放了桌椅，這樣就能讓他在想獨處、心情低落時有處舒適的祕密基地。除了讚譽他的情緒外，妳也會灌輸他好的價值觀、尊重他的想法。妳內心深處渴望他能成長為擁有堅強性格的男人，藉由他證明妳使用了正確的撫養方式。妳花時間關注他的舉止，小心引導他做正確的事，告訴他是個聰明且有能力的人。即使生活為他帶來不幸，他會知道媽媽相信他能做到。

缺點

妳是很棒的傾聽者和天生的治療者，這讓妳的危機處理能力異於常人。然而，妳重視自己「無所不知」的角色反而使兒子長不大，阻止他發展出嚴謹的解決問題的能力。妳需要逼迫自己讓他經歷一些掙扎，在他需要空間成長時刻意與他分開。妳可能是那種媽媽——願意帶著兒子搬到郊區、在最好的學區定居下來，為兒子的幸福犧牲所有事。但是放棄太多自我身分價值，會帶給他錯誤的訊息：認為所有女性會迎合他、塑造出他理想的未來。

談到女性，妳可能也對兒子另一半的選擇過度干涉。有任何女生好到適合妳的兒子嗎？我想非常之少。妳可能特別強調兒子伴侶的「缺陷」，對其保留態度，還會出現一些嫉妒和競爭心態，畢竟處女座媽媽喜歡當家中的女王。這樣缺乏界線的態度一定會造成妳和兒子之間的問題。我們曾看過頭腦清楚、理性的處女座媽媽過度占有兒子，使她們變得古怪。一位處女座媽媽在與兒子親吻道別時，會在他臉頰上留下具爭奪領土意味的紅色口紅印；另一位朋友的處女座媽媽，當兒子的社群換了新的大頭貼時曾留下「這位帥男孩是誰」的留言。如果他不是三十二歲的男人，這樣的文字可能還說得過去……即使妳心裡某個部分想永遠與他保持親近，最後妳還是得預防分離的感傷。因此，請確保自己保有完整、平衡的人生，這是最好的方式。

✶不同年齡和階段的教養

嬰兒期（一歲）

歡迎來到最甜蜜的時光：寶寶的第一年。對大部分處女座媽媽來說，新生兒階段絕對是最喜歡的時期。如同星座顯示「處女」（當然是象徵性上），妳會陷入純真狀態。處女座是天生的助人者，妳需要被需要，謹慎的天性喜歡承擔處理嬌弱新生兒的責任。對於其他媽媽容易感到氣餒的事，對妳來說反而輕而易舉。

就像女性對婚禮的夢想一樣，妳也期望有天能將孩子抱在懷中。出生的奇蹟不會讓妳退縮，而且妳想在第一年中享受寶寶的每個發展。如果妳有其他孩子，可能需要確保這位新來者沒有取代他們的地位，不要忘了他們也需要妳的寵愛，讓他們一起承擔責任。

即使妳不是個善於交際的人，可能仍是個長不大的成人。（是的，妳有兩種面向。如同一位處女座提到：「寶寶仍有部分與上帝同在，他們可不是活得煩膩又厭世的大人，大人真噁心。」）在歐菲娜生產後，第一批來醫院探望的朋友是處女座。其中一位朋友甚至在歐菲娜的病床野餐，享受將寶寶抱在懷中的喜悅，孩子的媽則在旁狼吞虎嚥地吃著晚餐；另一位提供她「專業的嬰兒包巾服務」——她甚至沒有自己的小孩！在小孩出生前一週，處女座朋友艾比「在她的堅持下」，每天幫忙施行針灸治療，幫助歐菲娜加快生產速度以避免需使用引產的方式生產。

所以，寶寶來了，妳也準備好了，可能還準備太多。尿布和連身衣的存量可能堆成一座小山；與醫生的預約已經排到六個月之後；iPod 已經存好用來安撫寶寶的貝多芬和莫札特交響曲。妳的核心自我已經確認到每個令人有點厭煩的細節：從臉書上嚷嚷著保母、手推車的價格到選擇育嬰房色調，情緒讓人幾近崩潰。

嘿，這不是妳的錯。處女座容易先做足所有準備與組織細節（雖然不見得都很整齊，妳有些不為人知的貯藏癖好），妳享受細瑣的任務，成為媽媽有堆積如山的雜事，讓妳感覺到自己能有不錯的發揮。無論是一籃待刷洗的布尿布、將有機甜番茄搗成泥，或是瀏覽教育性玩具的產品介紹，即使妳會抱怨，但妳其實很喜歡。

處女座掌管消化系統（真幸運），妳可能內心對寶寶尿布裡的東西沒那麼感興趣，又或者像處女座的心理學專家安德莉．奧斯隆（Andrea Olson）甚至沒有使用任何尿布。是的，她是一名「無尿布寶寶導師」，安德莉在做了研究後，使用名為「排泄溝通」（elimination communication）的方法，運用在她新生兒子上，同時也開啟成功的事業。很顯然，寶寶需要上廁所時的訊號及他們與生俱來的時間感，都可以學習。安德莉自己的兒子在九個月就不用尿布，出生後就一直用氣墊覆蓋在馬桶的方式上廁所。確實對一些人來說會覺得有點奇怪，但根據安德莉網站顯示，已有超過世界一半以上的人試驗這個方法，直到至今數百年來都是如此。

作為關注健康與環保意識的星座，妳會發現這是值得嘗試的方式，如果妳住在一間會將波浪鼓亂丟的大型婦嬰用品連鎖店旁邊，現在尿布、垃圾、環境破壞上的統計，多到讓妳深感罪惡。讓我們面對現實吧，妳根本不需要多一件事讓妳變得更神經質。

不過，無可避免的神經質會逐漸增加，因為妳的過度分析和擔憂。對新生兒寶寶的照顧越是得心應手，越會發現有些事讓妳感到操心——綁架的新聞故事、嬰兒猝死症（SIDS）的驚人報告或海外製造的含毒玩具，接著妳會上演一場場完美主義的糾結，像是關於哪種尿布最好及何時該食用固體食物等。妳可能會嘗試從網路分析每次的鼻塞聲，或直接衝到醫生那裡「只為了確認」是否肺炎，此外當另一半或照顧者在值班時，妳簡直就是他們的惡夢，因為妳會仔細觀察他的每個舉動。

妳可能需要對自己克制一點，保持冷靜、睡個好覺、讓精力恢復、或離開現場、去逛街（如果需要，能從保母遠端監控確認一兩次）。回來時，寶寶會跟平常一樣，沒什麼問題，好好放鬆、休息後，妳會成為更好的媽媽。此外，妳會了解到，少了妳的過度介入，小孩適應力會更好。如果妳能抑制住想要控制所有事的衝動，妳的感情關係會有所進步。妳的另一半應該要有別的盤算或觀點（很可能會有，畢竟你們有不同的養育方式），這段時間你們因為無法在育兒主題上有所妥協，使你們的關係產生壓力和負擔。此時，妳需要拓展一些新的共同撫育技巧，讓另一半一起參與做決定的過程。

妳的完美主義，可能也會干擾妳與寶寶間的幸福，當事情每況愈下時，妳要有所意識，留心警訊：開始認為自己比起那些給哭鬧嬰兒配方奶而非母乳的媽媽高尚、或是對強制執行睡覺訓練，造成社會心理危害的媽媽有所微詞，請將這些事看成是信號彈，因為很有可能那些妳看不起的媽媽，正反映出一些妳需要省思的事；她的恐懼或許顯現出妳自身的不足。此時，應該將處女座夥伴麥可．傑克森的歌改寫，從「鏡子裡的媽媽」(mom in the mirror，出自麥可．傑克森《鏡子裡的男人》（Man In the Mirror））開始練習。

不過很有可能，妳根本不想看到鏡子裡的妳——特別是妳可能還在為懷孕變肥而難過；處女座媽媽難以度過產後身體走樣的後果，及身體整體上的不適感受。作為象徵健康的星座，妳渴望回到原本的良好體態，但對於自己明明有良好的計畫技巧，卻還是錯過訓練而感到挫折。妳不想不戰而敗！一位處女座朋友在她女兒睡覺時，將她放在慢跑嬰兒車內，跑百米馬拉松訓練自己。比起關心自己的外表，不如提高對自我的關心及強調自我的感覺。我們的處女座朋友艾比雇用一位產後陪產員，幫她在產後製作第一週的餐點，因此她才能休息，並確保家裡所有成員都能吃得好好的。

最好的防護措施，大概是一本優秀的剪貼簿或寶寶部落格。妳會開始關注孩子的舉止，可能會以某種永恆的形式詳細記錄，這樣就能在某天與孩子分享。她在遊戲墊上做出哪些可愛事情？兩歲時的健康檢查如何？第一次笑是什麼時候？伴隨這些紀錄，妳會變成一個知識大百科，像是妳真的很喜歡知道哪台嬰兒車最好，並將意見提供給其他媽媽。

記住第一年光陰似箭，這一年會被許多有趣的里程碑填滿。妳也不想錯過探索這些片刻的樂趣，而且可能會被指出嘗試讓每件事都做到好。如果妳給自己或寶寶過高的標準時，可能就得處理一些失望時刻，以及學習如何放下。冥想、深呼吸、一分鐘的下犬式瑜伽動作——任何讓妳能更快樂、回歸正軌的行為，這樣就能活在當下，這些是妳身體真的需要做的事。處女座媽媽，要記得休息。

學步期（兩歲到五歲）

歡迎走在狂野的道路上，特別是在孩子踏出第一步時！這是段累人但可愛的時間，讓妳發揮建構和計畫的天賦，不過很可能在變成家長後，妳會為孩子過度計畫：音樂賞析課程、寶寶學步課，可能還有寶寶語言課程。嘿，為什麼不讓孩子成為世界上使用多種語言的公民，而且讀過的各種書會使他在上大學前擁有競爭優勢（妳有聽到一頭虎媽正在怒吼咆嘯嗎？）。

何不從幼稚園申請過程開始，這個問題在美國已變成親職的必要之惡。妳需要準備好，開始尋找最好的學校以及關於申請的內部消息，可能甚至計畫搬到頂尖學校的學區，觀察好申請的截止日，幫妳確認完美的郵遞區號變更，郊區生活，我們來了！

善於語言的處女座由代表溝通的行星水星掌管，妳樂於享受與學步寶寶說話，在圖表上畫好他的語言發展和達成的里程碑，也會花好幾個小時教導字母、動物聲音、身體部位的互動遊戲，或者妳會儲存通過妳認證過的幼童專家（妳也在觀察妳的小古魯）所介紹的教育性玩具和影片。妳知道如何執行妳嚴苛的語言課程，小嬰兒也會聰明地使用他的「咿呀」聲表達意思，即使他並非每次都記得如何使用。

妳對於追求正確養育孩子的信念堅定不移，孩子還小時，妳不害怕扮演採取堅決態度的角色。不是說妳對他過分嚴厲（比教師還嚴守規則）。「我和我先生共同使用紀律」，一位處女座媽媽蘇西菲娜說道。「然而，當我糾正孩子行為時，可能又更頑固。我受不了發脾氣、頂嘴或任何不對的態度。我想向兒子展示還有很多有效的方式能表現自我。」

當事情一切順利時，妳喜愛玩樂的一面會展現出來，妳樂於唱歌、跳舞及和寶寶在戶外玩耍。處女座喜愛教導，妳會透過他睜大眼睛的驚喜萬花筒看世界，沒有任何事比這個小傢伙對蒲公英、雁子成群飛過，及每晚指著月亮驚呼時還更加甜蜜。由於妳對例行公事的喜愛，不介意一次又一次閱讀《晚安，月亮》（Goodnight Moon）。然而，即使妳投資館藏豐富的圖書館，我想大部分的書未必都有受到青睞。

在這個階段，妳能從社交機會中獲得益處，這對於以學習為主的星象來說會更舒服。妳享受上課，與其他媽媽彼此慰問，談談每天經歷的事。一旦妳習慣在遊戲班、藝術教室或日托中心看到相同的媽媽，理解她們並不是在評斷妳時，妳會更容易、輕鬆地加入這個新的支持性社會團體。

有時候，妳可能會走到了自以為是的領地，此時請留心。危險注意：妳詳細分享為什麼替孩子選擇另類教育系統，並引用標準考試沒有效果的研究；或者貼出一篇關於讚賞依賴父母在心理學上的優點。當書籍像《為什麼法國媽媽可以優雅喝咖啡，孩子不哭鬧？》（Bringing Up Bebe，索引：優雅的法國媽媽可以做得很好）以及《虎媽的戰歌》（Battle Hymn of the Tiger Mother，索引：不，進取心強烈的中國媽媽會做）變成國際新聞時，我們知道的一位聰明處女座媽媽回擊說：「我是沒有反對這些教養書籍，但我比較喜歡從發展學專家學到知識，而不是這些親子法或靠老虎證明自己是好媽媽。」

妳半喜半憂的心情也開始轉為高度警戒，讓妳變成一個失去能力與希望的人。「對我來說，最糟的階段會是第十五個月左右。」凱倫回憶。「他開始走路、跑步、抓東西，妳就得不斷跟著他。」老實說，不需要太多問題就能引出妳憂心忡忡的一面，尤其是遇到小孩無法正常吃飯，或沒有「完全」百分之百站在體重機上的正確位置。妳擔憂孩子最後會搞砸，最糟的是，妳會（倒抽一口氣）做出一些無法挽回的錯誤，讓妳在大家面前丟臉和受到譴責。結果，妳不受控的過度分享，讓妳試圖說服自己是個夠好的媽媽。

對妳來說，學步期最艱難的部分是變成一團混亂。妳出於天性不喜歡缺乏不確定性和無法控制衝動。學步嬰兒大腦的發展其實就是他們無法按照順序，即使是最嚴格的紀律也無法避免崩潰情形。孩子大部分古怪的舉止會引妳發笑，更精確來說，只要那些古怪行為不會出現在公眾場合，一切都沒有問題。

「我必須說，比起學步階段我更喜歡新生兒」，處女座蘇西菲娜說，「我兒子新生兒時很溫柔、好相處。他能按照自然的例行規則，從不挑剔。現在他是個學步兒，反而變成狂野的人——簡直像衣服和腳趾沾滿沙子的加州海灘男孩！」

如果妳不是全職媽媽，妳的控制欲真的會變成一種狂怒。當妳無法掌控全場時，會開始憂慮，並讓擔憂蔓延成一場流行病。一位處女座媽媽記得（事後證明很感激）日間托兒所甚至開始刻意不接電話。「我會在午餐打給她，問她我兒子是否便便了，或是否有吃包好的健康點心。」就像這位媽媽，即使保母給孩子市售花生醬而非天然花生醬，讓他坐在溼透的尿布上幾分鐘，妳也需要學習相信孩子會過得很好。

再來，妳自己對細菌有偏執，特別是如果住在市區。妳對泥土和草雖不反感，但妳對遊樂園或幼稚園的接觸病毒卻有高度警戒。「我會隨時在包包裡放『媽媽工具包』」，蘇西菲娜承認。「這個非常別緻的化妝包大到可以放止痛噴霧、旅行用風倍清（Febreze）、溼紙巾、媽媽用安舒疼（Advil）止痛劑、消毒劑等。」

學步階段有任何一線希望嗎？許多處女座最終會了解到需要「一整個部落」的人協同照顧——當然不是只有一位廚師和一群懶散公民。作為代表助人者的星座，妳不會這麼快尋找協助。要說服妳將工作分發出去，只希望這件事不會讓妳變得精神衰弱或過於疲憊。不過記住在人類漫長時間裡能生存下來的理由，就是因為有共同分工撫養後代的社會模式。只是到了現代社會，西方文化重視的「強烈個人主義」，使得母職變成有點像競爭激烈的個人運動賽。

土象處女座若是以自然的方式行事，通常更能茁壯成長；這代表妳會等到孩子三歲半時才送育兒園、與孩子睡同一張床，或甚至住在大家庭裡，每個人都會主動幫忙做餐點和哄孩子睡覺，就以這樣的方式進行吧！我們認識的一位處女座媽媽曾主動尋找大坪數的房產做投資，在那裡能分享給幾個家庭以達成互助合作。養育最好的「規則」是做妳自己，另外要時常記住，制定規則就是為了打破，請放寬心胸。

童年早期（六歲到十一歲）

新生兒階段之後，將進入幼童發展中妳最喜歡的階段：童年早期。此時，孩子已經大到足以理解妳說的每件事，但因為他還小尚不會回嘴——至少不會說太多。這年紀的小孩比起反抗家長更想討好他們。妳很樂於教導孩子關於生活的大小事，介紹他書籍和活動、花時間在大自然裡，培養他的智力發展——讓我們開始冒險吧！

一些處女座媽媽可能現在就會進入早期空巢症候群，開始擔心孩子少了妳的管教時，他每個舉止會如何表現。習慣憂心忡忡的妳，已經對孩子的需求做出過多的預防措施；是時候該提醒自己，如果孩子經歷掙扎或困難時會自行解決，他是沒有問題的。（這個機智雋語出自諷刺作家安布羅斯・比爾斯（Ambrose Bierce），他總結處女座媽媽的模式：「當媽媽感到冷時，孩子身上已經穿上毛衣。」）妳渴望的「被需要的感覺」現在會有點緩和。

我們可以說處女座媽媽是孩子最好的擁護者，畢竟妳可能幼時也曾在社會上遭遇困難，或者至少妳記得那種被老師、某個大人物誤解的感覺。如果兒子或女兒在學校做錯事，妳會待在現場直到問題解決，即使代表妳得為孩子學校的霸凌問題試圖說服對方、請老師出面解決，甚至直接將孩子轉學。作為十二星座中自然健康的掌管者，妳不會使用過於激進的方式。舉例來說，如果孩子被診斷出有學習障礙，妳會瘋狂地搜集資料，也許還會試著在飲食、睡眠或環境改變上做些實驗，或許孩子可能是麩質不耐症或過敏，另外妳也願意靠著妳的直覺理論做測試。

有時候妳需要更大的改變，妳也會在需要時採取行動。一位處女座朋友將他外向的兒子送入一間以「另類」哲學為基礎的菁英私立小學，在那裡不鼓勵競爭，崇尚烏托邦理想的教育方式。不幸的是，他兒子和學校老師間存在嚴重的衝突。「我甚至雇用了私人社工人員進入學校，觀察兒子在教室的互動，去看看是否問題出在他的行為上。」她承認道。結果是那位宣稱「和平主義者」的老師真的很害怕衝突，以至於教室根本失去控制。

經過這件事後，給這位處女座媽媽上了一堂課——有時候對孩子最好的事，是環境是否符合「孩子」的個性，而不是符合自己，現在她兒子轉到公立學校。妳總是害怕少了妳的囑咐叮嚀下，孩子將會無法承受又大又混亂的世界，於是不自覺對他施加過多的控制。妳可以試著培養自我察覺的態度，並讓孩子學習能自己激發出最好狀態的能力。

「我看到孩子以同情心和友善對待他人時，感到非常驕傲。」處女座媽媽莎莉說。「我知道他們是從我在家中不斷推廣的書籍、佳句和能量裡，吸收到正面資訊。」

在這個容易受到影響的時期，妳會對孩子加強好的價值觀，此時妳「波麗安娜」(Pollyanna，指一種他人對正面描述表示認同的現象)積極的一面會全力展現出來。嘿，當孩子的同儕壓力已經超過妳的影響力時，代表他離成人的階段不遠了。所以妳想盡可能地影響他，在他對性行為感到壓力或在參與高中派對有困難時，能將妳平常對他耳提面命的智慧之語聽進去。

對處女座而言，絕不會有缺少聰明對策的時候，這階段是灌輸新知很好的時機。妳享受為孩子媒合他個性的課程活動，像是大提琴課、足球課、野營課，妳能敏銳地觀察他的上課進度，默默地觀察、引導他，就像個嚴厲但可愛的圖書館館員。「我會試著找些工具、資源和素材幫助他們表達自己。」處女座媽媽貝絲說。「無論是為我兒子上課、找美術用品或甚至在穿著上。和孩子一起時保持彈性非常重要，試著將彼此作為個體看待。」

不過妳的彈性並非沒有限制——我們可以這麼說，處女座媽媽習慣事物必須遵守控制規則，「換句話說，我非常有條理」，貝絲承認，「我逼迫孩子吃健康的食物，即使他們每天會吃甜點，我還是會控制糖分的攝取。我們使用一種賞罰系統，並隨時正向強化它。伊森和西斯莉兩人都有『集點卡』，當我看見他們表現良好就會給一點。這對他們來說效果非常好。」

學校教育和成績固然重要，但妳真正在意的是小孩對教育的態度。孩子是否享受在學習過程和探索內容之中？妳是個熱愛學習的人，學習是自我成長裡一段漫長的過程，這是妳希望能與孩子分享的價值。妳想要他找尋自己的熱情和道路，讓他的人生能充滿所有喜歡的事，「我強調『自由是讓你成為想成為的人』」，莎莉說道，「我把重點放在尊重你的工作和盡你所能。」

這階段伴隨而來、需要被迫社交的場合，這使內向的處女座感到掙扎。無可避免，妳將遇到學校裡的義務教育、校外教學、學校音樂會或運動比賽，必須與孩子同儕的父母交流，不過出自於妳害羞或不安全感的特性，可能需要用身為媽媽的自豪感來與他們相處。

「只想做一個喜歡閱讀和寫作的孤僻之人有點困難」，貝絲說道，「不過最後我了解，育兒最好是以團體的方式進行，這對我來說很棒，我發現我沒有想像中這麼喜歡獨自一人。」

去吧！去加入資金募集委員會或帶領孩子參與瑜伽課程，這能讓妳不會覺得自己受到孤立，特別是孩子待在學校，會因此空出很多時間時。即使妳需要工作一整天，也會在學校與活動間取得一個新的生活節奏（可能甚至比之前還忙碌或更有壓力——這會讓妳感到沮喪）。

當然妳現在也讓自己大部分的腦細胞起死回生，將注意力轉回到自身的追求。呼！當孩子不用上學時，妳會比較喜歡帶著孩子和朋友一起玩耍，在那裡比起提供他娛樂，妳僅僅需要在周圍注意他就可以。

「當孩子還是寶寶和學走路時，我根本一本書都沒辦法讀。」莎莉回憶道。「然後歐菲娜在日記上做實驗。她提到一本名為《簡單富足》（Simple Abundance）的書，這本書改變我的人生。這是本專注在每日日常的書籍，可以一天看一頁，書中好像有什麼東西正撫慰我的心靈。後來我開始寫日記，創造與自己對話的時間，幫助我再次喚醒自我。」

在青少年風暴來臨前，這階段可能會很平靜，好好品味空氣的芬芳。享受與孩子建立連結，藉由活動和興趣證明你們都樂在其中。未來幾年說不定妳還得將這些時光作為與孩子和解的策略。

青少年期（十二歲到十八歲）

尷尬，自我意識，無法融入或無法被理解。等一下，我們是在說妳的青少年孩子……還是妳？妳在青少年時期感受到的痛苦回憶，可能在孩子度過青少年這幾年仍記憶猶新。當可愛小天使蛻變成神經質的妳（帶點自虐狂特質）的放大版，可能會使妳措手不及，這是一段孩子開始對自己過度要求的時期。如果有任何人能與他產生共鳴，那個人就是妳。妳得開始拉高水平：為了妳以及孩子，妳必須跨越對自我嚴重批評的心魔。

可能只有少數家長會認為青少年時期是他們最喜歡的階段，對處女座媽媽來說，除非擁有穩固的資源和他人支援，否則妳可能會有段非常難熬的時間。這可能代表需要做家族治療，處理妳對失去控制權所帶來的恐懼，或是得在嚴厲與寬容間做出一些適量的取捨。

「隨著孩子長大、成為青少年，我感覺他們好像不見了，他們需要私密的空間。」莎莉說。「這階段對我來說帶來了兩種心情：拋棄與自由。我感到傷心及被遺棄，因為他們比起和我一起依偎在沙發上，更想和朋友在一起。突然間，我不再是他們宇宙的中心，流行文化才是。」

她繼續說，「接著感覺到自由的到來！我有更多時間上課、回到事業，和女性朋友午餐。一切如此完美。不過即使這一切很美好，但自由有其限制，因為總要有人載他一程，或要妳從皮夾裡拿出二十塊錢。」

作為一個渴求被需要的星座，當孩子離開、強硬否決妳的關心，妳可能感到被拒絕。同時間，妳會因為過於擔心他的心理狀態，或是他放學後和誰一起出去而備感煎熬，此外，妳還會看到妳所有的控制欲以及奮力撫養孩子的艱辛，看起來就像一個隨時會傾倒的脆弱組織。

為孩子放棄所有事情，對處女座來說不是好主意。妳將妳的身分認同全部關注在他身上，對妳來說也不會有任何成長空間。妳已經是個高度敏感、容易感到有壓力及背叛感的人，如果孩子又為了要確認妳的媽媽角色而備感壓力，你們的關係會變得扭曲。老實說，若妳沒有足夠的興趣和嗜好，可能會激起妳「嬰兒媽媽戲劇」的情緒。突然間，妳不再談起朋友，或是妳切割掉的家庭成員（處女座受傷時會有的知名舉動），這會讓孩子感到困擾，削弱他對妳的忠誠。

頂嘴和乖戾態度也會踩到妳的地雷，妳會為此感到特別受傷。「我不太會處理衝突、無禮或不受到重視，但這些都是青少年常見的人格特質」，處女座媽媽克莉絲汀承認。我明明花了這麼多精力撫養他，我哪裡做錯了嗎？（提示：我沒有），他怎麼可以在我做了這麼多之後，還這樣對待我呢？（提示：這不是針對妳，即使妳感覺是。）

一樣地，妳對於青少年痛苦的混亂和同情很敏感，正如妳因青少年可能會做出的糟糕選擇感到著急不安（不提糟糕的結果）。在這階段妳可能覺得無助，並出於恐懼而對孩子更加嚴格管教。

後果是妳偶爾會使孩子「嚇歪了」，變得有點走火入魔。為了避免讓孩子做出蠢事，像是危及生命的事，妳可能會使用可怕的手段、批評他的選擇，如給孩子看因抽菸變黑的肺和健康的肺的對照圖片、給女兒聽真實「青少年媽媽」談到撫養孩子有多困難的內容，或逼迫兒子到醫院復健部做志工，去看那些因酒後駕駛受傷的青少年的樣子。

哎呀！留意妳心中好與壞的道德標準是否變得過於極端，那種非黑即白，或認為教導孩子做對的事只有一種方法（保證會造成叛亂的策略）。因為妳不如妳所認為的能控制自己不去管孩子與誰交往，因此妳可能批評那個人、提出嚴苛意見，並希望孩子能感受妳想傳達的用意。

「我知道當我兒子和他高中女友開始約會時，對方就想快點懷孕」，一位處女座媽媽說，「我感覺得到她的用意。然後我告訴兒子。當然後來她懷孕了，那時她還是高中生，我兒子是大學生。我無法忘記那天他告訴我對方懷孕的事。在他開口說前，我還看著他的眼睛並說：『她懷孕了，對吧？』」喔，不！因為妳是個如此擅長察言觀色的人，妳可能正確嗅到他們的動機。此時妳會陷入兩難：是否該打斷他並說出妳察覺到的事情，這會讓狀況往不好的方向發展嗎？學習何時開口及何時讓青少年了解犯錯，對處女座來說難以劃分。妳知道預防勝於治療，同時妳也不可能總逼迫青少年事先預防，這些對妳來說都不容易。

作為無所不能的媽媽，可能會在妳說出「我早就跟你說過了」，帶給妳不太踏實的滿足感，因此，未來最好還是學習實用的策略並傳授給孩子。「我很喜歡批判性思考的技巧」，布蘭達說道，一位曾撫養兒子的處女座，現在正幫忙撫養正值青少年的孫子。「我教導他們：在你做某件事情或說某件事之前，先想好會產生的後果。他們需要學習看到更重要的部分，以更寬廣或長遠的目光看待事情。我告訴他們『這是你的觀點，現在也看看其他人的。』」

如果妳的小孩「真的」來到身旁尋求建議，他會得到紮實的智慧及一些特別需要的輕鬆時刻，但重點是他要懂得求救！他了解妳只是想幫忙、保護並避免他受到傷害。

「高中時，我媽媽有次看到我為了糟糕的成績難過」，一位處女座媽媽的成人女兒回憶，「那天我沒去學校，她反而帶我去海邊，因為她覺得我把學校的事看得太重要。哇，這真的很神奇。」

「我們之間有個很好的默契」，莎莉說，「當孩子因為學校和同儕感到有點無法承受時，我允許他們放一天稱作身心健康的假期。當他們來到旁邊說需要放假時，我會排開行程，我知道我們會有個美好、充滿樂趣的一天。我讓他們選擇想做的事，無論是去城裡逛街或看場表演、看電影、穿睡衣閒晃或做些手工。關鍵在於他們那天會忘記所有不好的事，並和媽媽在一起。」

不過得提醒一句，讓這些期待有所限制，不然孩子會趁機占妳便宜。青少年很會操控事情，他們需要確實但有彈性的界線讓他們感到安全。如果妳的目標是平衡死板與放鬆間的比例，那麼他們可能不是因為壓力需要放一天假，而且至少也不是因為妳。

妳是個調停者和善於解決事情的人，不過可能會因此不小心陷入危機，也許妳是以無意識的狀態，讓自己回復到需要被需要的舊角色，這使得孩子認為妳會出面幫他解決。然而，這會引起戰火，因為妳可能給他一個崩潰的動機或「媽媽會處理好」的想法，使得他之後在學習自我負責時受挫，所以請不要保護孩子去面對自己選擇後所產生的後果。學習串連因果關係之間的點，這是他現在必須學習到的人生技巧。妳要在場邊指導他，而不是為了救他而跳下去。

掰掰，小鳥離巢（十八歲以上）

孩子離開家庭獨立，對處女座而言將會特別痛苦。某種意義上，妳感覺像失去工作，妳擔心並希望他仍在妳身邊。上大學離家是個錐心又戲劇性般的轉變，妳可能會這樣說：「我不敢相信，我的寶貝都長大離開家了！」當然，如果妳和他在青少年時期處得不好，可能也會暗暗鬆口氣，這卻會讓妳感覺到（不必要的）罪惡感。

對一些處女座媽媽來說，孩子離巢可能只是人生的片刻或一剎那，特別是如果妳不經意嘗試放慢離開的速度，可能甚至將家裡的一部分轉變成短期公寓，或是藉由讓孩子繼續留下來直到他「準備好」離開家前，單純拖延離開的時間。（時間滴答滴答，他已經悄悄快二十歲了，媽媽……）

少數的處女座媽媽可能會坦率地唱著「哈利路亞」，開始改造家和人生，毫無保留地表現出興奮的心情送孩子離開。伴隨妳完美主義的傾向，可能在這幾年間因做為一位稱職的父母而筋疲力盡，犧牲了自己獨處的需求，所以妳的孩子不會再跟妳要求什麼。雖然處女座是個終極給予者，但妳也重視個人的步調，現在妳對於把自己放在第一位不再感到有罪惡感。妳能布置家裡、讀小說、將孩子的寢室拿來做瑜伽、早晨邊喝咖啡邊做數獨……好好地享受這樣平靜時光。

「我慶祝了一番！」布蘭達說到她兒子離家去讀大學時，「我不能理解為什麼有人會傷心。這真的很棒……因為我重獲自由，這是我最喜歡的事了。不過每當兒子回來時，我會立刻轉變成媽媽的角色，開始擔心他是否一切順利。所以我也很開心他從學校回來。」

但是如果孩子在妳（是的，我們是說「妳」）還沒準備好前離開，妳會持續強烈維持母性天職的束縛：要他回家吃晚餐、寄送補給包、帶他去奢侈的逛街或渡假，確保妳隨時被孩子需要；妳可能會建立以情緒劃分範圍的方式，讓自己塑造成孩子有問題就會來找妳，他會隨時打電話詢問關於愛情、生活和洗衣服的建議。

一旦妳放手了，就會發現其實妳喜歡有自己的生活步調。重新裝潢房子磨損的部分或改善較少使用的空間，這些改變環境的儀式，能幫助妳打造能夠茁壯、像避難所般的空間；將家裡辦公室重新改裝成富禪意的空間，擺上妳的書和精神目標；為衣帽間的鞋子和鞋子煥然一新；改造廚房，放入精緻的餐盤以及廚具補給品；為自己和另一半張羅一頓特別餐點。如果這反而會加深妳的空巢傷痛，那麼每週和幾位摯友一起吃晚餐，這樣能持續透過準備餐點、與其他人培養感情及產生連結。雖然這沒有比妳錯過的家庭晚餐重要，但卻幫助妳撫慰傷痛。

妳也享受與年輕世代產生連結，隨意為幼稚園其他孩子準備晚餐或付錢請他們幫忙做家事。幫助朋友照顧年幼孩子，或甚至照顧一週（當妳想起有多少工作要做時，能療癒妳的產後憂鬱，此外，妳也能看本小說結束一天！）。如果妳是公司老闆或管理階層，那麼就雇用一位有趣的實習生，好好培養與照料他，導師制的方式也提供妳一些「媽媽的能量」。如果孩子上大學，讓他帶著新朋友來家裡住上一週，或邀請他的摯友與其家人一起來場家族旅遊。雖然你們之間相處的時間越來越少且相距甚遠，但妳的目標是充分利用。

現在妳擁有完整的時間，能重新將焦點放在眾多的興趣上。妳喜歡專精在注重細節的能力或手藝，現在就將專注力放回這些事物上。如果妳還沒嘗試過，例如進修十八世紀文學課、或到加州來趟葡萄酒鄉之旅，現在妳能開始準備這些推遲的夢想，而且不會有任何罪惡感。和另一半仍維持良好關係，婚姻一切順利？如果令人厭煩的青少年時期曾經讓你們的關係變得非常難受，那麼現在是重拾火花的好時機。

幸好伴隨著處女座善於計畫的能力，妳可能已經透過晚間約會和一些短暫假期來修復你們之間的感情連結。現在妳想使用之前提過的技巧，為彼此創造新興趣和準備重要計畫，不用再以小孩為中心（嘿，親愛的，想要購買或修復一間海邊小木屋／種植有機蔬菜／到歐洲旅行六週／開間美味起司店？）。

大人之間的溝通談話可以帶來的成效，往往被低估了。妳享受恢復與另一半和朋友間的聯繫，而且希望與現在長大的孩子一起成長。當然，媽媽的角色永遠不會改變。不過美國作家南西．弗賴迪（Nancy Friday）寫道：「當我不再用純真眼光看待媽媽時，我看到的是一個把我生下來的女性。」這確實是妳要做的事。即使你們之間轉換到成人對成人的關係，記住孩子的獨立性並沒有被遺棄，實際上，妳身為母親的任務也已經完成。妳值得獲得一顆閃亮的金色星星，處女座媽媽。

天秤座媽媽

（9月23日～10月22日）

媽咪魔力——妳的優點：

有耐性、雅緻、好品味、公平

媽媽咪呀——妳的挑戰：

不一致、勢利、虛榮

知名的天秤座媽媽：

關．史蒂芬妮、葛妮絲．派特洛、凱特．溫斯蕾、
金．卡戴珊、娜歐蜜．華茲、艾莉西亞．席薇史東、
艾希莉．辛普森、凱薩琳．麗塔．瓊斯、希拉蕊．朵芙、
莎朗．奧斯朋、凱莉．李帕

✶妳的教養風格

妳知道天秤座是難以捉模的「平衡」，搖晃之秤是否永遠在尋找平衡？母職身分可能正合妳意，可幫助尋找內心的中心點，從自我引發的混亂中到達平靜的「暴風之眼」。嗯，不管怎麼說，有幾天就是會這樣。出生在因懶散得名的星座之下，天秤座以拖延和總是愛停下來聞每朵玫瑰味道（雖然這樣樣做並沒有錯）而聞名，現在妳突然成為一位有條理、完全是A型人格的媽媽。

天秤座在十二星座裡象徵「關係」。當妳為別人而活時，妳會最快樂，小孩提供妳完美藉口這麼做（幾乎足以對抗所有自一九八二年所寫的勵志書）。安排好自己的人生，同時也安排好「他」的生活，這個習慣對妳而言如魚得水。

大部分時候，為孩子而活會比為另一半、寵物或其他成年家人而活還健康，妳可能已經持續好幾年（伴隨著額外共同依存的重擔）。是的，妳會變得過於投入以及過於認同自己的孩子（之後會談到），但在孩子幼童期，妳穩定的存在能幫助這個小不點感到安全與被愛。知道「何時」變得獨立，或者用更適當的言語來敘述「是否」要變得獨立（嗯，這是另一個課題），特別是妳可能到現在都還沒從自己的父母身邊獨立。

所以，這個極端依賴父母的狀況又是如何發生呢？嚴格自律的摩羯座（象徵條理、紀律及長遠計畫）掌管著妳的第四宮。身為父母，妳呈現出五星大將的特質，轉變成嚴厲、以目標為導向的督察。

有時候，妳的標準甚至有點太高，因為妳逼迫孩子與菁英競爭，為他的未來擔心到引發焦慮的程度。我們的天秤座朋友丹妮絲遵循閱讀書籍給她兩歲女兒夏恩的練習，一天念「二十本」書，讓她跟著書一同成長。（是的，天秤座擁有如聖人的耐性，我們相信。）這些都是為了未來進入幼稚園所準備的，丹妮絲希望這樣做能讓孩子申請私立學校，而且必然能進入常春藤體系的學校（丹妮絲是耶魯大學的校友）。妳可能是個溫柔的星座，但是當妳鎖定目標之後，妳的能量變得無人能比，特別是這個目標關乎到妳所愛的人。

任何讀過葛妮絲・派特洛（Gwyneth Paltrow）《生活態度》（Goop）的人，才會得知天秤座媽媽私底下過於逼迫與堅守嚴厲的標準，但在那完美之下的只是攪動的恐懼，最後可能造成妳一生中最悲慘的慘案。雖然妳可能把母職看得雲淡風輕，但內心深處感覺到自己比以往還零散破碎，特別是當妳被迫急於奔命，同時處理很多事情時。作為在主流電視台美髮師的天秤座媽媽說：「我嚮往成為 A 型人格的媽媽，但我感覺我每件事都做得失敗。」

身為天秤座媽媽，當妳陷入孩子爭得你死我活的競賽中，重要的是先問自己的動機為何。到底發生什麼事呢？通常很有可能是以下其中一項：

ⓐ 害怕被批評（特別是自己在欣賞的人眼裡看起來很糟的時候）。

ⓑ 害怕如果讓孩子食用加工食品和麵粉對健康不好，或是在他三歲時沒有上鈴木音樂的大提琴課會很差勁。（「讓我孩子吃家樂杯速食湯的話，我寧願去死」，派特洛女士曾說過）

ⓒ 認為自己不足以當個好媽媽，因此過度補償孩子。

天秤座人生的主要課題，是想讓自己感覺像個「完整」的人而努力奮鬥。天秤座天生以夥伴關係為導向，如果妳把家庭生活放在第一位的話，妳可能渴望某人認同妳的決定或告訴妳方法，這可以讓妳成為優秀的共同撫養者。不過若是遇到需要做決定時，這樣的關係可能變得不利。母親身分給妳獲得自信的挑戰，妳會為了得到一切而成為一位好媽媽。大部分的天秤座可能會從唐諾・威尼科特醫生的理論「夠好的媽媽」中獲益。簡而言之，妳一開始會與寶寶形影不離，接著逐漸分開，變成引導者的角色，而非滿足他需求的提供者。

天秤座媽媽凱莉・李帕（Kelly Ripa）曾開玩笑地說：「我覺得小孩就像鬆餅：妳感覺第一次失敗了，不過在第二次時會表現得更好。」她有三個小孩，可能有很多練習機會，所以能以這樣輕鬆的態度面對。

幸運的是，小孩適應力很好，你們能一起成長。一旦妳開始擁抱這個想法，妳會發光——養育孩子時要求的一切是出於愛而非不安全感。天秤座媽媽樂於從頭開始成為養育過程的一部分，直到孩子長大。天秤座由象徵審美觀的金星掌管，是天性愛美的星座，妳喜歡讓孩子接觸藝術、文化、風格及所有精緻的事物。從很小年紀開始，孩子就知道如何分辨印象派畫作，能用完美的義大利文說「謝謝」，或在餐桌禮儀課上知道何時該使用哪支叉子，甚至會用電路模型調整時間。嘿，為什麼不為他多存點大學基金，或為他拍攝如GAP寶寶廣告上的可愛模樣呢？

妳喜歡孩童時期所有刻板印象中的誘惑，如大尺寸玩偶、迷你屋、卡車、精緻下午茶組和火車軌道；孩子還小時，裝潢完善的客廳可能佈滿精緻的玩具。天秤座不喜歡匆促，而且妳有很好的能力可以隨時出現在孩子身邊。妳被他滑稽的行為逗樂，愛上他的怪僻和疑問——樂於花好幾個小時解釋為什麼天空是藍的，或在寵物魚過世時，幫助他標出天堂的正確位置。

天秤座媽媽也對父母身分有點浪漫主義或理想化。我們認識一位天秤座媽媽熬夜整晚製作女兒兩歲相片本；另一位則長期經營部落格，不過部落格基本上都是她對三個孩子從幼時到上學的愛的信件。是的，談到孩子時，妳總是發自內心的真摯和多愁善感，妳也不會因此覺得丟臉！

有趣的是，我們注意到許多天秤座媽媽會領養小孩，即使她們能懷孕或已經有親生孩子了；也許是出自於天秤座具正義感所致，妳只是無法忍受純真的小孩在成長時缺乏愛。哎呀，如果可以，妳希望能領養所有的孤兒。此外，如果妳是孩子的繼母，妳會把他當作自己的孩子般疼愛（天秤座女演員茱莉・安德魯斯（Julie Andrews）在電影《真善美》（The Sound of Music）扮演從女教師變成瑪莉亞・馮・崔普（Maria Von Trapp）的繼母。把窗簾做成衣服，有任何人願意嗎？）

天秤座是公平的象徵，這也是為什麼妳善於制定規則，因為這比起強迫性的嚴厲懲罰還更合理。

「我的小孩從來不會出現行為不當的時候。」現在有兩位成人女兒的天秤座媽媽克莉絲汀．諾思魯普醫生（Christiane Northrup）回憶，「我不曾想過她們會出現不當行為，她們從來不會這樣做。」

有些比較嚴格的家長，可能會反駁這是種自我否認的天真想法，只是想避免衝突；不過確實有些天秤座媽媽能有技巧性、以不逼迫的方式引導孩子。而且當妳尊重妳的孩子，以一個擁有自由意識的個體看待他的話（不是把他當成妳的所有物）可能就不需要大聲斥責。嗯，大部分的天秤座在理論上會認同這樣的做法，不過做得好不好又另當別論了，當天秤座媽媽擁有一個支持她的良好體系，她會變得成長茁壯。一位天秤座媽媽告訴我們，她成為一個活動「橘色犀牛挑戰」（the Orange Rhine Challenge）的追隨者，這是由擁有四個孩子的媽媽所提倡的活動，她挑戰一年內發誓絕不責罵孩子。這位創造者將怒吼表（Yelling Scale）分成零（每天的聲音音量）到七（怒氣沖天）的等級，挑戰者必須維持在零到四的範圍（四的等級大概是妳已經開始有點被激怒，但仍可控制的狀態，會發出「噢，不！」略為動怒的聲音）。如果媽媽對孩子怒吼，那麼三百六十五天的挑戰就得從頭開始算起，重新來過。「橘色犀牛」的網站甚至賣起了塑膠手環、鑰匙圈及壓力球（當然也是橘色的），利用可愛的圖片讓挑戰者保持冷靜。

只要讓孩子學習到合理的界線和尊重，何不讓實行紀律的過程盡可能地保持愉快呢？當然確實有些時候，妳可能會悄悄地否定這件事，把這個世界想像得太過美好，因此讓孩子對某些特定的事物感到害怕，但有何不可呢？因為真實的世界一定存在一些危險。即使他在表達自己時可能會讓妳覺得尷尬，也要讓孩子相信他自己的直覺。舉例來說，如果隔壁有個親切老人試著拍他的頭，而妳的兒子退縮，此時也不用逼迫他說：「比利，瓊斯先生是我們的朋友！要有禮貌並打招呼。」母親身分有時也代表能省略一些禮儀規則，尊重兒子的權利與界線。嘿，若是妳因為「禮貌」之名，被迫做出像是坐在某人大腿上、或與妳害怕的人擁抱時，感覺又會如何呢？

和另一半在晚上約會時，請收起妳的社交禮儀（以及跪坐）。如果說天秤座擅長所有的事，其中一項就是隨時保持浪漫，或至少帶點玩樂的感覺，即使妳在那些稱得上約會的時間帶上小孩也是。妳會編造各種藉口離開家裡，然後回到現場，就像社交女王一樣。

就此而言，天秤座媽媽會為孩子做好自我照顧的典範，總是打扮得宜，拒絕因為有了寶寶而「放飛」自己。當然妳可能會因為產後的緣故，體重尚未恢復原狀，不過這不會阻止天秤座媽媽使用香奈兒口紅和穿上可愛鞋子（或盡可能穿上妳能忍受的高跟鞋）。如果在前幾年還是有點邋遢，至少會確保小孩穿著得宜就像妳喜歡的那樣，把他打扮的可愛、有型。妳可能有點虛榮，有時候讓孩子成為妳個人私心的展現。因此，妳得定期提醒自己，他不是生來就該成為妳的展示品或個人親善大使，妳應該為維持「互相依賴」的健康狀態努力（個體化和獨立性需要受到尊重），就如同你們隨著時間加深彼此的親密關係也該被珍惜。

✶如果妳有女兒

優點

無可否認，當妳聽到這幾個字「是女孩！」時，其實內心正欣喜地狂跳。畢竟妳自己成長時少有芭蕾舞蓬蓬裙、仙女公主這類的東西，而現在妳有個機會讓它們復活。即使妳是為了妳的人類學博士學位，將芭比娃娃挖出來，也會讓女兒享受所有女性物品的完整光譜——從深紫色到螢光洋紅再到芭蕾粉紅。

天秤座公平的天性，保證妳會教導她如何成為體貼且有包容性的人。在妳家長大的女兒不會有經歷嚴苛的時候！妳花時間向她解釋事情，傾聽她的觀點。「我和女兒最大的優勢是，我會在我能隨時看到她的地方」，作家和人生導師的天秤座譚雅說道。

雖然妳可以成為一位「充滿愛的母親」，不過毫無疑問妳會為女兒的成功全心投入，甚至帶點控制意味。妳會鼓勵她發揮創意，有耐心地參與一些能建立技巧與開發自信的活動；妳會教導她如何料理、布置和如何穿著（這是妳給她的特別禮物），希望她追隨妳富有天賦的腳步。

缺點

妳是個想透過「玫瑰色」（過於美好的）眼鏡看待這世界的理想主義者，妳和女兒的關係也是如此。不過這可能會為妳們的關係帶來壓力，特別是如果用孩童驚喜的角度看待世界的方式並不適用於她時。生活並非童話故事，對孩子來說也是一樣的道理，重要的是給女孩苦惱的權利或讓她為自己奮鬥。「我老公有天對我說，我想妳可能太投入媽媽這個角色了」，譚雅笑著說，「如果女兒正為某件事在努力的話，我可能會對她這樣說：『停下來！妳現在的感覺如何呢？』我會進入教練模式陪伴她。」

愛美的天秤座媽媽也會走錯方向，轉向以虛榮心或物質來解決事情，把零售療法（指透過購物排解壓力）當作解決危機的萬靈丹，而非直搗眼前事情的根源。關心與控制有時對妳來說變得模糊，使妳將無私舉動變成自私行為。越是想藉由「給予」來展現對女兒的愛意，可能也越會使她承擔更多罪惡感。一位朋友的天秤座媽媽為女兒付清整場婚禮的費用，拿出七萬美元的貸款為她的新家添購新婚家具。結果後來婚禮告吹了，女兒對媽媽的付出頗有罪惡感，用了將近二十的時間換掉沙發和桌子這些代表她失敗關係的物品。不過她更擔心傷了天秤座媽媽的心。

天秤座媽媽，其實妳的內心與意圖很單純，嗯，大部分時候，絕對是因為妳希望女兒能成為妳一生的摯友。也許能租部電影《灰色花園》（Grey Gardens）（無論是紀錄片，抑或ＨＢＯ原創電視版本）作為警示故事，藉由觀看天秤座媽媽「大伊蒂」比爾（Big Edie Beale）來學習什麼事情不該做。當她與富有丈夫離婚後，大伊蒂破壞天蠍座女兒的夢想，後來這兩個人一起住進紐約東漢普頓（East Hampton）的豪宅，變成古怪又孤僻的人。的確，這是很極端的劇情，但妳可能會從電影情節裡，辨別出自身恐懼的影子。避免成為她最好的方式是，讓自己有宣洩出口，像是日記、部落格、支援團體或其中任何一個嗜好，使其成為妳發洩更多緊張心情的重要之處。

✶如果妳有兒子

優點

妳對男孩有耐心與慈愛，這小男孩古怪的行為惹妳發笑。妳可能不是那種能壓低身軀和他（哈囉，指甲乾淨嗎？），一起躺在髒地板的媽媽，但妳會細心安排活動激發他的想像力或舉辦玩耍時間，同時邀請朋友的媽媽來場即興的雞尾酒花園派對。身為藝術愛好者，妳會讓兒子加入培養文藝復興鑑賞力的課程、鼓勵他學習樂器、參加表演課程或發展他的創意力。妳也會用傻氣但有趣的方式來寵溺他：帶他去露天遊樂園、邊吃爆米花和糖果邊看電影、展現出妳卓越主辦能力的生日派對。幸好妳知道在必要時刻表現出堅決態度，不過大部分的妳卻很歡迎幼童時期的他誘導妳妥協。

天秤座媽媽知道如何將「溫柔」植進這位紳士特質中。作為最重視公平特質的星座，會強調良好禮儀與禮貌的重要性，並善用妳擁有的特權：讓孩子為媽媽開門、掛外套及去餐廳接送、拉椅子；在妳家中，紳士精神會完全體現。妳也贊成嚴格地讓兒子以尊重之心對待女性。當然，有些觀念是有點過時（而且甚至違背妳兩性平權的想法），但那又如何？因為妳還是會讓兒子成為完全理解「女性優先」意義的男性。

缺點

做好準備，天秤座媽媽，在那個屋子裡有Y染色體。他幻想將坦克卡車（Tonka）塞進妳威治伍德（Wedgwood）的櫥櫃裡，使恐懼充滿妳溫柔的心。妳雖然喜歡男孩，但自己可能也是爸爸最寵愛的小女孩，一開始養育男孩的任務會讓妳怯步，於是妳可能轉向否認的態度。確實，妳的小王子很完美，但妳可能無法承認他會犯下這些罪行，像是用塑膠鏟子敲打在沙堆玩耍的同伴的頭部。因為妳不喜歡衝突，不想讓自己進入需要有效訓斥他的「父性」狀態，因此最後只好草草處理這野孩子的所作所為。

是的，坐下來、好好談一下很好，但有時設定界線和認清真實生活的需求會更有效率。如果妳比起道德標準更強調禮儀的重要性，可能只會教他如何變成一個試圖操控別人的人：兒子在妳面前表現出完美先生的樣子，但在背後卻是個靠不住先生。教導的關鍵就在於，在過度嚴苛和過於寬容之間學習最正確的平衡（天秤座的關鍵字）。維持一致性只是入場門票，更困難的則是天秤座媽媽是否有辦法持續做下去，熟練的唯一途徑是「練習、練習、再練習」。

✶不同年齡和階段的教養

嬰兒期（一歲）

準備好平衡（及不平衡）的舉動，生活不斷在變，妳也沒時間慢慢適應。天秤座討厭急躁，不過突然間整個生活陷入妳無法控制的狀態。在充滿祝福的狂喜及與新生兒的摟抱中，會感覺到比以往更多的疲憊與無法招架。事實上，天秤座媽媽甚至會因為不安的快速新步伐而陷入產後憂鬱。

妳的期待（包括寶寶出生後現實生活尖銳的聲音）都會使妳在適應的過程中感到混淆。也許妳原本在寶寶降臨前，就已經預想出理想的童話故事場景：柔和的畫面、棕色的頭髮，鑲有緞帶的剪貼簿。當妳陷入吐奶、無法入睡的夜晚還有弄髒的連身衣時，妳就得準備好接受殘酷的事實。許多天秤座媽媽，尤其是新手媽媽可能會經歷心理學家利昂．費斯汀格（Leon Festinger）創造的理論「認知失調」（cognitive dissonance），這是種當妳從熟悉環境進入到新且陌生環境時，那種在失衡狀態下奇怪與不平衡的感覺。是的，天秤座媽媽，妳的前幾週（或幾個月）可能感覺自己活在一個隨時變動的狀態中。

我們的社會將孕婦提升到神聖地位，給予產前津貼，妳也確定會發揮到極限，但卻對妳所需的幫助無濟於事。奇怪的是，那些曾一度在巴士上讓位給妳的人，如今在咖啡廳裡卻對孩子的哭鬧聲指指點點，使妳對於是否要推著嬰兒車進入星巴克的門都感到掙扎。

第二個讓妳猛然覺醒的事：理論上媽媽是神聖的角色，但在真實世界裡當她們失去了孕婦的光環，通常會令人感到羞恥、被指責及被當作代罪羔羊，是什麼讓生小孩這件事變得不一樣了！對妳來說尤其困難，因為大部分的天秤座都希望被其他人喜歡和欣賞。妳是個付出愛的人，而非為誰戰鬥，妳也不願意造成衝突。所以當別人讓妳感到不安，與在外面顧小孩時的焦慮，真的會惹惱妳。

當然這也會激發出妳正義戰士的血液，特別是妳注意到其他新手媽媽被漠視和被輕蔑時。有時天秤座可能會讓其他人超越自己，但當妳看到姊妹被欺凌，絕不會默不吭聲。妳是會第一個張貼煽動性文章的人，比如：為什麼歐洲人餵母乳時不需要遮掩？又或者一些醫生提倡哺乳期可以到兩歲以上。一些朋友可能會對妳固執己見的態度感到厭煩，但妳不但不在意，反而能讓妳激起更多鬥志，其實這是幫助度過新手媽媽階段的好方法，媽媽萬歲！

健康的社會意識或甚至是為了公平而義憤填膺，也能幫助妳避免掉入比較的陷阱。舉例來說，如果在媽媽聚會裡，每個人都宣稱她的寶寶整晚都睡得香甜，妳也會為了融入大家而編造善意的謊言。此外，妳的眼袋應該會很明顯，因為妳的小寶貝每兩小時就會起來要求喝奶。天秤座媽媽，有這麼嚴重嗎？其實這些女人可能也太忙，想著她們自己做錯哪些事，根本沒時間去想妳在做什麼。

諷刺的是，一旦妳鼓起勇氣讓事情成真，就會得到更多的社會資源。天秤座擅長維持團體的平衡，妳會像電視劇《天才保母》（The Nanny）裡的法蘭．德瑞雪（Fran Drescher）一樣，脫口說出嚴厲且不適當的言論，但卻無可否認它很真實（「我感覺我的奶頭就像被砂紙摩擦般」我們認識的一位天秤座媽媽在談論哺乳時透露。）妳釋放自己，也讓其他每個人、同伴媽媽們重獲自由，讓彼此成為之間最需要的援助。

群體和陪伴是身為新手媽媽的優勢，為什麼要假裝自己很完美而去捏造經驗呢？妳現在需要感覺自己已經不是一個人。這些寶寶音樂教室不僅對孩子好，對妳來說同樣有宣洩功用。科學研究也證實指出女性在壓力之下會出現一種獨特的因應方式，稱作「照料和結盟」（tend and befriend）；在壓力下，許多女性會開始打掃、連結和照顧，這麼做會使大腦釋放催產素，即所謂的「愛的荷爾蒙」，那天秤座的妳何不使用看看呢？請直接給我一杯神經化學雞尾酒附上一片青檸！

一旦天秤座恢復到自己的節奏時，妳就能將專注力放在這個階段「真正」重要的事：數不盡的里程碑等妳拍照紀念、家庭旅遊，或各種任妳選擇富有創意的形式。雖然妳可能還沒準備好自己的特寫，但已經為寶寶發出咿呀咿呀聲、微笑及第一次握手時的模樣到處拍照紀念。

「我太太不停拍照讓我覺得很厭煩」，一位天秤座媽媽的丈夫回憶，「但是現在隨著女兒長大，我反而很感謝太太有捕捉到女兒那些特別的時光。」

如果妳不只有一個孩子，可能會讓妳分身乏術，在竭力兼顧時，對於將注意力分散給其他孩子而感到內疚。記住，妳也能藉著讓年長孩子照顧年幼孩子來培養他們的手足之情（以及成為媽媽感到驕傲的小幫手）。如果妳跟每位孩子都有特別的相處方式，則能幫助減緩他們的嫉妒心。過程中保持耐心與溫柔的態度，對妳自己也是！

妳能做得最好的事，是享受眨眼即逝的甜蜜負荷，讓自己得到所有的感傷與誠摯的心情。好好為孩子打扮並一起享樂，在博物館、咖啡廳及妳最喜歡的沿岸大道上漫步。如果妳和另一半在一起，妳也會喜歡全家一起外出：野餐、小鎮市集、可愛動物園或在賣場與聖誕老人照相。即使妳最小的孩子還無法好好欣賞這廣大的世界，妳仍可以期待明年——在相同的時間照張可愛的相片。

即使妳可能有周遭的人做妳的後盾，讓妳回到社交高手的道路上（「當我終於離開家中時，我慶祝了一番。」一位天秤座媽媽回憶），不過妳也會高興自己加倍努力踏出舒適圈。當然，妳可能會忘記自己將鑰匙留在車上或忘記放拍嗝巾，但請擁抱這短暫的時間，當作是稍微放慢腳步的機會。另外，也請停止一次處理過多的事物，不然妳會從習慣變成過度負荷，不需要報名當地青年會提供的每堂課程或活動，一切適度就好！

學步期（兩歲到五歲）

突發事件警戒！在妳終於適應新手媽媽的身分後，全新的篇章又展開了。哎呀，這次可不是第一章新生兒的續篇……差得遠了。認為新生兒時期是個挑戰？當他在妳最喜歡的百貨公司咬人或發脾氣，使妳成為不受店家歡迎的人物、被禁止進入孩童遊樂區前，妳可能渴望回到那段寶寶在吊床上小睡或吵著抱抱的時期，啊，那些過往的美好時光……

不過這階段仍有絕佳機會，尤其對於習慣避免衝突的天秤座來說。育養一個詭計多端的學步兒，能幫助妳發掘內在嚴格施行紀律的一面。往深處找，她在那裡！當然妳需要做各種實驗才能找出較好的平衡。妳可能對一些事情過於寬鬆，又對其他事情太過嚴厲。此時，妳需要為自己暫時停止，重新看待事物。需要進一步思考：我是否因為孩子陷入危險而感到傷心？當孩子不滿發洩時，我會因此擔心其他人怎麼想我嗎？天秤座討厭在公眾場合感到丟臉，太在乎他人的眼光。結果是，當妳的學步兒做出反抗妳的舉止，譬如打了其他孩子時，妳會反應過度，妳甚至會為了避免丟臉而賄賂小孩或對他過度嚴格。

但是妳知道嗎？管妳的鄰居還有其他家長怎麼想。雖然社交排擠對天秤座來說可能等同被判死刑，但如果學步兒表現出「就像學步兒」該有的行為，沒人會把妳從音樂教室裡趕出去！這年紀的小孩幾乎沒有能力理解是非對錯，所以期待他擁有完整的發展意識簡直不切實際。事實上，學步兒大多數都為了渴望討好父母而有所動作。在三或四歲時，他只會對少數的行為限制有反應，因此，比起情緒失控或建立不切實際的標準，更該使用積極的強化方式；表現良好就給他一個閃亮金星星，這勝過所有「不許再玩」的命令。或許像犬類心理學家西薩．米蘭（Cesar Millan）與狗狗低聲細語的一些技巧也會產生效果，像他所推薦的，可以使用冷靜、堅決的語氣建立妳的媽媽地位。

需求通常是發明之母。舉例來說，天秤座朋友丹妮絲發現她內在母親在紐約遊樂園事件所激發。當一位年長小孩故意對她兩歲女兒吐口水時，丹妮絲站在遊樂園中間吼叫「這是誰的小孩？」，這個原始的吼叫出自於一位從沒提高聲量、正常優雅的女性。

當妳處在失控的狀態時，天秤座媽媽，請先將禮儀規則放一旁；妳不用回覆每通電話、手寫感謝卡或買禮物給所有星球上的新生兒。比起妳通常會馬上完成的事，現在能晚點再去處理，甚至能（喘口氣）稍微卸下武裝離開家中。請給自己一個暫停扮演禮儀小姐的機制。

好的一面是？妳有更多時間與學步兒享受有趣的活動、做些天秤座媽媽喜歡的事。對了，還有妳會去的地方！活力十足的天秤座有無止盡的能量可以到處行走，並帶著學步兒一起行動。更好的是，如果妳能和其他學步兒媽媽在公園或室內遊樂場見面，與其他孩子一起玩耍，這樣媽媽就能在旁邊閒話家常。

「我真的不喜歡玩」，凱蒂承認，她是一位三歲年幼孩子的天秤座媽媽，「但我喜歡去某處做些事，而不和孩子一起在地上玩耍。」

因此，妳也喜歡逛街買可愛衣服，即使現在他會走路或說話（妳的懷孕朋友已經向妳預定未來的二手衣。）妳可能會預約一些專業的肖像攝影，這樣就能讓妳在孩童打扮技巧更上一層樓。一位天秤座媽媽宣稱她對「Borrow Baby Couture」的喜愛，這網站能讓媽媽租借迷你版的設計師衣服（卡瓦利、芬迪、迪奧）而且一週花不到一百美元。嘿，畢竟妳不會知道妳的孩子何時會受邀參加正式晚宴或高級的拍攝活動。

因此，在這方面妳確實有點過頭了，其他地方也是。在孩子學步階段，天秤座缺乏平衡之處可能在此最明顯，妳傾向為學步兒安排過多行程，而且不斷在「過猶不及」的狀態下做調整，但這就是天秤座媽媽的人生啊！

天秤座是個缺乏條理和守時觀念的人嗎？驚訝的是，妳可能會發現養育學步兒逼迫妳堅持例行公事。雖然一開始很棘手，但其實最後反而因禍得福，這也會在妳的人生裡產生正面的漣漪效應。

童年早期（六歲到十一歲）

開派對了！外向的天秤座喜愛當個「派對動物」，這階段的孩子也樂意當派對的話題中心。這活躍的階段簡直是為社交高手的天秤座媽媽量身定做——在學校委員會、戶外旅行、生日派對及所有其他能一起做的有趣事情。妳像個吹笛手，旁邊有個歡喜的小不點流動樂團跟著妳，孩子的朋友也喜歡圍繞在妳身邊。

在其他家長眼裡，妳是個永遠敞開家中大門、每週舉行睡衣派對和放學後玩耍活動最盡責的女主人。雖然妳可能帶點優越感或炫耀（妳真的不需要提供手工黑巧克力塊和櫻桃餅乾，只需要簡單的奇寶巧克力餅乾就好），一旦妳理解其他家長不是在評斷妳時，就會變得很放鬆。拿走妳的祖母陶瓷和下午茶組，這些東西比起讓人印象深刻，不如說更覺得有距離感。

如果妳家空間太小不適合舉辦派對呢？這並不會阻擾妳與大家互動。妳會在遊樂場安排與其他家長會面，讓小孩一起四處遊玩，你們則能更新最近八卦和交換最近發生的事；這些都和生活息息相關（學校裡的體育比賽、載小孩去學校後順道閒聊、聚集其他媽媽一起上皮拉提斯課）生活連結越多，妳越快樂！

「我是二年級的家長會會長，積極參與兒子其他幼稚園課程」，三個小孩的天秤座媽媽瑪麗珊說，「我不太喜歡那種心態是一到學校就請老師盯所有的事、自己只要負責檢查的管教態度。妳必須參與，去了解孩子的老師。這是妳與孩子保持連結的方式，這樣當他在晚餐跟妳說些今天在學校發生的事情時，才會知道他在說什麼。」

因為妳知道學校是他未來「真實生活」的事前準備，所以對他的功課和行為舉止會非常嚴格。此時也是妳增加對孩子未來投資的時機：上小提琴課或加入收會費的俱樂部會員。精明的天秤座理解這些生活裡的投資都是為誰而做，只不過妳可能讓孩子參加太多活動，做得有點過頭就是了。記住一點，讓孩子保持他該有的樣子。

「我擔心女兒在學業上有點落後」，一位八歲小孩的天秤座媽媽譚雅承認，「但她是我看過最容易滿足的孩子了。有趣的是，我希望她能增加一點渴望和動力，但又希望她是快樂的。我意識到我需要仔細管理我們之間的關係，而且我可能也會開始行動。」

一位朋友記得他小學帶了一張一百分和一張八十分成績單回家的事，平時很寵他的天秤座媽媽，決定從那天起要嚴格管教，而且說「如果全部拿一百分是不是更好呢？」

雖然妳可能不會那般極端，但要小心不要將自己的完美主義套用在小孩身上。（幸運的是，後來這位朋友的射手座阿姨介入，她用熱情的讚美激勵他。）正面強化的教養方式真的很適合這個年紀的孩子，同時也包含妳的說話方式。讓孩子試試用回饋卡和成就來評分看看妳對孩子施加多少不公平的壓力（「喔，不！我對媽媽感到失望！」）也許這位天秤座媽媽應該在意的是八十分成績單背後的故事。如果妳發現自己有相同情況，記住不要掉入好學生／壞學生的陷阱，而是仔細觀察故事背後前後矛盾的地方。請先冷靜觀察！舉例來說，也許孩子成績不好其實是種徵兆，也許孩子對特定科目需要更多幫忙來理解；也許是他對某個老師覺得緊張，或是坐在他隔壁的同學使他分心，導致在課堂上受到影響而變得懶散；又或者真正的原因可能是單純肚子餓或脫水。《衡量標準：教室裡四到十四歲的孩子》（Yardsticks: Children in the Classroom Ages 4－14）這本優秀書裡寫道，讓孩子飲用新鮮的水能促進他一整天的專注力。

也許妳的孩子需要特別待遇，讓他在早上與中午之間吃些小點心；如果妳能向學校爭取放些水果和設置飲水站，讓學生休息時取用，那會更好。如果妳從學校那得到「這個學區沒有多餘預算」的官方回答，那就戴上妳派對計畫者的帽子，舉辦募款活動或向其他家長蒐集請願書。有志者（為公平正義而戰的天秤座媽媽）事竟成，相信自己一定能辦到。

如果妳是屬於烏托邦類型的媽媽，不相信競爭這套說法，那麼妳也需要重新思考了；這年紀的孩子一定會「出現」衝突。妳可能傾向快速干預孩子的問題，妳不是那種會讓孩子自行解決問題的媽媽；考量到霸凌日益嚴重，也許這是聰明的作法。所以，如果妳有點像老鷹即將俯衝狩獵時，就去做吧！

「沒有任何事比看到兒子與其他人產生衝突時還令人生氣」，瑪雅珊說，「如果我看到他們對彼此很不友善，我會從一位平靜好媽媽迅速變成呼天搶地的妖女。我不會讓他們自己解決，而是強迫他們和解，但這會有所回報，現在他們稱彼此是好哥兒們，是對方的頭號粉絲與最好朋友。」

最近譚雅在三年級女兒與同學發生衝突時，使用了她專業的教練技巧去干預。「我天秤座的天性能察覺到是哪個孩子的錯」，譚雅說，「但是他們需要找到不同的方法溝通。所以他們開始寫信給彼此，寫些自己的感受。我則能提供他們放鬆的空間，以不過度插手的方式處理。」

即使妳不鼓勵孩子以維護尊嚴或個人安全為代價來「維持和平」，這也無妨，妳仍可以教他在不使用暴力的狀況為權利而戰，幫助他了解何謂霸凌，甚至是霸凌對心理層面上的影響，這樣的話能讓他在遇難時不害怕說出來。

如同養育孩子給妳的提醒，人生不會總是充滿完美的平衡和公平——雖然妳希望盡可能是，但既然他在妳的管轄內，妳仍可以為他保留孩童時期的甜美部分。在這年紀，他仍想依偎在妳身旁、牽手、鑽進被窩，在晚餐時說些今天發生的事，因此天秤座媽媽請隨時準備好，有意願並有能力隨時為他敞開雙手。

青少年期（十二歲到十八歲）

吸一口氣，只要呼吸就好。這幾年可能是妳需要更保持鎮靜的階段。作為代表和平與愛的星座，青少年期幾乎無可避免的混亂定會讓妳方寸大亂。

在這段期間，妳同樣需要有一定的敏感度面對青少年的騷動，畢竟妳也不是多「成熟」的大人。天秤座在家庭裡傾向成為「平衡者」，這會讓妳在年輕的人生裡進入各種有趣的原型，像是代罪羔羊或孩子王。如果家裡無法發揮正常功能或觀點過於極端，妳可能會處於強迫性的家庭自我修正階段。

舉例來說，如果妳父母擁有極端保守的宗教信仰和政治立場，妳可能為了參加和平隊（Peace Corps）而拋棄大學學位或成為環保促進者；又或者家中有某種成癮，會讓妳在法律上遇到麻煩，妳會迫使每個人去面對他的不正當。

如果這是妳，天秤座，那麼妳可能在自己青少年時期，就對情緒騷動有很敏銳的雷達，對孩子的朋友也是。妳知道誰崩潰的情緒在醞釀中，也知道哪個孩子一定會為自己的孩子帶來不好影響，但也不是說妳就會特別照顧那個權力被剝奪的壞孩子。天秤座媽媽知道愛的力量能打倒憤怒之牆，妳可能是扭轉這位可憐、困惑孩子人生的大人——以一種不帶批判性的方式衷心與他分享自身經驗。妳的青少年孩子可能在與妳訴說麻煩時感到安全，知道妳認同他的感受與經驗，而非憤怒以對。

如果妳負責平衡的角色在核心家庭裡是當個「好女孩」，那可能妳從來都沒反抗過。嗯，其實妳也不需要太喜歡做個聖人天使的天秤座。這個狀況下的缺點是，妳會跳過分離過程中合理且必須經歷的部分。某個程度來看，從父母身邊離開及形塑自身身分，對青少年而言非常必要。如果不這麼做，很有可能無法養成自信、成為自己，及無法構思想法、目標還有有別與家庭原生的價值觀。在必要時刻下定決心（做這件事對天秤座來說已經有難度）、扮演有威嚴的角色及有自信地管教孩子，對妳來說可能很困難。在妳的完美劇本裡，要有另一個個人扮演強制執行規則的角色，妳只需要做個好人。妳甚至可能陷入依賴配偶、朋友或家人的狀態，繼續扮演一個孩童般的角色而非成熟大人。所以，如同妳的青少年，學習如何獨立自主時，得先在這競技場上戰戰兢兢地踏出第一步。

也許妳可能害怕失去父母的心，又或許妳因為一位家長生病、努力工作或是和一位難搞的兄弟姊妹吃飯，都可能讓妳感到愧疚。我們知道的一位天秤座在她姊姊死於車禍後，就變成一位有責任感的孩子；她會如此做，是因為她想試圖彌補爸媽的傷痛。這樣出於內心的行為是合理的，而且通常會在不知不覺中發展。

如果妳仍抑制分離需求的話，要注意，妳的青少年可能會以加倍力量反抗，這實際上也會迫使妳開口，甚至激起一些妳從來沒對青少年宣洩過的怒氣。「我太生氣了，還破口大罵」，有三位青少年孩子的天秤座媽媽說道，「我容易對小事過度反應。」

缺少平靜的狀態下，養育青少年絕對會無法維持妳的優雅，然而其實妳需要的只是一些平靜而已，但在某些日子裡這卻是最求之不得的東西。「有次聖誕節休假時，我因為其中一個孩子在半夜偷看電視而下床了好幾次，最後我跑到客廳把遙控器扔掉」，一位青少年孩子的天秤座媽媽承認，「一般來說，我不太發脾氣，但其實我會，發完脾氣後我的心情變得比較好，回到床上睡覺。那件事之後整間房子變得安靜多了。」

這階段可能是在制定界線上獲得一些新技巧的好時機。妳也許想訓練自己「非暴力溝通」（nonviolent communication，又稱 NVC，等同於善意溝通或協作溝通），這是由（令人驚訝的）天秤座心理學家馬歇爾．羅森伯格（Marshall Rosenberg）所發展的技巧。全世界用此技巧在解決衝突上，其採三階段：「自我同理」（self-empathy，從自我真實感受與經驗產生連結）、「同理心」（empathy，帶著同理與尊重傾聽另一個人）、「誠實自我表達」（honest self-expression，真實地溝通以喚起聽者同理心）。

像這樣的方式會讓情況變得完全不一樣。一些天秤座媽媽在這時期只會檢查她們心理上和情緒上的問題，不過直到學習了其他因應機制才懂得如何應對。當然妳不需要變成性格焦躁又瘋狂的人，孩子也無須看起來笨拙，而且妳若是生悶氣，也會搞砸每次的家庭晚餐和假期。不過若缺少一些敏銳的新技巧，妳會陷入當機的狀態，假裝那些不愉快的事情沒有發生，或希望它們會自行消失（一些會，但一些不會）。

妳可能嘗試將管教責任推給另一半或其他親人。「我青少年時，我媽總會說：『去問你爸』，讓他去當那個說不的人。」一位天秤座媽媽的女兒蘿拉回憶。「我姊姊通常也會當壞人，那是因為我媽不想扮黑臉，她甚至對姊姊吼叫只為了叫姊姊來管我！」

否認的態度會讓妳無法成為青少年孩子需要的合理模範，有些孩子以鬧脾氣的方式當作一種希望妳介入的手段，雖然他可能對限制表達反抗，事實上這卻能讓孩子感到安全。當然了，原本尊敬妳的女兒第一次對妳大聲吼罵，或是妳寵愛的兒子在限定男人進入的基地門上貼了「滾開」的標語時，一定會讓妳陷入絕望。

如果妳開始對他的所作所為感到在意，請去諮詢心理師或支援團體。在妳限制他時，妳可能害怕孩子討厭妳，這對任何天秤座的內心來說都很危險。嗯，媽媽，他可能「不喜歡」妳，但他還是會愛妳和尊重妳。提醒自己是在訓練孩子成為一個自主獨立的人。一旦他離巢了，他聽到別人對他說「不」的機會可是多到無法想像，因此，妳的任務是教導他不可霸凌他人或命令他人對他言聽計從。

魔鏡啊，魔鏡。此時妳可能也需要面對一些關於老化與美貌的課題。家中有位正值青春美貌的女兒，而妳卻等著做除皺美容課程或開始遮蓋白髮時，這樣的對比不太好受。身為美麗女王的天秤座，這個過渡期恐會引發妳的不安、嫉妒，甚至是中年危機。

妳可能會試著藉由孩子散發妳的青春洋溢，也許在同一間店（大肆）購物、和年輕人調情或與女兒分享衣服。如果妳有兒子，可能會和他的女友成為朋友。也許妳在白天時是位讓人頻頻回頭的美女，或妳希望透過女兒初次體驗新生代社交活動（要注意，妳對外表上的關注會給女兒很複雜的情緒，特別是她正經歷一段尷尬的階段）。

我們的朋友蘿拉的十六歲生日夢幻派對到現在仍為眾人津津樂道。這場由她天秤座媽媽策劃的派對，而且「可能是靠借錢舉辦的」，其實蘿拉壓根兒不想讓它發生。這個仙度瑞拉主題的派對在真實的城堡舉行，而且下重本，不惜一切代價。蘿拉甚至戴了皇冠，穿上鑲了施華洛世奇鑽石的客製手工禮服。「真的跟婚禮沒兩樣」，蘿拉回憶，「我媽甚至向外燴服務訂了婚禮餐點。講台上還有八位男孩和女孩（像結婚典禮一樣）我媽買了他們每個人的衣服。我真的超尷尬，但直到現在人們談到這場世紀派對時，還會讓我媽感到自豪。她還表現出『你看到沒？』的態度。」

當女兒開始約會時，妳會變得很興奮，不像其他媽媽很害怕面對，妳可是等不及幫她準備舞會或夜晚外出。直到現在，妳還會不斷告訴她（過於美化）和另一半見面好幾次的故事。如果妳不是住在童話故事裡，妳就會為她刻劃一個。

再次提醒妳，小心不要讓自己的幻想投射在成長中的女兒身上，或過度認同她。對每個天秤座媽媽而言，需要透過女兒的反應來認同自己媽媽的角色。如果妳發現自己會說出像「她跟我一模一樣！」時，請後退一步思考自己的行為。她需要空間探索以成為一個獨立個體，但這不代表她遺棄妳或拒絕妳。她就像一條橡皮筋會延展與彈出，請稍微鬆開妳的轡繩，妳會看到她更自由地發展。

妳和妳母親的關係可能非常親暱，她對妳的影響直到成年還是很緊密。要天秤座女性去形容她的媽媽是「最好朋友」及反覆表現相互依賴的關係，其實這樣的狀況並不常見。天秤座要不是理想化自己的母親至不可觸碰的崇高地位；不然就是醜化其形象，將焦點放在她天生注定且無法原諒的缺陷上（相信妳會藉由成為最好母親來彌補她的缺失）。也因為這樣，妳期待與自己孩子擁有一生緊密的連結，即使他到了青少年時期也是，而且妳害怕任何他要離開的徵兆出現。再次提醒，這其中的掙扎在於妳得將自己和孩子看作兩個獨立的個體。妳何時結束依賴，他的個體化就從何時開始。對妳來說，彼此之間最好是存在模糊的界線，但如果妳沒有小心以對，可能最後會演變成情緒勒索的狀況。

一位天秤座的女兒記得，她媽媽經常在她和另外兩個手足間挑選誰是「最值得疼愛的小孩」，當其中一個受到最多疼愛且樂意合作時，就能得到特殊待遇；結果造成他們為了爭奪媽媽心中最珍貴孩子的寶座以及有條件的愛而互相競爭。「回過頭來看待我的童年，我還是不知道我真正想要的和喜歡的什麼。」她回憶，「因為我忙於爭奪媽媽對我的認同。」

記住，你們仍可維持緊密的情感依賴，即使他經歷了分離和個體化的過程。當然可能讓妳感覺孩子在拒絕妳，或是妳已經都教導他該教導的事了。實際上，妳可能需要更多的支持，而不是總在不熟悉的領土上冒險。提醒自己，無論孩子如何表現，他還是很愛妳，然後妳也要強調自己無條件地愛他。

掰掰，小鳥離巢（十八歲以上）

對許多天秤座來說，從來沒有從自己父母身邊經歷真正的分離，即使在青少年時期表現出該有的樣子，但妳仍在進入成人階段習慣依賴父母，無論是情緒、家務或在缺乏租金時仰賴額外的金錢支援。所以如果妳養育的孩子巴不得快點踏上自己的道路，妳可能會有點無法招架。

妳甚至嘗試透過經濟的依賴維持完美連結，這對妳來說也不是個問題，相信妳可能會讓孩子承擔一些阻礙，或防止他學習自力更生的技巧。當然，（不是那麼）小小的吉米會高興自己有個棲身之處，還有當他從大學通勤回來後有煮好的料理，但如果小吉米離開家中去學校，學習如何替自己準備餐點及支付房租的話，這樣會「更好」。在缺少任何東西的情況下，能激發成熟的養分，就如馬斯洛的需求層次理論（Maslow's hierarchy of needs），當妳不再提供食物、衣物和避風港時，孩子會自己找資源和管道。

妳可能覺得如果孩子有其他手足陪伴，更容易面對挑戰。「我是他們二十年來的頭號偶像」，兩個年輕兒子的天秤座媽媽瑪雅珊說，「但在未來八十年他們擁有彼此。所以，我知道如果我現在好好經營他們之間的關係，我會給他們一份神奇的禮物，那就是在接下來的人生擁有一位優秀的手足相伴。」

這是聰明的舉動。但妳仍得處理與面對孤單的恐懼，妳傾向讓自己圍繞在人群中，這樣就不會感覺只有自己一人，或者需要面對那些自己無法應付的陰暗面。試著想想，空巢過渡期是個讓妳直視焦慮的好機會，強迫自己獨立，這將是發生在天秤座上最棒的事（僅管最困難）。

也不是說妳會孤單一輩子，社交的天秤座，對於快速集滿跳舞邀請卡這件事上有不錯的天賦。在妳還沒注意到前，妳的家會變成晚餐派對、女性聚會及假日時隨時開放來客的必經場所。天秤座媽媽克莉絲汀．諾思魯普醫生自從愛上了探戈後，甚至在她女兒搬走時，將家裡客廳的家具移走換上實質的舞蹈地板；另一位我們知道的天秤座媽媽則投入社會運動，她女兒在進入軍隊、出櫃宣告自己是同性戀時，這位媽媽為了其他有相同情況的家庭，發起了維護公民權益的支持團體。

一旦妳與孩子經歷這段調整過程，你們很有可能成為真心陪伴彼此的好朋友。因為妳習慣維持永恆的年輕活力與樂趣，孩子可能也會喜歡邀請妳參加他的冒險。我們的朋友蘿拉的天秤座媽媽，堅持和蘿拉與她的外甥一起參加體育場演唱會，然後她媽媽還叫上蘿拉的阿姨，說服她們一起去。「她現在練習比任何人都還晚睡，因為她拒絕在演唱會結束前離開」，蘿拉笑著說。

最後，天秤座媽媽身上有個魔法，不過這個魔法只有在妳完全放鬆後才會發生。在妳踏出舒適圈時，無可否認這會特別讓妳變得煩躁，畢竟妳有成年的孩子，一旦妳克服「年老」這個事實，可能會了解到其實妳的靈魂有多年輕。我曾收過一張明信片寫著：「如果你不知道自己的年紀，你希望自己是幾歲呢？」挑個數字吧，天秤座媽媽！

天蠍座 媽媽

（10月23日～11月21日）

媽咪魔力——妳的優點：

力量、韌性、直覺、意志力

媽媽咪呀——妳的挑戰：

控制欲、神經質、情感疏離、偏執、
對錯誤反應過於強烈

知名的天蠍座媽媽：

黛咪・摩爾、貝珍妮・佛蘭克爾、珍妮・麥卡錫、
希拉蕊・柯林頓，克里斯、詹納，凱莉、魯瑟弗、
伊凡卡・川普、茱莉亞・羅勃茲、卡莉絲卡・佛克哈特、
拉莫納・辛格、瑪姬・葛倫霍、凡妮莎・拉奇

✶妳的教養風格

天蠍座媽媽是個有魅力的母親：古怪、控制欲強、擅長激勵又令人生畏的奇妙綜合體。依照妳的心情，孩子可能黏妳或在妳一發怒就匆匆逃開。不是說妳會把怒氣全發洩在他身上，而是天蠍座媽媽「殺人般的眼神」就足以讓任性妄為的孩子守規矩。妳有強烈的保護欲，以無可動搖的精神和力量捍衛孩子。妳具備卡梅拉．索普拉諾（Carmela Soprano）的特質：穿著細高跟鞋的黑手黨老大夫人，沒有人敢看妳第二眼。

作為對任何威脅都會炸毛發出嘶吼聲的虎媽和美洲豹媽媽，天蠍座能同時做到保有母性和性感魅力的二重性，這在一個喜歡把女性分為兩種極端「不是純潔聖母、就是惡女耶洗別（Jezebel）」的文化裡，可不是件容易的事；天蠍座女性確實在十二星座中最容易被誤解。妳的外在可能是佈滿荊棘的鐵絲網，只有少數人真正明白妳有多大的熱誠。在天蠍座的毒刺下，有溫柔、強烈的忠誠和同情心，妳會將這些東西留給與天蠍座站在同一邊的人，特別是家人。

天蠍座代表親密和永恆靈魂的連結，一旦妳投入下去，就會是一輩子的事（「直到死亡將我們分開」，這是妳按字面意義遵守的誓言）。有三歲兒子夏伊的天蠍座媽媽梅根說：「我的愛非常深刻，這是我作為媽媽的優點，有些人對於我愛得太過強烈而感到害怕。我曾經和一個男人交往，但我的個性似乎能把他臉上的毛燒掉般過於強烈。我不確定他多愛自己，但我強烈的愛令他手足無措。可是在有了兒子後，我人生裡首次可以盡我所能去愛，而且這份愛會被接受和欣賞。」

這也許就是天蠍座在混雜著喜悅與不安下更稱母職，特別是新手媽媽更是如此，但如此強烈地依附某人會是令人驚慌的景象。然而，一旦妳將孩子抱在懷中感覺到連結時，就已經很難回頭。幸運的是，大部分的天蠍座很快就會接受母職角色，妳是個情緒豐富的水象星座，母性特質是與生俱來，因此即使天蠍座還在熟悉未來的世界，但孩子會融化妳堅固的心房。很快地，困難的部分不再存在，就讓它隨之而去。

同時，妳會努力確保孩子的人生不會有任何差錯，就像天蠍座媽媽經理人克莉絲・珍娜（Kris Jenner）和她的卡達夏（Kardashian）孩子，妳努力工作確保家族有個非常堅固的未來，即使這代表需要送他們進入精英預備私立學校、購買投資房產作為未來居住或（輕咳）或代言幾個熱門產品。天蠍座掌管十二星座表健康、互助與長期投資的第八宮，財務安全對妳而言尤其重要，母職身分使妳為孩子更鎖定目標努力工作。有七個月大孩子的天蠍座媽媽馬里蒂斯說：「我在女兒出生時就已經設定好她的大學基金，提前把錢存下來，無論如何都得確保她大學學費付得出來。」

直覺性強的天蠍座著迷於人們處事的出發點，孩子無止盡的好奇心對妳來說很具吸引力，這是他們能被塑造與成形的地方。妳是天生的觀察者，但對於觀察目標變成自己時，會覺得不太舒服。每個天蠍座都有深層且私密的一面，這一面可能甚至連孩子和伴侶都無從得知。天蠍座是個神祕、親密以及靈性轉化的星座，即使妳會流露一些情感，但其他部分會被妳鎖入旁人無法看穿的裂縫裡。

然而，妳就像X光掃描機能解讀旁人心思，妳的母性直覺可能完全出於心靈感應。天蠍座妮娜說：「我是不知道孩子在想些什麼，但我知道他們的感覺如何，即使他們的態度傲慢。」

「我媽媽說任何事都只用幾個字表達。」一位天蠍座媽媽二十五歲的女兒克里斯塔說。「我會給她看衣服，問她是否喜歡。她會說：『還可以』。這時我通常會去換掉，因為我知道她不喜歡！」

妳這麼做並非擔心自己變得過於專橫跋扈，因為比起讓孩子深受危險，妳更希望能在這瘋狂世界裡好好保護他，而且其實妳也有自己獨特的地方。妳的第四宮由水瓶座掌管，表現出反抗、前衛思想和反主流文化，是具煽動性的星座。水瓶座有自由的靈魂，讓妳的養育方式有了趣味性的反轉；前一秒是個以鐵腕手段控制的女頭目，下一秒可能是孩子慵懶的好朋友。妳鼓勵孩子展現其自主性，但會提醒他「媽媽一切都看在眼裡」，妳也允許他能突破傳統且自我表達——前提是在可控的環境內。

天蠍座和水瓶座都會被新時代思想吸引。妳會運用風水來擺設育嬰間；孩子在子宮時會詢問通靈老師的意見（只是為了確認她不是由妳可怕的曾祖母轉世），甚至將胎盤埋在後院樹苗下。有趣的是，天蠍座很少會相信人類，但卻容易對神祕學有完全的信任，妳傾向將煩惱轉向詢問命理店的塔羅師或手相術士，希望一些神聖的加持能保證母職身分所做的事都是正確的。

水瓶座是象徵年輕的星座，其影響能幫助妳維持時髦並跟上潮流，正好搭配上天蠍座的魅力，即使妳沒有穿得像母夜叉女神（許多天蠍座會），仍會明顯流露出引人注目的性感魅力。家人也期待妳的意料之外，妳出奇制勝的策略會讓人們驚訝地張口結舌——妳剛剛真的這麼說嗎？喔，妳是。天蠍座喜劇演員羅珊．巴爾（Roseanne Barr），五個小孩的媽媽，她開玩笑地說：「我知道我到家時，我的孩子都還活著，好，我的任務完成了」及「專家說妳不應該在怒氣時打小孩。那什麼時候是好時機？當妳感覺很快樂的時候？」黑色幽默可是天蠍座的正字標記。

家是妳的庇護所，妳會為家族創造一個美麗的空間。妳喜愛蜷縮在舒服的沙發上看電影、一起下廚或（如果妳是情感強烈的天蠍座）和孩子摟抱；和家人一起做事對妳而言很重要。就像天蠍座的茱莉亞．羅勃茲（Julia Roberts）放棄大城市生活，嫁到了寧靜的新墨西哥州陶斯（Taos）；成為媽媽後，妳甚至會搬到更低調的區域。一旦身邊有了緊密的家人，可能一點也不在乎世界發生什麼事，妳會盡力做所有的事，確保家人也能感同身受。

雖然妳直言不諱的天性有時也會產生衝突，但孩子會從妳身上學習大膽和自我表達的特質。妳可能不是個星媽，不過如果孩子有成為巨星的天賦，妳一定會鼓勵他。此外，孩子若擁有堅強、甚至帶點炫耀的性格，妳也會很喜歡。當他在學校遇到困難時，妳會維護到底，妳不是那種會對孩子大小聲「你做了什麼？」的媽媽。妳天生的保護欲直覺（及排他傾向）會假定孩子是無辜的，直到證明是他的錯為止……不過通常也會依據妳的解釋而定。

與天蠍座媽媽生活，可能像個令人筋疲力盡的棋賽，而且最後還是女王棋贏得勝利。妳智足多謀、控制欲強、具操控性及迴避性的特質，如同妳與宇宙間的一場神聖之舞，這來自宇宙的低聲細語，比起其他星座還大聲一些。天蠍座是十二星座裡最具直覺性（甚至神祕）的成員，傾向相信自身內在的引導系統（而且內在的引導鮮少出錯）。妳做的每件事都是刻意而為，因精明的特質，不太會在缺乏策略性的整體規畫下就草率說出或執行，即使沒有任何人知道細節。有時候妳甚至也不太確定為什麼會出自直覺行動，只是感覺到理所當然地去做。天蠍座媽媽代表一股自然的力量，但孩子會支持她！有什麼比知道這件事還更棒的呢！

✶如果妳有女兒

優點

這個世界缺少賦權的女強人，而且以妳所見，這算是個瀕臨絕種的自然資源。感謝世上的天蠍座媽媽，讓未來世界女性領導者的總人數不斷增加！妳將女兒撫養成強烈的女權主義者，對她自身與自身的權力有所意識，而且從不吃任何人的虧。如果女兒想在學校戶外教學日穿蓬蓬裙和球鞋，妳不會阻止她，因為即使她品味不好你也不願她完全沒品味！

一旦她成長到能發展出更好的流行感時，她一定會「參觀」妳的衣櫥。伴隨著妳銳利的目光、嗅出哪裡有物超所值特賣會的能力，妳會教導女兒如何成為一個精打細算的消費者（要小心，當妳不斷搜尋符合女兒尺寸的可愛物件時，妳的網路購物癮可能會有點失控），但妳會確保讓她明瞭金錢或高級商品清倉的價值。直覺性強的天蠍座媽媽，也會與女兒一起讀大字書籍。除非妳寧願選擇逃避現實，不然妳會在事情發生前就察覺危險所在；若她面臨霸凌、自尊心受損或身體意象議題時，妳會在事情演變成全面爆發的危機之前，就先採取行動，將問題剔除。最後妳還會教導她為自己而戰，她知道媽媽會在一旁為她加油打氣。

缺點

請冷靜下來，天蠍座媽媽！妳親自將育兒帶到全新的階段。天蠍座是象徵親密的連結，妳可能很難與女兒完全劃分——是的，尤其同樣的性別更是如此。妳在女兒身上看到很多自己的影子，可能也會將自身課題投射在女兒身上。了解妳們是兩個獨立人格的個體，會是個挑戰，請記住，不是什麼事都一體適用。

天蠍座媽媽習慣對女兒比對兒子還嚴格；妳根本把兒子當寶寶養，就算他已經大到能自己鋪床（及下決定）時，妳還是很寵溺他，但妳卻督促女兒要變得強壯且獨立。有時妳給她的壓力使她有點喘不過氣，反而讓她感到困惑。舉例來說，如果女兒真的不喜歡游泳隊，她不需要努力訓練一整季來「建立她的人格」。不要因為妳習慣過於逼迫自己，就認為其他人也要跟上妳的腳步；放棄並不是都代表懦弱。

嫉妒之心同樣會在天蠍座媽媽與女兒間點燃戰火。因為妳覺得承認嫉妒會有點尷尬，所以當女兒受到爸爸寵愛、與妳爭奪注意力時，妳可能會感覺到有點爭風吃醋的味道。（哎呀！難道妳沒感覺妳和婆婆間的競爭嗎？）因此，當妳意識到自己的占有欲時，請先抑制想說什麼的衝動，而且要記住愛無處不在。妳在任何年紀保持性感與解決問題的能力，可能會有點嚇到正值尷尬青春期的女兒，請試著用不同方式看待事物，確保女兒不會覺得在任何方面還得跟妳比較。

✶如果妳有男孩

優點

呼叫媽媽的好男孩！天蠍座媽媽一看到兒子就會興奮過頭，這小王子不會做錯任何事。妳的小男孩知道他被放在掌心上寵愛嗎？有過之而無不及，雖然這個甜美、脆弱的小男孩的某些行為會讓妳受傷，但同時也融化妳的心。妳向其他人展現出妳無須多言的舉動，因為每天最重要的事就是不停地擁抱與疼愛。妳對他的情緒也很敏感，尊重他的觀點，確保他成長為能處理自己情緒及含有文化素養的人。

雖然妳可能非常愛兒子，但妳仍是他主要女性典範的優秀範例。無庸置疑，兒子會因為妳的緣故受到強勢型女性的吸引，尤其天蠍座媽媽通常是家裡負責養家糊口的人；即使妳不是，也會以堅強意志力和決心做好孩子的表率。即使他與妳作對時可能會感到有點害怕，但他會學習尊重女性……或為他的憤怒付出代價。

缺點

督促者模式啟動！妳越愛兒子，越會主動幫他解決問題，不讓他自己從掙扎中學習，只會削弱他的男子氣概。沒錯，妳看到他從男孩轉變成大人時遇到顛簸，很難拋開想保護他的直覺，母熊想保護幼熊的心態會讓妳很想幫他把事情狀況好轉，最好是能將這隻小熊直接帶回洞穴。無論妳相信與否，兒子知道妳會一直在他左右，但不要替他處理所有問題，否則可能會不經意地培養出一個缺乏自主性與自信的懶鬼。孩子會依妳的期望成長，如果妳設定的標準太低，請從現在開始增加他一些挑戰的機會。

過於嫉妒？妳對小男孩懷有的占有欲可能使妳的心開始變質，因為妳內心深處知道有天他終究會為了另一個女人「離開」妳（或一個可愛的男人——關於這個部分妳不在意），對天蠍座媽媽來說，這過程不太容易。不過妳得控制那股嫉妒之心，尤其是他們開始約會時，他的女朋友可能已經知道妳是個優秀的女性，所以請不要藉由不友善或過於積極，讓對方穿著絨質的雙腿嚇到發抖。請劃清界線！

妳必須注意不要在兒子成年後，還讓他感到難堪或顏面無光。當然讓他的朋友覺得妳很性感是滿有面子的（而且他可能暗中感到驕傲），但妳不需要在他的足球賽穿上綁帶長靴或皮褲啊！此外，妳對心靈層面的偏好，對他來說也有點超過，如果他不想要妳的鼠尾草束越過他的門邊，或在他長大後拒絕水晶脈輪治療時，請不要試圖侵入他的領地。妳內心只需要期盼他充滿「愛與光」，然後做好自己的事就好，天蠍座媽媽。

✶不同年齡和階段的教養

嬰兒期（一歲）

開始建立連結！天蠍座象徵親密，與新生兒成為「一體」，就某些層面來說對妳很容易。在這階段歷經的輕觸、撫慰、疼愛和擁抱，會讓妳感到幸福，妳可能會很驚訝妳和寶寶如此快速地一拍即合。但，天蠍座容易變得偏執，因此妳也會設想每件事到最後一個細節可能發生的問題；天蠍座媽媽馬里蒂斯：「女兒出生前，我很焦慮可能發生的每件事。她是個怎麼樣的人？如果我的寶寶不喜歡我怎麼辦？我會不會是個糟糕的媽媽？」

如果妳領養小孩，也會準備好隨時與小不點建立連結。天蠍座是充滿靈性的星座，其主掌十二星座裡的業障與輪迴宮位，妳可能也會相信是這個靈魂選擇妳成為他的母親，而且與他分享了許多前世經驗（總之妳的靈性早就告訴妳）。所以，這真的就是重逢！我們知道的一位天蠍座，甚至在領養現在的兒子前就先去他的出生現場，並在分娩時協助他的親生母親生產。

如果一開始孩子有腸絞痛的問題，或妳無法好好抱起寶寶時，妳會難以承受；畢竟作為凡事都做到最好、有能力的星座來說，這可能是妳第一次感到無助。馬里蒂斯說：「女兒出生時，體重一直無法增加，時常感到餓，但她根本無法喝奶。前六週真的很煎熬，我想盡量與她親近，但她就是無法開心，我們很慢才進入狀況。我根本無法理解為什麼我就是做不好。」

因為妳是個注重隱私的星座，當眾人目光從妳轉移到寶寶身上時，妳會感到鬆一口氣，所有偶像化與美化孕婦的舉止，對天蠍座來說都不太舒服，甚至有點討厭：是否有陌生人摸你的肚子？因為懷孕，所以對妳百般奉承？這讓妳差點就想拿出辣椒粉噴霧。

當然不是說妳還沒準備好讓人察覺到妳的身孕，只是當有個陌生人瞧著妳的肚子，或入侵妳的私人空間，對妳來說可是犯了大忌。妳也不是那種任何想抱孩子就交給對方的人，因為妳對孩子可是呵護至極，加上如果對方給妳不太好的印象和氛圍，妳會在他們碰觸到孩子前就找個理由敷衍，像是「她昨天睡很少」或是「我可不想讓吐奶弄髒你昂貴的衣服，他今天有點想吐。」對妳來說，只要妳還是天蠍座的一天，小心駛得萬年船。

天蠍座掌管生殖器官系統，因此妳在生產前、懷孕期及分娩後，須特別注意荷爾蒙方面的健康問題。如果妳決定在第一年斷奶，可能會特別受到產後情緒問題或不協調情緒轉變上的影響。此外，還有很重要的是，妳可以儲存一些富含營養價值的「超級食物」，像是酪梨、藍莓和深綠色葉菜，這些食物能幫助妳重拾平衡，再加上運動甚至是冥想。

「瑜伽、瑜伽、瑜伽……更多的瑜伽！」一位天蠍座媽媽談到她的救贖：「我渴望寧靜與空間」。妳甚至想去嘗試心靈層面的運動，像是昆達利尼（Kundalini）瑜伽或尼雅舞蹈（Nia），以感官為基礎的運動課程，結合舞蹈、武術和治療；或是鋼管舞作為伸展運動。沒有什麼找回妳的「性感本性」（erotic creature，由

「S因子」（S-Factor）創辦人凱莉・希拉（Kelley Shella）稱之」更容易幫助妳恢復性感。談到性感，天蠍座媽媽可能是生產後又馬上懷孕的星座（也許這是為什麼許多我們談到的天蠍座媽媽，她的兩個孩子年紀不超過兩年）。不過至少妳會試著讓自己振作起來，才不至陷入不修邊幅、狼狽的狀態，妳也不是那種會讓自己在家中看起來滿頭大汗的樣子，即使如此，也會看起來相當迷人。

當妳與另一半談到養育責任時，可能會出現適應上的問題。天蠍座具占有欲，喜歡以特別的方式完成任務，而且通常不太能與他人合作。結果就是，當妳開始漸漸失去耐性時，可能會突然無法控制情感或對另一半下指令。妳必須留意不要讓自己的情緒變得過於極端，否則可能會破壞你們之間的關係：「我積極投入在育兒上，但到了一定程度時，卻對我們的關係有害」。一位有四個小孩並管理公司「momAgenda」的創辦者尼娜・瑞斯特瑞爾（Nina Restieri）回憶，「我並沒有努力取得好的平衡。我只是把孩子放在我的第一位，雖然對孩子很好，但卻不利於我的婚姻。」

對小不點過多的關注，會使妳難以抗拒並造成失衡，除非妳呼叫後援部隊：我們知道一些天蠍座媽媽，會在孩子出生的第一年，雇用晚間照護或一同住在家中的照顧者。雖然妳是個夜貓子，不過還是需要美容覺，妳可能像許多天蠍座媽媽及「瘦身女孩」（Skinnygirl）創辦人貝辛妮・弗蘭凱（Bethenny Frankel）還經營小型企業，因此妳也會需要腦細胞。看來這些「奢侈品」似乎值得小心分配時間。

或者妳能學習與另一半組成團隊，這樣真的能強化「我們一起對抗世界」的連結。當然，比較簡單的方式是為彼此分配任務：另一半工作，妳育兒，但這樣一分為二的方式，可能會讓你們覺得更孤單和疏遠。因此，只要記住妳的目的不是逼迫另一半（或其他照顧者）完全按照妳的方式行事，重點在寶寶只要是安全且快樂就好。馬里蒂斯：「我更多時候都依照直覺與本能完成事情，但我先生卻需要說明手冊。我通常會聽女兒說話，看著她並嘗試解讀她正在做的事……但他只是按照字面上確認進度表。」每個人的想法都不一樣啊，天蠍座媽媽！

還有一件很重要的事，妳要讓其他人知道妳何時感到掙扎，而不是勉強表現出自己什麼都知道的樣子。在這階段妳比以往還脆弱，妳自己更像個新生兒，但是此時不要過分依賴同一批人的支持。事實上，妳孤立自己的傾向會更強烈，會更容易有產後憂鬱的風險。因此，請試著走出家中，與其他媽媽見面，妳現在需要一個比以往還更大的後援隊加入妳的生活，如果妳發現自己陷入挖苦人或批判性的情緒時，就是需要一些女性朋友的跡象了。

梅根說：「我從來都沒有在人生中感受到如此脆弱的時候。我體會到這是我第一次有多麼需要其他人，有多少事無法自己完成。我花了一段時間才終於開始向其他人求救：『我不會做這個，我快受不了了。』我直接說出重點，因為我太絕望了。我疲憊至極，已經無法動筆或做任何工作。得到回應使我很驚喜，但這對我而言上了一堂重要的課。在我有辦法承認我無法靠自己完成時，切入重點對我來說是個挑戰。」

當然在新手媽媽的階段中，妳可能仍想極度地保護隱私。我們知道有許多天蠍座媽媽對於將寶寶照片上傳到網路上會有所克制，有一些媽媽甚至完全拒絕上傳。如果妳終於放寬心想分享幾張照片，可能會直接安排專業攝影讓妳能發揮創意直接指導。儘管如此，即使妳將照片上傳到網路後，還是盡可能地設定最高層級的保護。

在歷經了引人入勝且超現實的第一年後，妳會重拾內在平靜，妳聰明靈活的幽默感最終會戰勝生活難關。天蠍座對超現實主義的解讀特別內行，很有可能將人體生理功能（和失調）及其他對新手媽媽的侮辱，看成是一場神聖喜劇，此外，只要妳發現有觀眾欣賞滑稽笑話和豐富故事時，就足以讓妳持續在母職的循環裡。很快地會了解到妳不是獨善其身，可能會與妳遇到的一些媽媽們成為一輩子的朋友，光是這個原因就值得讓妳離開原有的舒適圈！

學步期（兩歲到五歲）

準備、裝好、壓縮！一旦孩子開始學習爬步、隨意亂跑、從妳手中脫逃並胡亂猛衝時，就能準備向妳渴求的掌控欲說再見。妳不想壓抑孩子的自由，但又非常擔心他的安全，那麼就試著加上插座蓋板、角落保護墊、監視攝影機和安全門欄。此外，妳可能也會收起城市時髦的派頭與生活方式，直接搬到郊區，或是有大面積土地的地方，孩子在那裡能盡情探索，妳也無須提心吊膽擔心他的安危。

因為天蠍座是個專注力十足的星座，無論妳開始做些什麼事，會投入百分之兩百的心力。所以，如果當妳同時工作和照顧學步兒時，只能祝妳好運了，在「媽媽腦袋」與「大人物腦袋」間轉換，會使妳精力耗盡。天蠍座傾向在大家面前表現出完全進入狀況的樣子，妳也真的很享受深度專注的狀態。然而將短暫的專注力在學步兒身上，會消耗妳的精神，就像是妳才剛開始要建造一個樂高塔或沙城時，小不點卻失去興趣或發起脾氣；或是妳想讀《浮華世界》（Vanity Fair）時，孩子只想再看一次《好奇猴喬治》（Curious George），這真的令人感到相當挫敗！

天蠍座媽媽凱特回憶：「我記得我女兒安妮兩歲時，我躺在床上，她爬過我的身體，我感覺自己就像條媽媽狗。我是應該要陪她玩，但是我期望的是能玩一些獨立設施。我不是那種喜歡玩遊戲的人，我比較喜歡和安妮體驗一些事情。那時，我可能是紐約裡唯一一個腳踏車後面有裝椅子的人。她才四歲時我就開車帶她去旅行了。」

過一陣子妳可能真的會暫時脫離狀態，變得漫不經心，因為妳的頭腦真的需要休息了，或許開始創造一些家事任務（像是煮頓精緻晚餐），這樣妳就能在毫無罪惡感的情況下說出「媽媽現在很忙」的藉口。

緊急求救！是時候發出求救訊號了！雖然妳大可委託保母或親戚，但這會帶來另一個課題：天蠍座的嫉妒心。是的，妳會有點嫉妒，尤其是妳的孩子與照顧者開始相處融洽時。天蠍座媽媽妮娜：「我無法在家工作，因為我太黏小孩了」，她試著在孩子旁邊房間設一間家裡辦公室，「如果在我工作時聽到他們跟保母玩，我會有點生悶氣。」

如果妳回到工作崗位，或花幾個小時度過自己的時間，可能也需要花點時間處理自己嫉妒的問題；如果妳的伴侶是家中主要照顧者，妳同樣也會感到嫉妒。此外，如果保母帶著小不點到市區走走，嗯，妳還是會出現偏執的狀況。一位天蠍座媽媽卡羅坦言：「我會偷偷跟到公園，從樹叢裡窺探兒子的保母在做些什麼，這甚至讓我得永遠帶著保母。我丈夫和我會在晚上帶兒子出去，去紐約的餐廳之類，也會一起帶著我們孩子的保母。」

另一位天蠍座媽媽在她回到工作崗位時，策略性地裝設一個「間諜軟體」。她承認：「如果沒有保母監視機，我根本無法正常工作。」（這位天蠍座媽媽給保母的訊息：這孩子的老媽正在看著你。）另一位天蠍座媽媽則是每天早上會站在公寓門外直到兒子不哭為止。她說：「在那個時間點，我真的很需要幫忙，有個姊姊照顧他讓我鬆一大口氣。不過我會等到聽見我兒子的笑聲後才會離開。」

妳需要重新點燃對職場的熱情、回到自己的生活步調，不過難就難在如何對小孩的事放手。考量預防方式或強迫管理，這樣做在幾年後能讓妳受益。比起其他任何星座，高度專注的天蠍座媽媽，更有可能在照顧小孩裡迷失自己，在未來十至十五年孩子不再依賴妳時，會讓妳陷入身分危機。

當然妳也能回到相同的職場，將事業推向高峰，這有可能為什麼妳一開始得先稍微降低工作強度。然而，此時天蠍座媽媽可能會陷入兩難：從事不感興趣、只領薪水的厭煩工作，對妳而言跟折磨沒兩樣。即使妳可能還沒準備好回到發展完善的工作場合中（妳應該有寶貴的育嬰假），應該還是會在孩子去學校時，計畫做些有產值的事情。此時妳可能需要與一位人生教練合作，幫助妳找出下一步，特別是在妳離開了原本高強度的工作，而妳現在卻完全不想打開手機回到真實世界。

一位天蠍座媽媽的成人女兒莉莉說：「我媽媽放棄工作養育我們。名義上她是個完美媽媽，但我常常感覺到她內心深處的不幸福，甚至還有點說不出來的抑鬱。現在家裡最小的孩子已經上高中了，但她看起來真的迷失了。我很擔心如果家裡沒人的話她可以做些什麼。而且她已經好幾年沒回到職場了。」

天蠍座媽媽，想想一些警世故事的情節；在這嚴苛的階段還是有一線生機。此時，妳能逼迫自己尋找生活的平衡並做些調整，這可能是妳人生第一次這麼做。幸運的是，天蠍座媽媽擅長優先排序及選擇專注在哪些細節上，妳可不想為所有的小事忙進忙出，但對於容易煩憂與偏執的傾向，則需要好好處理或至少重新調整。將妳的精力投入在調查上吧，妳能在網路上搜尋價格實惠的尿布、手推車和其他必需用品，也可以仔細調查學校，甚至搬到能讓孩子獲得最好教育機會的學區。作為水象星座，若妳要搬家，可能也會考慮住在靠近湖泊、河川或海洋的地方。

一旦穩定下來，開始尋找屬於妳的部落，即使一開始只有一、兩位親密知己。雖然妳對自己一些直率笑話或評論表現出無所不知的態度，但通常只會對少數人相處親密。天蠍座不是那種會成群結伴的女孩，妳怎麼可能願意在陌生人面前表現出脆弱的一面呢？

相反地，妳要找到一個能撫慰心靈的社群！對許多天蠍座媽媽而言，這階段所累積的挫折，需要心靈出口：定期運動、前往靜修處、冥想團體，會是妳的救贖。我們遇過一位天蠍座媽媽，她和幾個家庭一起住在共用土地上，在那裡她每個月舉行滿月儀式，為女性創造一個「神聖的空間」，讓大家每個月聚集一起並在有「女神相伴」的情況下保持聯繫。

失去平和與寧靜，對於妳內在反思的一面會帶來問題。無論妳最喜歡逃避現實的方式是上飛輪課或參加威卡魔法工作坊，都不要覺得這必要的「個人時間」是種自私行為。天蠍座很容易吸收他人的能量，妳需要踏出家門，讓身心靈重新充電，這會讓妳在各方面成為一個更好的媽媽。

如果敵不過他們，那就加入他們。和孩子一起泡在浴缸裡洗泡泡浴；一起去海邊旅行，享受沙灘與衝浪帶來的療癒效果；找妳最喜歡（而且可能是唯一）的媽媽朋友一起帶孩子出去閒晃，這樣能夠培養感情及補充能量，也許會讓妳筋疲力盡，但也可能會滿載而歸！

童年早期（六歲到十一歲）

歡迎回到妳自己，天蠍座媽媽。孩子回到學校、變得更獨立後，妳就能深吸一口氣，恢復原本的生活，有時間能本讀書、進行商業活動、恢復心靈練習、培養創意與熱情，終於有自己的時間了！甚至和另一半來場浪漫的週末假期，將孩子交給祖父母或親戚，都會讓妳感到舒暢。啊，晚上約會，那遺忘的快感……

孩子去學校後，可能是妳第一次體會到空巢症候群的來襲，這樣的分離起初可能難以忍受，但現在孩子處在妳能稍微信任他的年紀。因此，如果妳還有較年幼的孩子或青少年，妳會將注意力轉移到他們身上，這會是你們母子關係裡最重要的時期。

凱特：「我最喜歡的階段是五歲到十一歲的時候，可以和孩子一起外出吃飯。他現在處於潛伏期階段，會表現出不自覺與自然的狀態，但他仍會在乎妳的想法。我有段時間失去了自我的生活，當時我渴望女兒能去其他人的家，這樣我就能有『自己的時間』——雖然我真的很討厭自己內心這樣的想法。」

對於回到職場的天蠍座來說，這可能是妳負責養家糊口的機會。我們知道很多天蠍座女性，其伴侶通常是扮演家庭主夫、處理家務、晚餐、接送等的角色。妳是個善於賺錢的星座，而且如果妳想送孩子去昂貴的私立學校、暑期營和活動，可能也會對金錢上有更多想法。

談到紀律，妳不害怕運用天生恫嚇他人的力量。艾曼達開玩笑地說：「和天蠍座媽媽一起時，家裡『沒有人需要等爸爸回家』。我害怕媽媽的毒刺，從來不敢與她作對。」不尊重會把妳逼到忍無可忍的地步。妳在說話時，期望孩子能仔細聆聽，對於被忽略的容忍度幾乎是零。妮娜說：「我很少生氣，但我一生氣時會真的非常抓狂。我要求孩子做些什麼，他卻公然拒絕的話，真的會讓我很不高興。」

好在天蠍座媽媽的一個眼神和直截了當的指示會讓孩子回到正軌。蘿拉回憶她天蠍座媽媽在商店裡必定會使用的紀律策略，「她大概會降低音量說：『妳現在是要讓我難堪嗎？我也會馬上讓妳難堪。』這樣的作法已經足以讓我和我哥立刻停止發脾氣。」

談到教導孩子性觀念，天蠍座媽媽通常相當坦白。雖然一些天蠍座媽媽會將這些工作交給健康教育老師處理，不過大部分的媽媽偏愛確保孩子有適當的理解。嘿，妳可是十二星座裡的「性感星座」，妳把性知識當作生活的根本，也不會嘗試隱藏妳的感官享受。比起讓孩子渾然不知，寧願教導孩子這些成熟議題，不過這可能會誘使孩子直接去實驗，增加他無法抹滅的潛在錯誤。因此，如果能保護孩子避免成為《青少年媽媽》（Teen Mom）演員的候選人，妳會先把尷尬放一旁，好好教導他。

這階段的強制性的加入家長社群可能是個挑戰。既然孩子已經上學了，妳無法再推辭一些必要的家長交流團體活動，如家長會會議、學校會員委員會、運動團隊和音樂會。妳得迫使自己去跟不太喜歡的人交流，還要避免露出不悅的表情。瑪特：「我天蠍座媽媽無法忍受笨蛋，她也不善於隱藏這樣的感受。」

妳的解決方式可能是回到家中打開益智遊戲。亞曼達：「我媽媽不會做任何媽媽以外的事情。她不會趴在地上與我們一起玩，但我知道她會一直在身邊。她不是個直升機媽媽，但當大家在我們家玩時，通常有二十幾個孩子，我媽媽就像幼稚園老師一樣負責在旁邊看顧。」

妳確實需要個人時間，請試著讓自己擁有，以便日後真的需要時能發揮作用。天蠍座傾向「去碰撞、點燃再重拾熱情」。因為妳是個衝破極限的星座，情緒可能也反覆無常；有時非常親切、外向，其他時候則退回到自己的世界裡。一位天蠍座媽媽的女兒回憶：「我和兄弟姊妹還小時，我們都必須待在自己的房間，或每天到外面自己玩耍幾個小時。我媽媽需要有屬於她的時間讓自己充電，我們在房間玩的時候，她則會看書。」

確保妳有自己的避風港，即使只是浴缸也無妨，這樣當妳心情抑鬱或感到緊繃時，就能有個地方釋放累積的情緒。只是要確定讓孩子知道並不是他做錯什麼事，不然妳不太說話時，他可能會覺得有點害怕。妳不了解其實妳有多麼讓人感到畏懼！

即使妳會表達嚴厲的愛，但妳情緒上還是會跟著孩子做調整，對他們的發展隨時謹慎。妳可能會督促他在學業上的表現，但同時也擔心他是否有遇到任何掙扎。如果孩子在學業遇到困難，妳不會責怪他，反而會研究問題所在；也許是學校或老師不適合他，也許是坐的位置聽不到講課的內容，在問題上多加琢磨，尋根究底找出問題根源。

我們知道的一位天蠍座媽媽在家教育孩子多年，後來她轉向更前衛的方式，使用「非學校教育」教導孩子進入「人生學校」。孩子的好奇心會由媽媽的教育引導，透過玩樂、家事和她自身的發現來學習（給天蠍座媽媽的福利：這樣能讓孩子整天待在家中）。當然後來這位媽媽的小孩進入了優秀大學，所以這樣的做法有其重要意義，天蠍座一直都是開創潮流的先鋒！

事實上有許多天蠍座媽媽對教育改革充滿熱情，畢竟妳可能多年來對自身學校教育也抱有一些無法理解的部分。妳的星座掌管心理學，妳也熱衷於孩童發展。天蠍座演員歌蒂・韓（Goldie Hawn）是位虔誠佛教徒，她為其非營利組織「韓氏基金會」（the Hawn Foundation）打造了前衛的課程「心智成長計畫」（Mind-UP program），以佛教技巧「正念」訓練學齡孩童，協助他們管理壓力、調整自身行為、學習專注並培養更好的同理心，真的是很酷的課程！

青少年期(十二歲到十八歲)

歡迎來到青少年暴風雨來臨的前兆:妳與他的心情變化、妳與他的鋼鐵意志,都會發生在一個屋簷下,是的,你們的關係可能變得緊繃。

青少年時期對任何一個家長來說都是個挑戰,但是比起理解它,妳更有可能會先做好萬全準備,畢竟妳知道何謂緊張的情緒波動與情緒風暴(完全不在意那些諷刺和乖戾態度——是的,妳也會有)。

在掌握他從可愛孩子轉變成製造麻煩者前,妳仍需要一些時間適應。直到現在為止,你們以前的關係還很親密,不僅像朋友,而且孩子聽話,遵守妳的規則,不會試圖挑戰。但現在開始他會頂嘴,或是即使妳盡了最大努力,他還是會把妳推開。

當孩子開始出現拒絕的行為時,妳會想是否自己做錯了什麼,畢竟到目前為止,妳對孩子的一舉一動幾乎都能覺察到。而且妳會調整到孩子的頻率(妳從不會讓他感到丟臉或覺得妳不夠時髦,就像其他媽媽)。實際上妳還可能在許多場合裡被誤會是年輕、流行(性感)的保母,謝謝大家誇獎。

但現在媽媽的工作感覺吃力不討好,不是說妳在意自己是否成為重量級人物,只是妳無法理解被看成是無趣角色。妳仍是很潮的媽媽,孩子五歲時為他穿上迷彩褲子和搖滾樂團T恤,但現階段的孩子看到妳只有一個想法:老。

妳已經習慣在家裡當受人注目的對象,不料卻發現妳的青少年現在正獲得所有的人目光;妳的內心可能有點吃醋,想努力維持(並用其他方式)妳年輕的外表。不過,老天爺啊,妳可不想成為那種外表看起來四十歲,卻行為表現出像二十一歲的樣子,或至少不會這麼明顯地表現出來。

在這時間點上,是時候在更深的層次還有控制方面做些改變。妳必須退出孩子的生活,回到自己的軌道,當然這很困難。這段期間對孩子的獨立成長相當重要,如果妳停止讓他成長,未來幾年妳會後悔的(想像下列畫面：二十三歲的孩子站在門前，提著行李，跟妳說他要搬回來）。若妳不想提供孩子空間，他可能會大聲責備妳、試圖宣示他的主權，這肯定會讓妳的心情很難受。當然孩子離開時，妳很難不在意，尤其在他想要裝酷，以為自己了解所有事時。一位天蠍座媽媽承認：「當孩子不再依偎、摟抱和牽手時，我真的很不好過。」

青少年不尊重的情緒爆發，可能也會喚醒妳內在憤怒的魔鬼，儘管妳顯現出堅不可摧的樣子，其實妳是個相當敏感且情緒豐富的星座。當妳感覺受傷時，脾氣會變得一觸即發，此時連地獄怒火都沒有像天蠍座這般憤怒。雖然妳以為自己不會落入這般田地，但我們曾聽過不聽話的青少年激怒天蠍座媽媽，導致火山爆發的故事。

作為象徵力量和控制的星座，妳的憤怒在這階段肯定會失去控制，請隨時打電話給心理醫師和幾個親密好友（及敲碎幾瓶妳手邊的灰皮諾葡萄酒）。妳也需要喚醒自己青少年時期有多固執的回憶：沒有任何人能跟妳說任何事。也許妳害怕孩子會步入妳過去極端的下場，然後利用任何他手邊能得到的人事物做測試，請死了這條心吧！狹隘目光可能讓妳變得更無知，而迷失方向，開始小題大作。

事實上，恐懼是讓妳感到沮喪的根源，容易擔憂的天性通常會使妳無力。妳不相信任何人，特別是容易影響青少年的朋友，和他們爭奪孩子的注意力，像是一場與赤手空拳的對手（他們會有厚重眼線和體香劑）的鬥志戰爭，然而更令人無助的是，無論哪一種，天蠍座都無法長時間忍受。

妳會竭盡所能確保家庭維持緊密關係，提醒他黑手黨媽媽的風格，讓他除了家人外，無法百分之百相信其他任何人。如果妳還帶他去很棒的旅行、為他舉辦奢侈的十六歲生日派對、買昂貴的衣服，都能強化妳「血濃於水」的信條，妳可能會不時採取這樣的策略。倘若賄賂能讓孩子遠離危險，妳會為達目的不擇手段，對吧？

感受到青少年時期有多艱難時，妳可能也會採取預防性的方式。我們的朋友南西．格魯（Nancy Gruver）是位哈佛畢業、擁有一對雙胞胎的天蠍座媽媽，她在女兒十一歲時，創立了女孩成年雜誌及線上社群《新月女孩》（New Moon Girls）；她受到卡羅爾．吉利根（Carol Gilligen），這位性別研究學者具開拓性的作品產生很深的影響，發現女孩在青少年時期會失去她獨特發言權與身分認同。如同一位天蠍座的特性，南西廣泛研究雜誌和資源，試著尋找出幫助女兒經歷這段過渡期的方式，但一無所獲，於是她決定（和她的丈夫、女兒）創造出自己的方式，結果一本為女孩而寫、具影響力的雜誌在一九九二年誕生。

讓孩子接受教育且充分了解是很好的策略，這也是妳現在想實行的方式。比起保護他、限制接觸外界的機會，不如逼迫自己讓他坦然面對現實。作為十二星座裡的性慾星座，妳可能不會介意教導他生活中實是求是的精神，與其受到同儕錯誤的影響，親自教導他會更好，此外，妳有時不拘小節的習慣，也會跟他開些黃色笑話。妳的希望就是對此保持開放與習以為常的態度，讓他知道可以隨時來找妳問問題。

因為天蠍座喜歡儀式，妳會將他各種成長里程碑轉變成一些特別場合。當青春期來襲時，為什麼不為他慶祝呢？如果女兒月經來臨時，可能會帶她參加紅帳篷儀式或請她一頓特別午餐；如果是兒子的話，妳能鼓勵他邀約女性，確認他是否已經有想約會的理想對象。這樣開放的政策在他面臨青少年一些無可避免的混亂時，會是很好的方式；畢竟天蠍座媽媽很會處裡各種危機狀況。即使妳自身情緒失控，瀕臨失去理性，但當孩子處在痛苦時，妳仍會維持堅毅和理智的一面。只要妳感覺到他的困難，就會立刻處理。

妳的孩子知道妳的力量有多強大，也許這就是為什麼有時他會強烈地反抗，並不是他覺得妳很弱，而是他想要找到自身的力量，證明自己能在沒有媽媽的情況下挺身而出。天蠍座媽媽凱特：「我女兒在青少年時期那幾年，她必須遠離我，因為我太固執己見了。所以在她去上大學時，她的爸爸和我真的覺得『好……去吧！』」

即使孩子翅膀硬了也不用太擔心——他會回來的，即使妳可能因為在這段發生衝突的時間不太相信。因為妳相當注重心理意識的層面，妳會廣泛閱讀這年齡團體行為模式的相關資訊，這些將成為妳的救星。一位天蠍座媽媽讚揚一本關於青少年的書籍《家家有本難念的經》（Get Out of My Life but First Could You Drive Me and Cheryl to the Mall?），這本書幫助她們騷亂的關係產生好轉。而且說不定學習人類動機、神經科學和人類發展會成為妳新的投入主題，誰知道呢？妳自身的研究甚至會引導妳激發出一條新的人生道路，一條妳能在孩子踏入社會後追尋的道路。

掰掰，小鳥離巢（十八歲以上）

天蠍座媽媽在孩子成年後會變得更閃耀，特別是你們歷經過渡期、彼此關係沒有過多依賴時。妳具有穿透力的洞見和情感力量，能在孩子走進又大又糟的世界時成為他的依靠。「當需要母親時，我很高興我有位天蠍座媽媽。」亞曼達說道，三十五歲的她離家後跟媽媽變得更親近。「我媽媽是我所知道最聰明、情感最豐富、最有才智的人。我打給她時，她會一直跟我聊天，她總有一些很棒的事可以分享，但我年輕時都不知道要感激她。」

放手讓孩子離開會是很難的一件事，對天蠍座媽媽尤其如此。當孩子到外縣市大學就讀或搬到國外時，妳可能表現出一副冷靜、沒事的態度，但其實內心感到一陣悲痛，特別是剩下妳一人的空巢狀態，嚴重的被遺棄問題會爆發出來。即使妳心裡很清楚這樣很不理性，但妳就是無法抑制自己將這些投射在孩子身上。一旦天蠍座對另一個人提出情感上的擁有權，這會是一輩子的關係。當孩子選擇搬到離妳半徑範圍內的地方，雖然妳能開車運送補給包，或幫他的起步房擺設家具以符合妳得來不易的認同，但妳其實對這件事很難不在意。

三十六歲的克莉絲汀：「我最近買的家具，看起來都像我媽媽會喜歡的風格，而且她很高興。她感覺有點像是：『妳看，妳繼承了我的品味。』唯一的差異是她是天蠍座，她的家具都是柔和色系，而我是獅子座，所以我的沙發和椅子有相同的款式，但我的坐墊都是明亮色系。」

妳無法抑制自己，因為妳就是要看到妳與孩子間的連結仍然存在。是的，妳渴望被需要。所以妳會讓鳥巢保持豐盈且舒適的狀態——設下（父母）的誘餌，這樣孩子就會想要回家。天蠍座是誘惑的高手，妳會使用所有的甜蜜武器。二十五歲的克莉絲塔：「我的天蠍座媽媽常常打給我問說：『何時會回家？』。她不會問我這週有什麼安排，即使我住在紐約，而且還有個男友。她只是問說我會不會帶他回來，然後我們吃些什麼好。」

亞曼達的天蠍座媽媽茱蒂在將三個小孩養育成人後，開心地重新擁有自己的空間。亞曼達笑著說：「她已經任務完成了」。不過，茱蒂的家仍是所有家庭晚餐與假日的中心，「我媽媽不想要小鳥離巢後都不回家。」她解釋。「她想要我們離開鳥巢，然後還是要常常回來。」

當家人圍在桌子旁，妳可以掃過每個人的臉龐、舉止和身體語言，直覺地判斷家人是否都過得很好。天蠍座是十二星座的觀察者、一個眾觀全視野的老鷹，如果妳察覺到一些不對勁，會把孩子拉到一旁，並詢問（或有禮貌但重點式地詢問）發生何事。在孩子承認所有事前，只要小心選幾個字就行；天蠍座媽媽具洞察力的銳利目光，就像結合X光掃描機和謊言測試機的綜合體。妳對孩子的選擇也會毫不猶豫地加入討論。一位天蠍座的女兒打給她媽媽，很興奮地分享她想和男友在一年內同居。比起陷入興奮情緒，這位媽媽反而是微妙、間接地問：「妳認為他在那之前會先做一個『大買賣』（房子）嗎？」

嘿，天蠍座媽媽知道如何使用權力與尊重，如果妳有女兒，妳寧願她的男友在真的開始認真思考前先「為她戴上戒指」，或者妳可能不鼓勵孩子在還沒找到穩定的職涯道路時，倉促決定任何需要永久保證的事物。如同天蠍座媽媽凱特開玩笑說：「我女兒還小時，她對我說：『媽咪，讓我們假裝我十五歲，有個寶寶。』我回道：『讓我們假裝妳現在三十五歲，然後考慮生個小孩。』」

妳知道如何使用贊同與不贊同的權利形塑孩子——妳不會因為孩子成年了就停止這麼做，而且擅自決定十次中有九次都是自己正確。然而，有時候妳需要在衝進去拯救他之前，讓孩子藉由一些艱困經驗學習事物。一位天蠍座的成年女兒承認，她對做決定常常會很焦慮，會變成這樣的主因就出在她的媽媽太能幹了，因此她以前都不需要擔心。她說：「我最近不再每天打電話給我媽媽了。以前我可能只要感到焦慮時就打給她，但我理解到我太依賴她的力量了。我時常想『媽媽會如何認為』或是『媽媽對這件事有什麼看法』。」

當妳感覺到自己不再擔任孩子最終意見提供者的角色時，這真的如扎心般痛心，不過妳可能會給予反擊。天蠍座是代表復仇的星座，所以請小心不要在孩子開始過自己的生活時懲罰他。一位朋友談到她以前曾跟天蠍座媽媽說，她想開始健康飲食、減掉一些體重，幾天後她媽媽拿著一大盤奶油乳酪拌義式寬麵出現在她面前。她說：「我感覺她是不是想刻意破壞我的計畫，不過之後我想到這件事就有罪惡感，畢竟媽媽在其他各方面都一直很支持我。」喔！這就是天蠍座會玩的心理戰術。

即使妳需要制定一些限制，但孩子知道他還是能依靠妳可靠的意見與引導，就算有時妳的狀態有點緊繃也是一樣。就像母女檔演員歌蒂．韓和凱特．哈德森（Kate Hudson）及克莉絲．詹納（Kristen Jenner）與她的卡達夏家族成員，天蠍座媽媽可以成為她成年孩子最好的朋友。如果妳有兒子，妳身邊很有可能就會有個一輩子的媽寶男孩。（很幸運地，妳能與他未來老婆打交道，啊，妳能處理她；她會是那個需要運氣的人。）

是的，妳會不斷形塑孩子，畢竟這就是妳的工作，妳可沒打算早早退休。然而成功的方程式，就是要擁有少了孩子的生活。因為妳容易過分關注孩子，如果沒有其他生活出口的話，當妳從孩子生活中抽離時會很難受，甚至會有點進入抑鬱的狀態。

在天蠍座戰壕裡就有些中年危機的故事。天蠍座的黛咪・摩爾（Demi Moore）曾與她女兒非常親密，就在她經歷一段艱難的公眾離婚後，三位女孩長大成年，她也來到五十歲。確實，當妳已經不再扮演義務母親的角色時，可能想重拾自己的性感，然而即使妳高興地向他人說現在重新擁有自己的生活，但是當妳已經不再被孩子需要時，這會有多麼難熬。

如果妳在這幾年間犧牲掉自己對感官上的體驗，那麼我們得督促妳重新喚醒這些熱情，不過要注意，天蠍座是極端的星座，妳可能會發現自己從零開始，然後有點衝過頭了。為了想填補先前空白，就急著到刺青店或動起隆乳手術，但在妳決定在臀部紋上無法挽回的刺青前，或讓解剖刀碰觸到妳的臉之前，請先處理好自己潛在的悲傷，甚至是悲慟的情緒。

這關鍵就在於學習如何相信自己的小孩，即使妳是個不相信任何人的星座。他努力獨立成長並非拒絕或拋棄妳，不需要將他管得太嚴或當成小孩對待，並期待他能每天回家（好吧，確實有一點這麼希望）。記住，妳天生就擁有強大的力量，妳的孩子也可能很害怕讓妳失望。因此，請確保他知道自己能為自己開闢一條新的道路，妳也會陪在他身邊隨時鼓舞他。

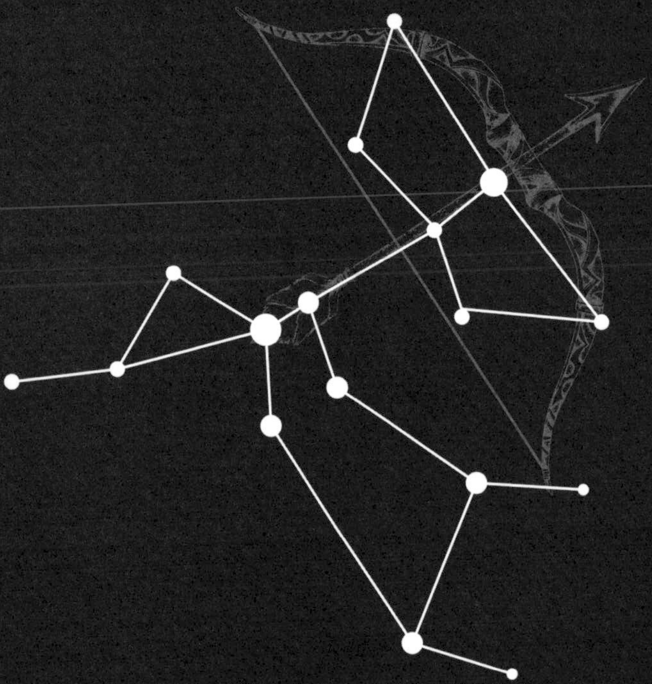

射手座媽媽

（11月22日~12月21日）

媽咪魔力——妳的優點：

冒險、智慧、幽默、有觀點

媽媽咪呀——妳的挑戰：

缺乏耐心、魯莽、遲鈍、過於衝動且
缺乏條理

知名的射手座媽媽：

布蘭妮・斯皮爾斯、貝蒂・蜜勒、
姬蒂・荷姆絲、茱莉安・摩爾、金・貝辛格、
馬伊姆・拜力克、克莉絲汀・阿奎萊拉、
珍・芳達、凱瑟琳・海格、克莉絲汀・雅柏蓋特、
珍娜・布希・海格、莫妮卡、艾莉莎・米蘭諾、
安娜・妮可・史密斯、妮可・伊莉莎白・拉瓦勒（史努姬）、
珍妮佛・康納莉、潔美・李・寇蒂斯、瓊・蒂蒂安、
妮莉・費塔朵、泰瑞・海契、桑雅・摩根

✶妳的教養風格

作為十二星座中最自由的靈魂，養育對妳而言是個有趣的調整。行事即興的射手座活在當下，多以衝動和直覺行動。妳重視自己的獨立性，這新的階段帶給妳一種不真實的感覺；妳是誰——領導者？重量級人物？育兒對包含小甜甜布蘭妮、史努姬（Nicole Snooki Polizzi）和安娜．妮可．史密斯（Anna Niole Smith）這些射手座來說，都會是生活型態上的大轉變。比起把孩子當成笨蛋，妳反而對孩子感到驚奇，將他當成真正的人對待，同時花上大量的時間與能量來照顧孩子。妳那種「先安排然後再看看之後如何」的生活方式已經無法應付，即使妳擅長計畫，但自己的生活已經充滿各種行程。現在妳需要整合另一個人的需求，將其納入妳繁忙的例行事項中。

調整生活的比例分配可能需要花點時間。射手座由木星掌管，代表極端與豐盛的行星，射手座不是過分使用（自己工作到筋疲力盡），不然就是避免投入；妳以先下手為強再提問的行事風格聞名，不過這樣膽大的靈魂運用到母職身分時，將會是把雙刃劍。其中一面是，妳的隨意而為會讓生活有趣：將小孩放入車內，開車到別的縣市買煙火或觀看馬戲團表演、給孩子抹上奶油的鬆餅當作晚餐、將剩下的中國菜當作明天的早餐（嘿，至少他們會吃，對吧？）而且妳會拉著大家來場即興假期或睡衣派對，嘗試一般媽媽不會做的事，但講到計畫和構思……就沒什麼想法了。

在星盤上，射手座的第四宮由夢幻的雙魚座掌管，這星座表療癒、幻覺與同理心。雖然妳是個有衝勁的人，但母親身分會為妳帶來柔軟的一面。雙魚座以模糊界線為人所知，這樣的性質可能成為妳育兒上的挑戰。像是在還沒了解事情經緯前，可能就先感到愧疚，或是過於介入孩子個人問題，甚至可能變成一個「殉道者媽媽」，犧牲自己的底線再感到後悔，以及冒過多的風險。

制定紀律對妳而言也很棘手。因為妳對設定界線感到困難，這也許是因為妳本身幼時未解決的課題所致。一位喜愛流行文化的射手座媽媽：「我試著讓女兒遠離電視，但結果就是她跟我一樣也喜歡媒體文化。」限制過多不是妳擅長的事，畢竟妳是個充滿好奇心的靈魂，所以妳也不想阻止孩子探索世界。

雖然扮演「黑臉」可能不太有趣，但孩子需要有組織性的教導，給自己時間適應——是的，妳得為成為媽媽後失去的自由哀悼。一些射手座對於「無趣」和育兒裡乏味的細節（這占大部分的生活）不太能容忍，那些「幫寶適族」和學齡前兒童，就像幼稚園申請書裡一些邪惡的「尿布精靈」偷走妳的身分一樣。比起其他星座，妳更需要確保還留有自己的自主權和「個人時間」——這讓妳快樂及成為更好的人，而且不需要任何罪惡感！

育兒是場長期抗戰（雖然也令人驚奇），對妳而言最明智的選擇，就是將其看作是一趟冒險。基本上，我們建議妳：問問題、尋求建議、吸收外在意見，接著加入自己的個性與信仰，揉合成適合的方式。獨立的射手座女性會走出自己的道路，而且沒有其他人能介入。事實上，妳可能是所有星座裡最有可能意外懷孕，或是靠自己撫養寶寶的媽媽——「自主性單親媽媽」（Single Mothers by Choice）裡的活躍成員。妳先斬後奏，假定事情最後會順利形成，但通常都缺乏認真的思考過程；可能也傲慢地拒絕任何意見和協助，但最後通常妳都得自己嚥下這口氣，然後別人大概會這樣對妳你說：「看吧，我就告訴過妳了。」

射手座媽媽以短暫專注力和無止盡的多工聞名，這樣的特質會在孩子變成一個行走的獨角戲機器時，讓狀況變得棘手。當妳還沒將整個客廳布置成類似「Elle Décor」的風格時，「媽咪，為什麼天空是藍色的？」這可愛對話在空氣中飄散，但妳在忙著為牆壁上料和修復原本的冠頂飾條，實在很難同時主持小孩的Q&A時段。有時候，妳需要強迫自己從手上的工作抽離，專注在小孩身上。小孩直覺很強，越是忽略他，他越會努力爭奪妳的注意力。

所以這十二星座裡的派對女孩，到底如何蛻變成家長會會長呢？哈囉，存在身分危機……或許根本沒有。射手座媽媽最好的策略就是採取「無法打敗他，那就加入他」的方式或是專家所說的「平行遊戲」——為廚房上九次油漆？給寶寶一把刷子和一些顏料，給他一個角落上色；種植一個英式花園？給他一個小型澆水器、小花盆，培養他成為小小綠手指。這麼做的附加價值是能培養他的領導力、技能建立以及從一起完成任務中享受一點成就感。記住，妳的孩子只是想和媽媽一起，感受親密與連結。將這些事物納入妳的冒險，然後妳會發出讚嘆聲，因為妳會在兩代之間獲得雙贏的局面。

形塑健康的關係對一些射手座媽媽來說是個挑戰，因為妳太獨立了。妳特立獨行，希望孩子凡事都要詢問過「媽媽會不會生氣」。共同撫育孩子對妳而言也很困難，如果妳和伴侶一起撫養嬰兒，可能想找些朋友給妳支援和聆聽，這樣就能在安全的環境下大吐苦水，跟他們說些另一半做了哪些讓妳發瘋的事，而妳坦率的發言也會讓其他人歡樂（有時候則是驚訝）。此外，妳會找出有創意的解決方式與新技巧挽救你們的關係。

記住，不是妳不愛妳的小孩，也不是妳沒有資格成為一位好媽媽，但是當「自由」是妳的最大特色時，就得在處理一個需要照料的孩子及忙碌行程中取得新的力量。如同射手座朋友亞曼達所說：「我只是碰巧成為媽媽的人，而不是碰巧成為人的媽媽。」就算所有一切失敗了，記住，在母職裡沒有這麼多尊嚴的問題，就利用妳先天的幽默感看待這場神聖喜劇吧！

✶如果妳有女兒

優點

認識妳未來最好的朋友！作為一個富有智慧的星座，妳迫不及待將所學的一切灌輸給妳這位敏感的迷你版，妳渴望將她形塑成一位未來的女權主義者或有勇氣且獨立的小領導。不像一些其他媽媽將女兒當作展示品，妳可能禁止任何過於女性化的事物：裝飾蛋糕的蝴蝶結、摺邊禮服、寶寶穿耳洞及任何限制孩子移動的東西，或是讓她看起來像待在烘培坊的櫥窗，無處可去。

作為一位獨立女性，妳會成為女兒積極的模範，教導她成為敢言且自主的人。妳不會讓她變得無助，會為女孩建立自信，鼓勵她為自己的信仰發聲。雖然妳不太喜歡親手做些孩童藝術和手工，但是妳會讓她接觸其他冒險：旅行、前衛想法，甚至是創業。妳想要創造一位「世界公民」，她對於表達問題不會感到不自在，並在各種文化中茁壯成長。

缺點

請注意！對於靜不下來的射手座媽媽來說，打破常規及進入小女孩世界可能會有難度，特別是女兒非常女性化。雖然泰迪熊下午茶派對創造一個拍照機會，但這時間長又累人的還要擺姿勢（……現在這個熊熊拿著一塊餅乾……然後這個需要喝一口茶……）會使媽媽放空。

當女兒開始面對那些煩人的青少年課題時，妳會用嚴厲的愛或快速的解決方式應付，但這對她不會有幫助。妳的個性會主導一切，所以有時妳需要削弱氣勢，以防止即將發生的女強人對戰。相反地，妳能使用蘇格拉底提問法——詢問一系列發人深省的問題，幫助她引導與找出自己的結論。

妳自己的競爭欲（是的，妳的男子氣概）可能會注入女兒反男性情緒的觀點，長遠來看，這無法提供女兒足夠養分。雖然妳可能是激進的女權主義者，但請記住，在這裡真正的敵人是性別不平等，不是男性（或者如妳大學社會學課程提到的「父權主義、男性主宰和文化霸權」）。請記住不要在妳家出現貶低關於小伙子的評論，或創造一個「少女」酒吧。

✶如果妳有男孩

優點

就如典型男性一般對話直接的反應，射手座的坦率能與兒子打成一片。此外，因為妳對他予以尊重與誠實，他會學習到將女性看成是聰明且會表達珍貴意見的人。妳教導他許多公民應知的事物：如何成為一位友善且尊重不同性別、環境及來自不同背景的人，藉由讓他參與特別的課程促進他的好奇心。許多射手座都是戶外派，妳也喜歡與他一起爬山、野餐及露營旅行。

這小男孩脆弱的地方對妳來說也覺得可愛，多年來妳會設法持續關注他敏感的情緒。在妳的關心之下，他感覺自己被理解，可能會嘗試藉由提供意見、提高他的自尊心，和他談天說地以維繫你們的連結。他知道妳會一直認真傾聽。為了讓他發揮最大潛能，妳會給兒子像「我相信你」的訊息，帶著媽媽的信念與鼓舞，他未來一定會邁向成功的道路。

缺點

成為一位能和兒子聊任何事的酷炫媽媽很棒沒錯，但成為兒子最好的朋友終究不是最好的主意。在某個特定的時間點，男孩必須離開他的媽媽（專家說這早在十八個月時發生）並成為他自己，這代表他要在沒有妳的確認下學習做決定——無論你如何引導他。當然你認同他是好的，但在特定的時間點上，你不認同也是可以的，你能適當地跟他開玩笑，稍微開自己的玩笑，拜託，只是要避免一些隱喻性的對話內容。即使妳會和男性友人分享且擅長「男人對話」，射手座媽媽始終不屬於男人窩。

射手座媽媽擁有無與倫比的能力，所儲藏的能量會意外地削弱男孩的男子氣概。妳可不想在他高中三年級，還幫他完成所有事、介入他的感情選擇，或把他當成仍是妳的「胖嘟嘟火車頭」，養育出下一位世界級的媽寶男孩（或一個懶鬼……或一個罪犯）。妳的兒子實際上也確實會從妳對這個媽媽星人所付出的嚴厲的愛裡獲益。

幾乎每個射手座女性都認為傲慢的男人低估她們的能力，妳對沙文主義容忍度的表現幾乎跟面紙一樣薄。但請小心不要將個人對男性的衝突投射在兒子身上，妳能試著在優秀的心理醫師的協助下，針對任何未解決的父權議題做些內在對話。

✶不同年齡和階段的教養

嬰兒期（一歲）

歡迎來到超現實世界，這裡有位完整人類對妳百般依賴。雖然妳花費一生避免接觸這樣的相處方式，但現在妳沒有轉圜的餘地。隨著新手媽媽身分帶來的幻覺，會帶給妳瞬間、單純的幸福感。妳手中這小小的生物對妳眨眨眼，新生兒的味道有如美麗的生命連結。

新生兒可能迫使妳放慢腳步，對繁忙的射手座來說並非壞事。雖然可能會有無法入眠的夜晚，但大部分的嬰兒一天需要十六小時以上的睡眠時間（或依父母守則而定），妳還是能檢查電子郵件、遠端工作，在生產完後恢復期間或適應領養過程時看著喜愛的電視節目。此外，會有些人來拜訪妳，這剛好是社交星座喜愛的，即使妳累到幾乎無法參與他們。

帶嬰兒外出走動是一項大的挑戰。妳不喜歡關在家裡，但是拖著嬰兒車的麻煩、在公共廁所換尿布等就足以讓妳不想出門，然而足不出戶的射手座會變得淒慘，這使得妳會拉著每個人不停抱怨。

荷爾蒙是產後憂鬱的因素之一，使得自我孤立的射手座變得更沮喪。此時，請主動出擊！多花點錢買台高級的嬰兒車或二手的也無妨，將寶寶的午睡時間與自己的探險時間結合起來，逛書店、剪頭髮、前往稀奇跳蚤市場，甚至與朋友來場女士午餐，推車上的寶寶通常會睡得祥和。因此，盡可能地調整妳的生活，讓時間更有效利用，妳完全不需要被新手媽媽的身分綁架。

歐菲拉發現在紐約市當新手媽媽的日子裡，有些令人意想不到的地方，像是在稍微高檔的西班牙酒館或生蠔景觀餐廳裡，一個睡著的寶寶絕對是受歡迎的人物。妳的小不點可能還會受到店裡員工額外的寵愛（有人不愛小寶寶的笑臉嗎），會有幾雙手臂輪流等著摟抱這個小天使，就在妳狼吞虎嚥地吃著西班牙燉飯和肉腸，或是從下午三點開始享受一杯優良的里奧哈（Rioja）紅酒時。

在成為媽媽以前，拜訪一些喜愛的場所對射手座來說不可或缺，因為妳感覺到在這個小傢伙來臨後，妳會失去自己的身分。但請記住，母職會是妳人生新的部分，而非性格上的轉變。雖然妳可能會覺得有時自己變得邋遢、醜陋、老態或懶惰，但請不要對此動怒，因為這些都會過去。

這階段另一個調整是讓其他人幫助妳。射手座女性身上擁有「每個姊妹都流有為自己而做的血液」，要妳依賴家人或朋友的慈善心意，對妳而言不容易。像妳凡事都自己動手做的人，不太擅長開口要求他人協助，但在這階段，妳需要這麼做——如果妳想一週洗澡超過一次。妳雖然喜歡按照自己的方式行事，但稍微鬆開這樣的控制，會讓妳有更多時間恢復活力。

生活裡其中一個最大矛盾是，承諾反而讓妳覺得自由；一旦妳對某些事情許下承諾，就會有個清楚、專注的目標，能避免因猶豫而浪費寶貴的能量。說不定一個新生兒最終會讓妳變得更有生產力且更有自信。

學步期（兩歲到五歲）

學步期會是射手座最艱困的階段，為什麼呢？因為面對一個跟妳一模一樣的人：一個拒絕接受指導、完全沒耐心、要求立刻滿足及對極限無知覺的人，他就像是一個過濾裝置，阻絕掉「沒有」這個單字，然後不斷挑戰規則。是不是聽起來很熟悉？

魔鏡啊，魔鏡，你們真的一模一樣，現在又該如何呢？每小時出現另一個崩潰危機讓妳身心俱疲，有辦法對孩子喝奶時說不，嘗試斷奶嗎？如果他大哭到變得抑鬱怎麼辦？最好還是屈服？他以後長大了會記得這時候的事，然後討厭我嗎？

這個受到先天限制的學步期不會與妳的線路完全一致。妳是個獨立個體的靈魂，總是擁有一群朋友、自己的嗜好與興趣，突然間，妳所有的創造性能量都要用在確保兩歲寶寶是否會突然衝到馬路、吃東西不慎嗆到等，妳不太習慣全神專注在另一個人身上，這讓妳徹底迷失方向。

是時候找些救兵了！將工作分擔出去吧！妳可能會發現在承認自己沒有想像得這麼能幹時，其實內心相對平靜，妳只是需要想辦法通過這幾年的考驗，不用試圖改變自己太多（雖然妳之後會知道縮減和簡化人生，確實會得到好處）。因此，在妳學習如何停止與妳的小侵略者妥協前，他在這個階段會好好的，而妳……可能還會受到束縛所抑制。

問題在於，媽媽通常對於「沒辦法任何事都表現完美」而感到丟臉。由於受到電視媒體上常稱呼的「媽媽戰爭」的影響，媽媽常被說自己不夠好，如果沒有隨時環伺在寶寶身邊、滿足他的需求，就說媽媽忽視小孩。管他什麼罪惡感，如果妳自己無法處理，大可每晚讓保母哄孩子入眠。妳不是個糟糕、失敗的媽媽或騙子，畢竟妳未來還是有很多年用可有意義的睡前故事彌補，這時孩子也確實理解，甚至會記得妳為他做了哪些事。變成直升機父母——敬謝不敏！

如果妳還是堅持自己做所有的事，那麼將目標轉向團體的力量。在這階段，妳需要與以往沒參與過的團體交流，但問題是，所有媽媽聚在一起的景象讓射手座起雞皮疙瘩。妳只是無法用「妳懷孕了？等等，所以我……我們做朋友好嗎？」這樣平凡的理由與他人結交。對射手座來說，生命很短暫，妳無法花時間在只有拍嗝衣和私立學校申請這類無聊對話的人身上。但妳可能還是需要克服這類有點勢利的對話，強迫自己參加一兩個新的媽媽社群，取而代之的是妳會得到資源及需要的創新想法。

不快樂的人喜歡向人訴苦（是的，我們是這麼認為），有時候在筋疲力盡的階段，只能依靠同樣使用創意養育孩子的酷炫媽媽，到最後妳就能慢慢挑選妳想相處的對象。如同射手座媽媽亞曼達所言：「妳只需要一個朋友。」如果妳找不到那一個人，就算了，管他的，打開妳的心房，多多嘗試幾個媽媽團體，直到找到適合的。我們都是人，如果妳真的感到孤單，請給對方一個機會，因為妳現在的敵人是孤獨。

此外，聚集一群沒有小孩但喜歡小孩的朋友，讓他們當孩子的榮譽阿姨和叔叔，不管是在街上追趕瘋狂的學步兒、或與孩子連續玩五個小時的躲躲貓，他們比較不會疲憊。這樣還是應付不來？那麼運用「一週工作四小時」的原則，透過外包方式創造出自由。讓某人來家中，處理孩子的午睡、在小傢伙睡覺時幫忙摺衣服，妳會因此得到幾個小時的時間及一疊乾淨的衣服。

與單身或沒孩子的朋友一起出去，能提供另一個益處——幫妳一起照顧孩子。不過為了避免這樣的行為變得習以為常，妳一定要保留當媽媽之前有活力與生氣蓬勃的樣子。此外，偶爾不泡牛奶，改去酒吧。花一天裡的一小時（最低限度）去做想做的事並按照自己的行程。找間不錯的幼稚園或臨時音樂課程，過幾個小時後再去接孩子。一旦藉由逛二手衣、在喜歡的法式咖啡廳看雜誌、在房間裡進行「午後歡愉」來恢復活力後，就能進行下一回合的《編個玫瑰花環》（Ring Arownd the Rosie）童謠和手指畫畫。一些保護寶寶的用品會很有幫助，先將那些會發出尖銳聲響的危險復古家具收起來一兩年，減少那些妳會警告孩子不能靠近的物品，這樣妳就能對這個可愛但有點難以應付的孩子都說「沒問題」。

射手座是個求知者，妳會廣泛閱讀孩童發展、心理學和先進的育兒方式，覺得這些很先進且能掌握，通常也很有幫助。仔細研讀《懷孕知識百科》（What to Expect）系列書籍或是由賽爾瑪・弗雷伯格（Selma Fraiberg）所著的經典巨作《魔法歲月》，這本書解釋了十八個月到三歲孩子的心理狀態。妳會學習到這年紀的孩子並沒有判斷是非的能力，他只是依照父母的許可與否行動，這樣的說法能讓妳拋下對嚴格和條理留下心理創傷的恐懼。如果有任何想避免孩子遺傳到妳一些最具挑戰性的特質，那會是缺乏耐心、易怒脾氣及固執與任性。

當歐菲拉的女兒賽貝爾（Cybele）從溫順的嬰兒變成狂野的一歲孩子時，她發現她從《最快樂的新生兒》得到寬慰，作者哈維・卡爾普（Harvey Karp）是位小兒科醫師，他解釋小孩如何說出「學步兒語」（toddler-ese），及學步兒從一歲到四歲大腦發展四階段的大綱。卡爾普將心情不好的學步兒比喻成迷你洞穴人，建議要對孩子的情緒表現做出反應，以此證明妳有「聽到」尚未會說話的寶寶嘗試用崩潰方式試圖與妳溝通。當賽貝爾大聲說：「不、不、不！」時，歐菲拉會盡可能地模仿，一屁股坐到地板上，強烈搖晃她的頭（希望沒人看到這尷尬畫面）。雖然並不是每次都管用，但一些時候確實能阻止賽貝爾失去控制的線路。

童年早期（六歲到十一歲）

妳辦到了！最艱難的部分已經結束，我向妳保證，現在他會與妳互動，這可能是妳最喜歡的階段。要是能在寶寶九個月大時放進時光機，把他迅速移動到這裡就好了。

射手座是象徵互動的星座，妳覺得那些寶寶不會說話的時間，多到令人沮喪，甚至有些時候還覺得非常枯燥且無趣。不是說孩子不夠可愛，但追著一個蠕動的學步兒，或嘗試在他尖叫時跟他說道理，光是用十個單字就令人疲憊（這個部分只能祝妳好運），這些妳都不覺得有趣。現在孩子能確實說出他想要什麼，他擁有一定程度的自信，也會減輕你注意力不集中的問題。

嗯，是沒錯。在這階段孩子會探索語言，不過這可能是福也是禍，因為他可能會有無止盡的問題，與以前不一樣的要求。然而，哲學家性格的射手座媽媽，會很開心能回答一連串可愛問題的答案，因為妳天生就喜歡互動。妳也能教導他禮儀、耐心、按順序等候，這樣能避免孩子在大眾前崩潰，也為妳自己贏得時間。妳現在能提供他簡單的指引，像是「請小聲說話」或「現在是打掃時間」，都能得到清楚的答覆，真棒！

這年紀的孩子喜歡忙碌的生活，正好與妳馬不停蹄的性格一致。在遊樂場，不用再提心吊膽、過度警覺，他可以自己爬上溜滑梯，自己滑下來，甚至能與其他孩子一起討論、談判。孩子去學校之後，妳擁有更多的空間和喘息的時候。射手座是個好老師，現在妳會很享受當個主要看管孩子作業的家長。妳也能更容易與想法相同的媽媽一起在孩子玩樂時做交流，在那裡孩子會自己找樂子，妳就能在旁喝著咖啡或紅酒與媽媽交換意見。妳可能也會縮減保母的預算，雇用當地的青少年，在孩子放學後，幫忙妳照顧幾個小時，或是讓孩子參加一連串的課外活動，為自己爭取一些個人時間。當妳開始感覺重回自己身分時，這個階段也會讓妳削減一些產後增肥的體重，或重新找回嗜好與目標，妳甚至喜歡孩子也一起參與這些活動。孩子正值容易受影響、極度想討好的年紀，妳可能也會灌輸妳的想法、技巧和價值給他，孩子會牢牢記住妳所說的每個字。不過在他去學校後，妳會對空巢帶來的一些痛苦感到訝異。

妳唯一的麻煩，是成為孩子私人司機，在外面過夜、一日露營、游泳課等，此時，比起受到自己個性的影響，身為一位家長，妳仍需要更有條理。就在妳成為孩子學校團體的一環時，也是第一次意識到自己有年紀了。但年輕、有活力的射手座，不會這麼溫順地穿上牛仔褲、留著沒型的髮型或開著多功能休旅車，妳也不應該變成那樣。作為強烈的獨立個體，妳需要更像自己，在這階段，很容易投入家長會會議、班級聯絡事務、募款活動俱樂部；要督促自己對這類的事情抱持更開放的態度，妳也需要與那些分享相同興趣的人維持情誼。然而就算你們培養情誼，仍不足以與另一個媽媽有長久的情誼，妳可能會覺得你們住在兩個虛擬現實裡——媽媽的世界與妳的世界。

兩個孩子的射手座媽媽艾琳是位平面設計師，她非常想念時髦舊金山市中心的鄰居，她許多朋友還在那裡，她解釋：「原本住在擁擠且混亂的舊區域，加上房價遠超過我的預算，所以為了孩子，我搬到郊區，我們買了離都市四十分鐘車程的房子，在家設立一個辦公室。這對小孩來說很理想，但我開始陷入生活以孩子為主的地獄裡。即使其他家長都很棒，但我就是想念原本的生活。」

為了彌補這樣的心情，艾琳決定將辦公室搬回舊金山，在那裡與另一位自由工作者租一間小型公寓工作室。她說：「我們組裝了折疊床，讓我們其中一人能在那過夜。現在我一個禮拜會去那裡工作幾天，一個月會在那住一兩次。我會去看現場表演、和朋友吃晚餐或打扮參加有趣活動。這是讓我能最接近兩全其美的方式。我丈夫也知道，如果他支持我這麼做，我會變得更開心、更快樂。」

青少年期（十二歲到十八歲）

邁入青少年風暴！當孩子離開，踏著搖晃步伐前往獨立個體的道路上，妳很難放鬆，因為妳清楚知道，青少年在缺乏適當的引導和管理之下，可能會做出很糟糕的選擇，妳也知道自己無法時時在他左右，無法窺探女兒手機簡訊、逼迫以前多話的兒子（現在他變成一個安靜生物），要求他聊聊每天的活動。

在某些方面來說，這階段可能跟學步期一樣累人，因為孩子會一下子從一個黏人傢伙，變成自信且從容的小大人。此時也是對妳先前規定的限制做測試的階段，就在孩子往獨立踏出第一步後，他可能又會帶著孩子氣的舉止退回舒適圈。

即使射手座直率，但妳也有敏感的時候。妳很容易將自己與孩子的分離放在心上，因為感覺自己被拒絕，或是被孩子自以為無所不知的言辭、進入青春期時反覆無常的心情給激怒。在妳與這位手無寸鐵的人類進入戰爭前，可能需要不斷深呼吸、平靜心情。設定一些清楚的界線並堅持下去。再次提醒自己紀律與規則（在合理的範圍內），才能讓孩子確實感到安全與被愛。

心理學家發現青少年同時渴望自由與大人的支持。因此，此時也是將其他大人典範帶入他生活的好時機，像是親友、家教老師、甚至是課後的體育教練或音樂老師。好消息是，妳不用一手包辦，而且也不應該這麼做！因為妳的工作應該是策劃一群經過挑選且聰明的成人，讓孩子接觸他們，豐富他的經驗與價值觀。

當孩子從孩童時期過渡到成人階段時，在這段容易受到影響的年紀，會是射手座運用智慧的好時機。現在孩子變成了小哲學家，妳能詢問他所有關於身分認同的問題，透過他的選擇和舉動，尋找適合充滿智慧的道德及倫理分析。另外，比起用嚴厲和硬性的規定，更應該與青少年進行開放的對話。妳能教導他批判性思考、文化與媒體素養，培養他深思熟慮的思考模式，讓他將此帶入成年階段。當女兒想在社群媒體上貼出引人聯想的圖片、或兒子揭露同學抽菸時，比起嚴厲的說教，更要透過對話挖掘孩子的心理狀態。例如使用蘇格拉底提問法：問一系列引導式的問題，幫助孩子自己「找」到答案。這種好的方式，也能為他的青少年時期奠下好的基礎，並在妳的引導之下，使孩子發掘他自身的道德標準，以培養他內在的力量。畢竟妳可不想孩子成為屈服於同儕壓力下的懦夫。

雖然殘酷的事實是，如果妳不跟孩子說他將會看到什麼、體驗什麼，他就會到任何地方找尋答案，如網路、朋友，或其他妳不知情的管道。因此，妳無法隨時保護他或保留他所謂的純真，不過能確保他比起失去發言權和身分認同，更能從青少年的常識與自我意識中獲得解答。射手座的誠實就是妳的資產，這幫助妳獲得孩子的信任，尤其在這孩子容易說謊的階段。妳以最真實的形式教導他懷疑論：對於事情的表面常抱以懷疑態度，在這裡不需要帶有犬儒主義的角色出現。

當孩子變成成熟的青少年時，妳就能獲得一直夢想的自由。但，為什麼妳會感到難過呢？有些射手座媽媽可能會感覺自己失去最好的伙伴，因為青少年會受到朋友、課後活動或異性那不可跨越的床鋪吸引。妳也會很意外自己還會想念過去你們之間堅固的需求關係——不過妳得想辦法習慣！

不過，也不用太感到害怕！當青少年恢復到需求模式時，會需要妳臨時接送、幫忙研究報告以及危機時的情緒引導，他還是有很多需要妳的時候。而且如果妳是他最好的朋友，妳可能有點太喜歡他了，此時是需要與青少年拉開距離的期間；如果孩子很黏妳，大概是還沒「剪斷臍帶」的跡象，這可是會阻礙孩子情緒與心理上的發展。

青少年時期會讓你們彼此感到困惑。一方面，妳會很驚訝妳和一位如此成熟的人住在一起，他看起來比他實際年齡還更有智慧，擁有不可限量的洞察力。此時，射手座仍會維持青春活力（而且通常是流行文化的愛好者），可能還會看著相同的電視節目、分享書籍和雜誌，享受一些相同的活動。

然而，妳得小心不要讓孩子對於妳的生活形式感到太舒適，覺得看著相同的實境秀、在同樣的店鋪逛街或下載音樂就很好。此外，在他向妳詢問愛的忠告、讓他接觸妳個人的私生活或承擔過多責任（像是當年幼手足的保母）時，需要劃清界線。重要的是，妳需要在可依賴與有能力的權威角色中維持平衡。

不過這對媽媽來說可能會很棘手，尤其是妳討厭變得過於嚴格。妳從來不是說「不」的愛好者，而且妳也記得年輕時那些經驗有多重要。妳很有可能仍喜歡在市區裡享受狂野夜晚，不過妳得小心別讓青少年看到這個面向。如果妳像船員一樣罵著髒話，那麼將來當青少年的對話裡摻和著不雅字眼時，妳也不用太訝異。當妳再度說出「你聽我的就好，不要管我做什麼！」已經讓他完全無法相信。

是的，射手座媽媽在某個程度上尊重反抗的力量，比起變成追隨者，妳更希望孩子成為一個相當獨立的自由思想者。如果狀況已發生，那麼既來之，則安之（參考第一章「孩子星座」可獲得更多資訊），訣竅就在於內心有愛，且在不侵犯孩子個人權利之下，堅定地引導。我們知道這是條艱困道路，畢竟他會受到酒精、毒品或身體意象議題等的誘惑，而且所有關於青少年不好評價的恐怖故事最後都會悲慘地走偏。

青少年的大腦在這個階段尚未發育成熟，其中「自我調節」的部分，是最晚成熟。因此，這年齡的孩子實際上需要更多的感受力，才能感覺到與成人相同的份量或樂趣。同時間，妳需要透過計畫、組織、限制設定與道德勸說協助孩子（不是所有方式都是妳的強項，如果需要，請尋找其他人的協助）填補落差。

此外，無論青少年如何抱怨，此時清楚的「對與錯」會為他帶來很大的影響。不是說妳要對孩子每件事都說不行，限制他的自由，只是在一些狀況下，限制有其必要。如果他仍渴望獲得妳的認同（即使他沒表現出來），能多加使用正面的強化鞏固妳的努力。一本我們喜歡的書《枕邊的馴獸師：動物訓練王國教會我如何愛與生活》，作者愛咪．桑德蘭在研究動物馴獸師時，注意到他們不會用指責、處罰或是把重點放在不服從，使動物聽命於人，相反地，他們會對動物每次積極的行為給予獎勵。於是她決定，如果這些方式適用於動物，說不定也能運用在她反抗的老公身上，結果確實也成功了。我們建議射手座媽媽也能用在青少年上。

桑德蘭也嘗試用於海洋動物的「反增強法」（least- reinforcing scenario），訓練師對動物的違規行為比起恫嚇，反而會用冷酷、沒反應的方式對待之。因此，當青少年對妳大吼：「我討厭妳」或「妳根本不聽我說的」時，妳只要淡淡地忽視，面無表情的反應，持續做原本在做的事。最後，他反抗的行為舉止會逐漸恢復平靜，若沒人為此爭吵，他的怒氣就會退去。有許多微妙方式能讓孩子知道行為並不適當，妳不需要用突然動怒的方式應對，很顯然這很有效。

另外，說教也不是很好的方式，有時妳喜愛講道理的性格，會使妳用這樣的方式對待孩子。記住，青少年相當敏感，即使是出於愛，過於嚴厲也會使他受傷。當女兒因為友情出現裂痕哭著來到身旁時，妳第一時間的反應可能是：「不管怎樣，妳不需要那些女孩了」或「妳比他們好太多了，所以就算了吧」，但是，她可能只是需要妳的擁抱。給她時間處理情緒，試著用鏡射技巧：理解並對她的心情做出反應，讓她知道妳感同身受，使她產生安全感，同時訓練她學著相信自己。

如果妳的孩子比較消極、容易自我懷疑或陰鬱，可能想讓更多導師或其他大人關照他。妳陽光、樂觀的看法可能在這裡無法扭轉狀況，即使妳對自身巨大的能力很有信心，相信自己能度過任何難關，不過如果孩子和某個人更能產生共鳴，那麼妳最好讓他成為親子溝通的資源。

不要擔心太過「入侵」他的空間，強制性的家庭時間，包含你們可以一起做的活動（像義工活動，尤其是旅行），都相當重要，能與青少年建立良好關係，也是個不錯的方法，確保妳對他仍有很大的影響力。妳重視你們之間的對話與相處的時間。比如說，一起登上美麗的山峰或為仁人家園（Habitat for Humanity）建造家園，在這段期間，孩子會真心對妳打開心房。當機會降臨時，請好好把握與運用，與他分享妳射手座有智慧與最好的一面。

掰掰，小鳥離巢（十八歲以上）

意想不到的變化降臨！這一次孩子代替妳收拾行李。現在情況完全不同，確實給妳一種奇怪的感受。到目前為止，大多數時候，妳的身分可能是圍繞在媽媽這個角色。雖然不一定會有空巢的感受，但一下子發生太多事情，讓這樣的感受在妳內心變得有些怪異。現在是妳旅行的時間，妳會完全開啟「終生學習」的模式，用各種經驗和探險填補這段期間的空白。妳會參與一些課程（感覺申請大學會是不錯的選擇）、開啟新事業或是特別留意孩子在大學讀些什麼。在孩子開始探索真實世界時，妳作為提供意見者的角色會受到更多重視。

從正向的角度來看，妳現在可能是位酷媽媽，妳的一些俏皮話及容易讓人發笑的性格，再也不會讓孩子覺得尷尬，你們可能經常說話且感情良好。永保青春活力的心態現在會受到孩子重視，你們可能會恢復到最好朋友的狀態。我們一位朋友的五十幾歲射手座媽媽，身體健全，個性有點淘氣，有一次打給她說發現了比基尼泳褲……然後在她們說話時穿上它；另一位朋友的射手座媽媽在兒子上學後，前往印度修道院開啟朝聖之旅，後來她還使用了新的梵文名字。

此外，妳甚至還有機會和小孩一起開啟家庭事業，運用彼此的天分在有利潤的項目一同合作。妳會大量關注他的自我成長，做任何事來鼓勵他。現在是他發掘夢想的時間，孩子應該要放手去做想做的事，而妳也會全心全力為他加油。

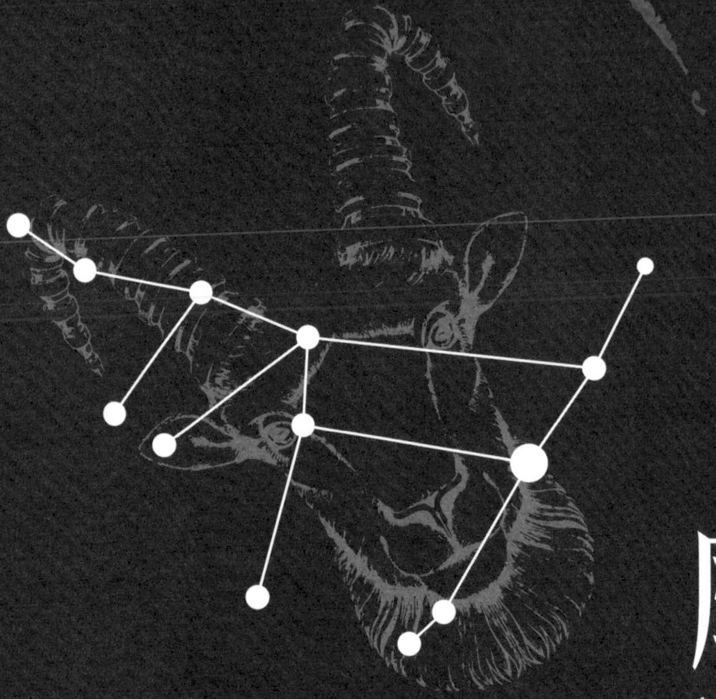

摩羯座 媽媽

（12月22日～1月19日）

媽咪魔力 —— 妳的優點：

有計畫性、有條理、傳統價值、
一致性、耐心、深思熟慮

媽媽咪呀 —— 妳的挑戰：

擔心與憂慮、責任心過重或過於謹慎、
悲觀主義、自我懷疑、對犯錯過於嚴肅

知名的魔羯座媽媽：

克莉絲蒂・杜靈頓、米雪兒・歐巴馬、
凱特・摩絲、阿曼達・皮特、安妮・藍尼克絲、
凱爾・理查茲、蒂娜・諾爾斯、凱蒂・庫瑞克、
凱薩琳・密道頓、席安娜・米勒、珊達・萊梅斯、
黛安・基頓、克里斯汀・卡瓦拉瑞

✶妳的教養風格

誰才是妳的爸爸，呃，媽媽？摩羯座是星盤裡的「父親屬性」星座，這在妳的母親形象上增加有趣的波折。以刻板印象來說，比起媽媽的感覺，妳可能更像爸爸或將兩個角色集於一身。不是說妳缺少感性或女性的一面，但是摩羯座的守護星是土星，這個嚴格的任務完成者與權威、男子氣概及條理有關聯。妳不害怕設定界線或教導孩子人生裡必要的課程。妳喜歡與孩子親近，但不需要和他成為最好的朋友，依照年齡來分等級對妳而言已經足夠。作為一個代表傳統的星座，妳尊重自己的父母（即使妳不喜歡他們），而且相當墨守成規。事實上，妳可能很年經就走入婚姻，也許因為這樣，許多摩羯座女性會擁有二或三次的婚姻經驗。

摩羯座作為山羊的象徵，會以緩慢且穩定的方式攀爬至岩石覆蓋的人生巔峰；妳可能步履蹣跚或面對挫折，但從不放棄。舉例來說，如果妳有個有特殊需求的小孩，妳會堅定不移地在他身旁；或是在標準考試季之前提前雇用家教，確保孩子在學業上都做好萬全準備。摩羯座是善於謀劃的專家，總是會提前想十步，未雨綢繆。比起受情緒左右，會把實際考量放在前頭，像是放棄昂貴的迪士尼之旅，將錢省下來作為私立學校的學費。如摩羯座的桃莉・巴頓（Dolly Parton）所言：「如果你要看到彩虹，就得先忍受下雨。」

摩羯座是公共形象的象徵，名聲對妳極其重要。妳不只是個母親，也是家族裡二十四小時的代理人，對此任務妳嚴陣以待。無論承認與否，妳並不想要只當一位媽媽，因為所有一切都關乎妳的風格、談吐與行為舉止。伴隨務實與優雅的特質，妳散發出十足的從容與時髦。呼叫摩羯座媽媽凱特・摩絲和她的 Topshop 陣線，或是成為品牌 J. Crew 流行時尚教主蜜雪兒・歐巴馬。摩羯座媽媽善於選擇，妳會仔細將自己的想法（有時候太多了）融入到為人處事中，妳處理事情時的確也看來易如反掌。這就是摩羯座媽媽的魔法：妳知道該如何編輯及排好優先順序——妳著迷於簡化的藝術。當妳沒有力氣表演這場秀時，妳也不會去做。其他媽媽讚賞妳清爽、務實的行事風格，無論正式或休閒，摩羯座媽媽都會做自己……還有讓自己以兼具平易近人與稍微遙不可及的特質而顯得格外出眾。

摩羯座的第四宮由牡羊座掌管，具有大膽、狠角色且獨立的特質。當妳放下警戒時，旁人可窺探到妳古怪的一面，就像條紋襯衫裡的霓虹色襯線。因為牡羊座為獨立的星座，因此妳也需要「個人時間」，無論是將時間花在訓練五公里跑步、衝浪或在NBA籃球比賽休息時間擔任啦啦隊。與摩羯座相似的是，牡羊座也受到強烈男子氣概（甚至大男人）的影響，妳可能會開著閃亮的敞篷車接送孩子（然後穿著皮衣外套打扮如飛行員），或騎著哈雷機車載著孩子。我們孩童時代朋友的媽媽賈姬是摩羯座，她會開著藍色的克爾維特跑車（Corvette）在市區兜風，穿著性感的Jordache牛仔褲，留著挑染的頭髮（這可是七〇年代）。七十歲時依舊令人驚艷的賈姬要再婚了，她和她的先生會在空閒時間騎著摩托車。摩羯座在年過三十五或五十歲後，心態變得更年輕。再見，老奶奶，歡迎迷人的奶奶！

受到好競爭牡羊座的驅使，妳會傾向混合努力與樸實的行事風格，成為一位優秀的媽媽。妳可能會默默打量其他家庭，讓自己的家變成食物鏈最頂層。妳鼓勵孩子與來自「好人家」的孩子往來，或無論是否有熱情，也盡量結交在運動、學業方面較為出色的孩子。這可能聽起來有些菁英主義的意味，但妳清楚知道成功取決於妳認識的人，所以可能也會在孩子年輕時，就以這樣的方式引導他。妳甚至會像孩子的經理人，如摩羯座媽媽蒂娜・諾爾斯，她協助成就女兒碧昂絲的音樂事業，在她八歲時就送去試鏡，之後為女兒的女子組合「天命真女」(Destiny's Child)設計衣服。

受到牡羊座與摩羯座結合的影響，使妳成為以嚴厲表現愛的媽媽類型，妳會同時展現出嚴格教導與帶點尷尬的擁抱。妳可能不是最會表達情感的人，但會以行動展現對家中的投入；至於妳如何發揮作用，很大程度取決自己的成長經歷。摩羯座通常帶有「老成靈魂」的性質，妳在家庭裡扮演盡責的軍人角色，將情緒隱藏在內心。妳的孩童時期可能曾受到艱困經驗，或加諸在妳小小肩膀上責任的影響（也許是對自我要求過高，許多摩羯座都爭強好勝、追求成功）；或者是妳的雙親努力工作供應妳的需求，因此現在妳感覺到心中一股強烈的義務，需要以成功回報。

妳自己的媽媽大概也擁有強烈的性格，這會激起妳的野心。也許妳們感情很好讓妳可能把她當作一個偶像人物，奮發努力追隨她堅毅的步伐；也可能她很嚴苛，對妳的要求比其他手足高。一位摩羯座媽媽成員對於她行事過頭的媽媽感到尷尬，她媽媽會穿戴著假皮草和刺眼的訂製珠寶，用她低沉的聲音談些不適當的話題。這個保守的凱比發誓絕不會讓女兒尷尬，但結果卻使她與女兒疏遠，錯過了親子間建立連結的機會。

有趣、無憂無慮的孩童時期的概念，對一些摩羯座來說也同樣陌生，因為妳可能從沒經歷過。因此，妳要不是過度補償孩子，讓他從不匱乏，不然就是將盡責的工作道德傳給孩子，強調恪盡職守的重要性。妳可能也是這種會以「我在你這個年紀時，我們必須……（在這裡放入不公平、違反孩童勞動法的經驗）」這樣的句子開啟對話。即使妳寵愛孩子，但只要他將寵愛當作理所當然，妳會毫不猶豫地抽掉他的權益卡。

每個摩羯座媽媽內心都有個「鋼木蘭」，就像凱特．庫瑞克（Katie Couric）和蜜雪兒．歐巴馬，她們散發出來的女性魅力通常都帶有底蘊深厚的力量。妳們是家族裡的基石，擁有帶著大夥赴湯蹈火的力量。如摩羯座歌手唐娜．桑默（Donna Summer）所唱的〈她為錢努力工作（She Works Hard for the Money）〉，對妳來說就是如此真實。摩羯座是十二星座裡供應者的星座，加上妳堅毅的敬業態度，可能是家裡負責養家糊口的人；或者妳會確保嫁到好對象，挑選一位在撫養孩子時能為家中帶來金錢後盾的人。這也許聽起來有些過時，但摩羯座媽媽會守好職責需求的界線，甚至要她放棄事業，只要是對她的帝國（家庭）是好的事，她都會在所不辭。

就在妳努力工作維持一切時，許多摩羯座媽媽內心裡會與自我懷疑產生拉扯，對於犯錯的恐懼有時使妳元氣大傷。妳不會表現出來，但會從沉重的神態舉止，嚴肅的表情、及不知從哪冒出來的強烈嘆息聲而顯露出來。如果有動物形象能象徵妳，那妳可能是小熊維尼的朋友屹耳，甜美但抑鬱的小毛驢。

雖然妳的規劃能力無人能比，但摩羯座媽媽需要學習如何活在當下。伴隨著工作狂的習性，妳很容易就過於專注在任務上，而忽略體驗喜悅的重要。每當有機會時，請從妳的責任與義務中暫時逃脫，這樣就不會錯過孩子瞬間即逝的可愛舉止。請注意，要是有人對妳說「時間過得很快」時，他們沒有開玩笑。

關鍵就在於妳對自己非常苛刻，當妳進入工作模式，很有可能會因為負擔太多而逼近崩潰，此時妳需要緩和緊張情緒，提醒自己放鬆；沒有任何一個人會因為工作到死還獲得獎牌！就追隨柏拉圖法則（Pareto principle），即80／20法則，至少努力將百分之二十的時間騰出，用於個人生活與家庭維繫上，剩下的百分之八十則用於履行責任。妳的守護星土星會對妳的耐心與毅力予以回報，因此，當妳發現自己過於追求成果時，先暫時停止，將自己拉回當下。提醒自己每件事最後都會一帆風順，就讓神聖的時機使其順其自然地運轉。

✶如果妳有女兒

優點

妳是個完美的典範，能督促女兒培養她的天分與致力於獲得高成就，而且妳是努力的工作者，會養育出一位兼具知識與求生智慧、意志堅強的孩子，同時妳也是位有耐心的老師，會花時間向女孩細心解釋每一件事。如果妳擁有特殊技能或自己的事業，可能會將其傳承給孩子。教導她毅力與決心時，妳絕對以身作則。

因為妳能將眼光放得長遠，因此不讓女兒變成校園中的心機女孩，提醒她如果專注在自己的目標上，整個世界都會等著她。摩羯座媽媽知道真正的人生從高中畢業開始（對妳來說），妳會鼓勵女兒從年輕開始就對自己有自信並感到驕傲。當她情緒崩潰時，妳有足夠的力量讓她重拾信心。妳不像其他家長，對女兒的每個情緒波動都有反應，妳表現得有點冷漠，但妳知道如何要像個大人，這會灌輸她強烈的安全感。

缺點

「如果妳要面子，我就給妳面紙。」摩羯座媽媽通常不是那種會在女兒難過時表達同情的人，因為妳不太輕易表達內心的感情，而且會隱藏感受，不過這樣可能無法教導女兒情商。斯多葛主義（Stoicism）的撫養方式，結果造就她鬧脾氣、爆發出被妳平常過度壓抑的情緒。妳傾向在危機中用嚴厲的方式表達妳的愛，但這樣她可能會覺得妳不懂她。媽媽，事情不是非黑即白。雖然妳的意圖是解決問題，讓事情變得更好，但需要在妳跳入問題為她謀略前，先確認她的感受，先釋出善意擁抱她吧！記住妳是在與一個小孩說話，而不是在主持世界五百大公司的會議！

如果妳的女兒比較男孩子氣，是個運動員或擁有學術天賦，妳可能比較容易與她產生共鳴，太過女孩子氣的孩子讓妳不知所措。一位摩羯座的成人女兒說：「我想媽媽比起教我，更知道要怎樣做個女人。」可以的話，讓自己暴露一些缺點吧（或更像個人），變得脆弱也是有其他好處。當妳否認自己的感受，或在下班後處於不快樂的狀態，會轉變為過度疲勞、甚至憂鬱的情況。提醒自己的心情是有傳染力的（這經過證實），妳身上令人擔憂的能量，會慢慢滲透到女兒身上，畢竟妳是她主要的典範。努力為工作與生活之間取得平衡，這是為妳自己好，也是為了女兒。

✶如果妳有男孩

優點

摩羯座是十二星座中男子氣概的代表，男生對妳來說比女孩容易相處許多。妳可以直言不諱，不用擔心傷害他的心情（該死的性別刻板印象）。既然妳已擺脫主要模範的角色，就不用給自己承擔過多的負荷，妳能和兒子自由地玩樂與培養感情。一位摩羯座媽媽的女兒：「我媽確實跟我哥哥比較親近。在某些方面，她跟他在一起時是完全不同的人。」

即使妳寵愛兒子，仍鼓勵他追求成就；妳對他而言比起啦啦隊隊長更像教練，教導他人生課題，督促他學習自我獨立。因為妳在思考上許多方面都容易像個男人，因此，妳可能將兒子一些男子氣概方面的行為聯想到自己。妳甚至擅長運動且好動，如果兒子也擅長運動，妳會為他每場比賽加油。即使妳對他的電玩比賽、爵士鼓或其他男孩裝備興趣缺缺，妳也會尊重他男人祕密基地的界線，給他需要的男人時間。

缺點

摩羯座媽媽是優秀的提供者，但妳可能會養育出一個未來失敗者。既然妳都這麼能幹，若是為兒子做太多事，就會阻止他發展自己的生存技巧。如果妳突然發現自己正在說「我來做」時，請先暫停一下，媽媽。請使用妳擅長規畫長遠計畫的能力思考一下，如果妳今天幫他做，明天可能會讓他少了在真實世界生存的能力。

注意心情！當妳沉浸在憂鬱的圈套裡（通常是出於擔心或過度疲勞），可能會不小心將情緒轉嫁到兒子身上。他可能會感覺到這個女人不太快樂——尤其是在他嘗試想讓妳開心卻失敗時，會交織成一個混亂且過度依賴的網，讓你們的關係變得更複雜。請小心注意妳在他父親身邊或其他關鍵男性典範附近的舉止。因為妳容易剛愎自用、墨守成規，可能有時會因育兒方式轉向削弱他的男子氣概。妳將一些男性當作偶像或妖魔化其他人，這使得兒子不斷感受他正在失去妳的認同。當妳驚覺快要發出批判或輕視的言論時，試著用輕描淡寫和誠實的方式回覆。

✶不同年齡和階段的教養

嬰兒期（一歲）

地球媽媽來拯救寶寶了！妳冷靜、低調的能量讓新生兒特別容易接近。摩羯座媽媽擁有能讓寶寶喜歡的平靜氣場——光這項武器就足以在與寶寶的戰爭中十拿九穩。即使妳內在感覺焦躁、雜亂無章，但妳的外表從不會表現出不安的樣子，妳的穩重和沉穩，是寶寶的依靠。「緩慢」生活的潮流運動（慢食、慢活、慢旅等）對步調快速的世界來說，是對這個不斷成長的社會的一種回應，但對摩羯座來說，生活本該如此。緩慢育兒法，對吧？

嚴苛的摩羯座在新手媽媽階段會採取建設性且務實的方式，盡可能的將目標放在能讓孩子按照行程走的生活。在準備斷奶或睡覺訓練前，可能需要幾個月的時間適應，不過一旦妳成功了，就能更有規律地實行。「我第一個晚上在地板上放聲痛哭」，一位摩羯座媽媽回憶她嘗試使用「哭聲免疫法」（cry-it-out，意指獨自讓寶寶哭到睡著過夜），「感覺他放聲哭了好幾個小時，我變成世界上最糟糕的媽媽。但到了第三個晚上，他就能睡覺了。」

即使妳熱愛活在當下，但具備長遠眼光的能力也會隨時派上用場。媽媽的擁抱比一切重要，能提供寶寶生理上的安撫。此外，妳也懂得建立關係的技巧，像是學習自我安撫，這對發展來說很重要。雖然大家都知道妳會建立自己的規則，但是妳對歷經時間考驗的前人技巧也不會感到羞恥和排斥。請摩羯座媽媽傳送我們懷孕知識百科的守則吧！

所幸妳是容易習慣的生物（也很有耐心，妳不介意重複性的搖晃、餵奶和請寶寶安靜），雖然妳內在任務者的角色可能想在各種時候做更多事。此時，熊寶寶（BabyBjörn）嬰兒用品會是妳最好的新朋友，抱嬰背帶讓妳當寶寶在胸口睡覺時，還能洗衣服、逛商店和下廚。新鮮的空氣和陽光也是產後憂鬱不可少的慰藉。身為土象星座，讓雙腳著實地踏在地上是抗憂鬱的自然方式。套上妳最喜歡且舒適的牛仔褲、平底鞋和T恤，盡可能像平常一樣散步。像摩羯座媽媽席安娜．米勒，即使手上拿杯咖啡和抱著寶寶依舊迷人，或穿搭波希米亞風基本款以及清爽俐落的裝扮，推著嬰兒車逛農夫市集。

有件事妳會很享受，就是當注意力從妳（那些討人厭的陌生人曾經想碰妳的孕肚，哎呀，討厭！）轉到孩子身上。拘謹的摩羯座喜於控制其公眾形象，也不喜歡他人的恭維，並非不想讓寶寶得到他人的疼愛，只是妳傾向擁有隱私和保護，因此妳不會將寶寶每個里程碑都公開在社群媒體上，也不可能上傳一堆照片。當然妳可能會有一本筆記本，記錄寶寶的成長或寫部落格，也會用密碼保護，僅有少數人可觀看。

理智的摩羯座媽媽絕對會對「綠色」生活型態感興趣：在育兒房設置空氣過濾器，使用無氯尿布墊紙巾，甚至選擇未經處理的山毛櫸或橡木製成的嬰兒床，妳還會確認這些木頭是否來自良心企業，在砍下每棵樹後會重新種植。在妳閱讀了關於配方奶製造商具煽動性的文章，或看見親自哺乳的長遠好處時，當地的母乳親餵提倡團體會在妳身上發現不一樣的地方。當妳的立場堅定時，可能未來都只會挑選有機蔬菜或地瓜製作寶寶副食品。

無法入眠的夜晚？一堆待洗的連身衣？盡責的摩羯座媽媽對此絕不會抱怨。妳會清楚意識到妳已經參與其中，會用堅毅不拔「事情既已發生就接受」的現實態度，度過第一年的試驗，既來之，則安之。當然妳也會感嘆，當被問到母職帶給妳的感受為何時，特別是當人們期待妳回答「像天堂一樣」如彩虹般明亮的回應時，妳不會對此說謊。即便妳不是閒著不做事，但也絕不會讓自己陷入悲慘的情節劇中（流著淚說「這跟地獄沒兩樣」）。在面對每件事時，妳會給予一個經過仔細思考、有智慧的簡短結論：「這個嘛，雖然我左邊的乳房要求薪水和加班費，但往好的方面想，寶寶在最後一次檢查時體重增加了兩磅。」

談到薪水，妳可能會想念自己的薪水，特別在現在請了育嬰假的時候。事實上，妳可能有點身分認同的危機感，畢竟許多摩羯座以工作證明自己。即使不是，妳的專業也是組織人生的重要支柱。這樣的轉換令妳感到苦惱，工作狂一直是摩羯座最主要的陋習，突然要戒掉這個習慣，打斷對工作勞動的沉迷，絕非好事。因此，妳甚至會一週遠距工作幾個小時或找兼職工作，甚至接受像虛擬助理這類的工作。因為妳的母性天性需要一點時間才會開始發揮作用，這些工作不僅能讓妳排出自己的時間，也能幫妳走過這段過渡期。

其他摩羯座也許開心有正當理由能打破朝九晚五的生活型態，他們也應該有這般奢侈的時候（成為媽媽雖不代表要全天候工作，但會成為這世界上無給薪勞工的最大供應者……我們會在社會學的課程上保留這段對話）。在生產後離開時髦工作崗位的摩羯座媽媽瑪格麗特：「我之前在巴尼斯百貨（Barney's）擔任全職採購，我真的很難放棄這個工作，這是很有前程的職位，我真的不想失去它。加上我真心喜歡我的工作，也喜歡這些同事，而且喜歡賺自己的錢。工作為我的人生帶來意義，也是我身分認同很重要的部分，但是要我只能兼職和花所有的錢在日托上，這不太合理。」妳理智的一面，通常會讓實際考量戰勝穿著魯布托（Christion Louboutin）高跟鞋往更高階位爬的慾望。

只是要注意，一旦妳脫離朝九晚五的打卡習慣，就很難回到原本的工作崗位，比起其他星座，妳傾向創造更簡單的例行常規。像是成為家長會會長的財務、或為每月為家裡記帳，對摩羯座媽媽而言，擁有一些責任崗位是件好事。

穩定性和確實性對摩羯座來說很重要，不過在這階段會面臨無可避免的狀況，即使是準備妥當的媽媽都會受到挑戰。如果妳是嚴格或完美主義的類型（就像許多摩羯座）在學習放鬆之前，妳將經歷一些黑暗期。妳的守護星土星代表不可動搖和不贊成，因此妳可能在這個時候缺乏信心，或對自己特別嚴苛。妳得找到鼓勵自己的方式，幫助妳將任務更臻完美。

摩羯座害怕失敗，妳需要不斷提醒自己，所有家長在這階段都會不斷出現大量的錯誤。因此，即使妳小心翼翼策劃的例行事務出現差錯也沒關係，尤其在妳的寶寶對這樣的方式感到更開心時。一位摩羯座媽媽分享她有多想要親餵母乳，也廣泛閱讀了關於哺乳各種健康好處的資料。不過幾星期後，她因為發炎感到痛苦，需要轉成配方奶。她回憶：「我一開始覺得自己好失敗。雖然已經調整自己的心態去面對，但我不敢諮詢其他的人建議，怕他們認為我還沒準備好，這樣的感覺我真很不喜歡。當我必須給女兒配方奶時，我很想打我自己，怕會對她產生任何健康上的問題。現在她長大了而且很健康，回顧以前發現我對自己有多嚴厲。我花太多力氣為這些事煩惱，也剝奪了新手媽媽的一些樂趣體驗。」

可以的話，試著不要將所有事都拿來責備自己；妳不會被評分，也不會有成績單，去醫生那裡時，他也不會用孩子的成長曲線表評判妳的育兒方式。即使女兒有一天吃得比較少或少睡午覺，她一樣會好好的。因為妳容易擔心，反而使現在的情況每況愈下，尤其是第一次當媽媽的話，會特別對新生兒的脆弱感到相當不安。此時要注意自己如果出現像不停地洗手（或洗奶嘴）、小題大作的強迫性傾向。雖然妳可能不想參加媽媽的圈子，但成為其中一員的好處，是能與她們產生共鳴時感到放鬆，讓事情有轉圜餘地。

妳只准成功、不許失敗的性格，會在妳失去冷嘲式幽默感的特色後走入焦慮。如果無法開些輕蔑或諷刺玩笑時，代表妳已經看不到生命裡的神聖喜劇，是時候該讓他人介入或休息的時候了！沒有任何人比伴侶、祖父母、阿姨或親密朋友還適合。不要拒絕他人的協助，摩羯座媽媽，此時是團體合作的時機。

將家庭比喻成工作場合的話（妳當然是家庭裡的營運長）：若是一個事業體，妳會將任務分配給員工和執行團隊；若是妳嘗試承攬所有的事，公司可能會倒閉，對吧？成立一個互助組織，妳會讓事情順著自然的方向走，並允許稍作修改。妳甚至可能期待回報會超過一開始的投資。將相同的規則用於妳這間「媽媽公司」，這間「剛起步的小公司」很快就會變成一個欣欣向榮的企業。

學步期（兩歲到五歲）

歡迎來到不可預期的階段。如果妳認為和嬰兒一起生活令人煩躁，那麼請繫好妳的安全帶，現在妳生活裡看起來會不斷發生的就是改變，無論是在遊樂場追著站著直挺的孩子、朗誦ＡＢＣ教具或如廁練習，妳有很多事情需要處理。就在妳已經習慣一個狀態後，新的成長里程碑馬上隨之而來，要求妳重新適應，使妳完全無法停下來休息！

無可否認，這可能不是妳最喜歡的階段，因為妳得獨自一人忙到筋疲力盡。然而，這也是讓妳能直接且謙虛面對人性的時候。如摩羯座媽媽安妮·藍妮克絲（Annie Lennox）曾言：「母職對我來說是很好的平衡器：我開始認同每一個人。」

即使一切看來不太愉快，但還是有一線光明。受成就感驅使的摩羯座，可能會第一次學習到人生不是一場賽跑或競爭。因為妳容易評斷他人（和自己）的表現，但是現在想起妳對之前在商店裡結帳、爭執不休的媽媽翻白眼，或在飛機上對不受控的學步兒頗有微詞這類的事，會默默感到懊悔。妳認為自己能做得更好？呃⋯⋯可能不會。

不過妳善於組織的能力現在能派上用場了。學步兒依照例行行程逐漸成長，如果妳當時已經建立了簡單的生活節奏，那麼在此階段會相對輕鬆許多。有兩個幼小孩子的摩羯座媽媽唐娜：「當我們外出吃飯時，我們有個默認的規矩。我會交換他們的玩具或讓他們各玩二十分鐘。所以如果外出一小時，我會為每個小孩帶三個玩具」，多有效率！

像這樣規劃出聰明的策略是摩羯座的強項。妳喜歡規則，享受這階段一些「需要服從的訓練」。只是要記住，追隨法律的精神而非字面上的意義。妳可能無法每個晚上都完美堅持，有時會跳過洗澡，或孩子吃晚餐時不在餐桌上，而是邊看著電影。請對這些規則多點彈性，一切都會變好的。

潘蜜拉曾和她第一任丈夫經營一間四星級的旅館，她當時在餐旅業工作，提到她優秀的客戶服務經驗背景，為她和女兒艾兒的溝通方式帶來影響。她分享：「我讀到一本書，書裡建議用口頭陳述所有你正在做的事，像是『我正在換你的尿布』或『媽咪現在去休息一下』，即使在孩子還是嬰兒時也這麼做。一開始覺得有點不太自然，但隨著時間流逝，這樣的方式提供女兒很多安全感，因為她了解生活是如何運作以及何謂生活。現在她四歲了，對人相當親切，能明白他人的情緒需求。」

摩羯座喜歡比他人超前十步計畫未來，像是會在育兒園等候線的第一排。一位精明的摩羯座企業家多年來默默為一間私立學校捐款，等到她成為母親後，她的孩子幾乎能直接申請進入學校。妳會為妳的下一代做任何能保障他們擁有良好未來的事。

但是，即使妳提前做好最佳計畫，現在可是有數量多到驚人的事需要決定，對許多摩羯座來說會有點吃不消。當生活變得複雜，妳便無法做到盡善盡美。紙或塑膠、哺乳或奶瓶、對或錯——妳這個追根究柢的星座想要清楚的選項和直接的答案。妳現在可能需要決定簡化生活型態，搬到擁有優良校區的地區、或移到父母附近的地區（可能已經有一位住很近）。

雖然成為全職媽媽不見得是妳童年夢想的前幾名，但妳會發現，一旦適應了新環境後會如魚得水，這真的很棒！妳有很多機會將妳的管理天賦運用在育兒上，也能學習如何順水推舟，對於代表執著的星座也許能帶來全新（及有意義）的體驗。潘蜜拉說：「我第二任丈夫提供我經濟上的支援，這件事讓我感到害怕，畢竟我自己有很強的專業背景。不過一旦我接受了，就不會反悔。諷刺的是通常我都按照公式做事、努力嘗試，然後得到想要的結果，然而我在懷孕時無法事事如意。我必須去學習如何屈服或相信，這對母職來說是很好的安排。」

如果妳是喜歡計畫和掌控事情的人，記住在這階段每個時刻都是挑戰。學步兒的需求通常很即時，但此時妳的內心可能還從艾蒙（Elmo）故事和拍手遊戲轉移到是否需要為保母跑腿補充溼紙巾。一位摩羯座媽媽甚至承認在學步兒四處跑時，開始討厭遊樂場，覺得呆坐在那真的很浪費時間。妳不是個善於社交的人（至少不是馬上就能與人熟識），與其他媽媽初次見面時會覺得尷尬。一旦妳起身與她們交談，可能馬上就成為媽媽間常看到的非官方市長，哈囉，健談的摩羯座媽媽！

在大眾面前管教孩子也會喚起妳的自我意識。摩羯座媽媽史蒂芬妮回憶孩子四歲時發生一段難以控制的暑假，她說：「我要他從泳池裡出來。他看著我並說：『如果不要的話，妳會怎麼辦？』」，為了不想跟他大吵大鬧，她放棄離開；學步兒得一分，媽媽零分。

摩羯座媽媽瑪格麗特回憶：「我女兒做了一些事情來表達不滿，我整個失去理智。她隨時都需要三個奶嘴，如果她掉了一個就會耍脾氣。我笑壞了，但是也哭了很多次。住在紐約，若她在外面大聲吼叫，除了在隊伍中感到尷尬之外，我也會得到別人的白眼；那就是為什麼她隨時都會有奶嘴。」

摩羯座媽媽支持孩子的個體性，也喜歡孩子善於表達或稍微有點敏銳。妳私底下會發現他古怪搞笑的一面，不過通常任何妳可能感受到的尷尬，都源自於害怕自己被批評為管教得不適當的母親，減輕一些超級媽媽的標準吧！一個堅固的後援對象能幫助妳，你們可以交換意見，知道自己不是只有一個人。逼迫自己稍微遠離舒適圈，在公園與某人開啟話題，或與孩子育兒園的同學家庭一起玩樂，現在妳需要更主動些。

騰出時間參加社交場合，對妳而言是另一個挑戰，尤其是妳現在非常有可能回歸到職場上，如果妳又是負責養家糊口的人，妳的伴侶則會負擔大部分的家務和撫養小孩的責任。我們知道一些摩羯座女性和另一半擁有事業，可以讓特定的事情簡化（你們其中一方能隨時從托兒所接送小孩），但其他事情可能就無法了（性生活？什麼是性生活？）。育兒責任的分配通常是以經濟考量為基礎，而非心情；哪一方擁有更好的經濟條件和利益，可能就不需要負擔大部分的育兒責任。

當然妳可能對此產生一些罪惡感，但妳內心擔憂的是，總不能把孩子的大學基金交給運氣決定吧！此時，如果另一半是可以讓孩子的世界充滿有趣的人，即使無法完全取代媽媽，但是他們肯定能在妳努力工作時，讓孩子快樂、充滿樂趣。

在這段忙碌的時間，請看管好妳猶如母親戰士的傾向。畢竟妳把自己逼得很緊，甚至連自我照料都省略了；手指美甲、染護髮根、與朋友喝一杯，這些看來都很奢侈，但其實不然。如果妳不想花幾個小時上理髮院，那麼可以去看現場表演或做些戶外活動，即使妳必須提前幾週安排時間。摩羯座媽媽史蒂芬妮是腳踏車俱樂部的一員；我們認識的另一位摩羯座媽媽，是一群有趣交流團的一員，她們每個月會相聚喝雞尾酒。如果妳必須在休息時間解決問題，那至少結合樂趣。

妳現在需要更多樂趣嗎？是的。摩羯座，這對妳來說感覺很困難嗎？嗯哼。成為一位好媽媽，不代表妳要完全違反務實的天性。妳能將學步兒看作是一位有智慧的小導師，孩子開始鬧脾氣時，就是妳的業力呼喚該回到妳的身體（並暫時放下妳的大腦）的時候。記住，無論妳為家裡付出多少費用，或有多煩惱家裡的問題，都沒比活在當下重要。

童年早期（六歲到十一歲）

坐在窗邊，等著孩子回家？暑假結束時就開始流淚？也許先暫停一下。在妳家，即使是空巢也會是忙碌的巢，妳會在孩子上學時間做出做出更具生產力的事，完成事情會讓妳成為快樂馬力歐的凱比。如果妳一直渴望回到職場或專注在事業投資上，現在就是最佳時機。

不是說妳不珍惜家庭時間，只是妳討厭將注意力同時分散到不同的事物上。現在妳的人生能與育兒劃分，讓妳更容易將工作與玩樂分開。妳的孩子也會有其他玩樂的管道：同儕、生日派對、手足、親戚、書本和電玩。隨著他的小宇宙逐漸拓展，妳不再需要成為他一整天的重心。雖然可能有那麼一絲的難過，不過同時也感到鬆一口氣。終於，妳有時間能專注在自己的優先順序上了！

兩個孩子的摩羯座媽媽克里斯蒂：「有時候得將孩子放在第一位，有時則是成人之間的交流。我感覺孩子需要學習他不是一整天都那麼重要。大人也有大人需要做的事，與小孩無關。那就是為什麼會有保母、托兒所和學校，還有迪士尼電影。」

當然妳的任務還沒完成，還有孩子的功課、學校事務還有運動或舞蹈課的課外活動需要處理，妳比妳想的還要更常幫孩子做事。因為妳想要孩子在學校表現優良、進入好大學，當然會盡所有努力確保他有紮實的學業表現，因此，可能妳會有幾個夜晚幫他檢查作業、填寫暑期作業或為了比賽陪他一起練習。

妳也要準備好得放棄妳辛苦賺的錢，因為妳需要在節儉和與他人比較物質生活上做平衡。瑪格麗特記得：「我在花錢買生日禮物上感到有壓力，因為女兒會從其他人那裡獲得貴到不可思議的禮物。我其實可以輕鬆地就花大把鈔票舉辦生日派對，但回神後，我很後悔花這麼多錢。我想我真的已經嘗試去適應了。」

作為代表傳統的星座，妳確實喜歡將重要場合作上標記。即使妳都是依照自身的預算和狀況實行。有六個孩子的摩羯座媽媽潘蜜拉：「我享受儀式，喜歡讓晚餐、生日派對或假日變得有意義。我是個計畫者，會把重要的里程碑標記起來。當每個孩子十歲時，我們會一起去旅行；我丈夫跟兩個男孩有場很棒的狩獵，我則帶女孩旅行，給她們每個人一條蒂芬妮項鍊當作紀念，我們將孩子看作是獨立個體，見證他們在旅行中的成長。」

妳的深思熟慮，對這年紀的孩子來說是個依靠，特別是在來自不同背景所組成的家庭裡的一分子。室內設計師兼建築師的麗莎，藉由幫每個孩子策劃和裝飾適合他們性格的房間後，進而取得未來繼子的信任，她花時間關愛他們，讓每個孩子感覺到自己的獨特。

妳理解尊重能增進彼此的關係，妳也會將尊重帶入妳的教養風格裡。雖然妳可能對標準和道德相當嚴苛，但妳會與孩子嘗試開放的對話，甚至耐心解釋，為什麼有些事比起破口大罵和訓斥，能得到更不一樣的結果。也許妳會記得以前孩童時，對自己有多嚴厲，因此想要孩子能擁抱妳所沒有的自我關懷。請確保孩子形塑這樣的行為，停止因錯誤指責自己。

因為妳對友誼有個人堅持（只選擇少數忠心的朋友），可能不喜歡強迫性的家長會會議及資金募集，保守的摩羯座對於學校裡需要社交的場合感到尷尬。然而，一旦摩羯座開啟話匣子，通常會停不來。哎呀，深度對話很少會發生在放學後接孩子的巷口，妳現在能採取「質大於量」的方式來維繫情誼。而且妳對於友誼有更多的辨別標準，絕不是因為我們的身分都是家長，然後孩子一起上學就成為朋友。

瑪格麗特：「我從來沒有聯繫其他大部分的媽媽與爸爸。雖然有在派對上看過彼此，也很有禮貌地打招呼，但主動聯繫就是很怪，而且當時我還是單親媽媽。我記得那時有和其他單親家長一起去喝過幾次酒，希望能藉此產生友誼關係，但結果還是無法。」

此外，現在妳也要小心競爭心態或掉入「比較與絕望」的陷阱。妳可能會默默地打量其他家庭，再看自己的是否能與之相比，這樣做會使妳掉入焦躁與自我懷疑的漩渦，母職是一段旅程，而非競爭。另外也要小心不要過於在意成績與排名或是一定要進入「前百分之一」的心態，不然結果可能是引起孩子反抗的行為。俗話說：「高處不勝寒」，對媽媽來說尤其如此。稍微放鬆之後，就會發現成為妳後盾的朋友們。

此外，也不要讓每天的情緒淹沒自己，說服自己不是個好媽媽。克里斯蒂：「有時我感覺我比自己想的還更自我中心。我努力去做到比最低限度還多的事：確保他們有食物可吃，告訴他們我愛他們，接著自己則坐在一旁看書。我一直擔心我會把事情搞砸，讓孩子失望。」

摩羯座知道如何讓自己成為世界級的受害者，但這通常都是他們自己釀成的。當妳缺少了一些觀點時，並不是需要團體的協助，而是需要傳統且美好的休息。如果妳已經沒在工作，那麼就讓自己有個理由投入在一些事情上，即使代表妳得在家裡找一處做祈禱，或是每半年舉辦一場節氣派對（我們認識的一位摩羯座媽媽就這麼做）。如果妳每天都有冗長的待辦清單，請在清單裡增加一些強制性的放鬆到妳的生活規則裡，現在立即行動！若妳有點認知也能讓妳走得更長遠。從孩子的教室裡拿些閃亮的金星星，給自己其中二十個，因為妳正在做最好的自己，摩羯座媽媽，妳值得參加有趣的活動，也許再配上一次不錯的按摩。

青少年期（十二歲到十八歲）

面對現實吧，摩羯座媽媽確實對孩子的反抗期沒有辦法。在妳的原生家庭裡，妳有很大機會是那個「乖女孩」，認真做作業、拿好成績，嫁給高中的心上人。即使妳有反抗的舉動，也只不過是收拾行李，遠離不和的家庭，跑到妳的祖母家。即使是最外向、最壞的摩羯座，頂多只有些不為人知的祕密。

也因為如此，妳可能比較晚才進入青春期——不幸的是，這時與孩子青少年時期時間重疊，或者妳可能為了教養一個「典型青少年」而有所掙扎，因為妳不知道如何認同連自己都沒經歷過的怒氣。一位摩羯座媽媽回憶她自己的青少年時期：「我直接從十五歲來到四十歲。」因為妳非常自律，也不需要太多管教，所以妳對於設定適當界線的經驗、何時該支持孩子、何時該責罵都感到混亂。

摩羯座媽媽潘蜜拉：「我給孩子很多建議和指導：約會時如何表現、如何吃得健康且平衡、餐桌禮儀，但我必須確認不會太過糾正他們，使他們無法承受。有時候我注意到，比起和他們在一起，讓他們滿懷疼愛，更多的是給他們意見與回饋。」

作為象徵提供者的星座，妳是個解決問題的策略者。然而，現在妳需要從這個角色退出，讓孩子去衝撞，自己找出解決方式。在妳停止對青少年的情緒產生波動、將他情緒性的舉止當作真正的危機、或用權宜之計直接解救並做出反應之前，妳可能需要花些時間適應。這是個建立獨立自主最佳的年齡，鼓勵孩子藉由放學打工或做家事賺取零用錢。記住在你作為傳聲筒時，也要引導他具備情緒彈性，鼓勵他想出有創意的解決方式。

對摩羯座來說，一個固執己見或不按照妳設想道路前進的孩子，在教養上會讓妳感到困難。妳可能覺得棘手，但妳不是戰士——特別和孩子一起時更是如此。所以，如果妳的孩子是那種需要他人大量關注、需要時刻提醒警告、不斷重複他界線在哪的類型，妳也許只能屈服和放棄。

「有時候，感覺不去跟她爭論會更輕鬆。」一位摩羯座媽媽說道，其固執、待在家的十七歲女兒拒絕上大學。「我已經要求三次請她整理房間，但她不想，於是我也放棄了。」妮可記得她摩羯座媽媽告訴她的男朋友就「直接留下來過夜」，因為已經太晚了，無法載他回去。「我之後跟我媽媽談到這件事，她說她寧願讓我們待在這，而不是讓我們在某輛車的後座上。」妮可回憶道。

許多我們面談過的摩羯座媽媽都強調，她們想給孩子她們所沒有的自由、上大學的機會、性教育或公平規則，這些都很棒，但是記住孩子也需要清楚的界線讓他感覺到安全。如果妳有個聽話的小孩，設定一些基本規則能幫助他隨時感到安心，特別是在他遵守規則後還能得到讚美。此外，如果妳的孩子比較不一樣，喜歡挑戰界線，妳可能需要讀本關於教育有主見孩子的書籍，像是由麥可・艾森（Michael Eisen）與傑佛瑞・艾森（Jefferey Eisen）所著的《自信青春：一位父親與一位兒子邁向覺知生活之旅》（Empowered YOUth: A Father and Son's Journey to Conscious Living，這本書也有談到母親和女兒），或是由阿黛爾・法貝爾（Adele Faber）和伊萊恩・馬茲利什（Elaine Mazlish）所著的《如何說孩子才會聽話 &怎麼聽孩子才肯說》（How to Talk So Kids Will Listen & Listen So Kids Will Talk）。

在眾多書籍裡共同建議的技巧是——破壞孩子的意志而非精神，換句話說，教導青少年屈服妳的權威，但用尊重的方式進行（沒有咒罵、貶低、暴力等），這樣妳就能保留孩子成為個體的權利。很顯然，這是一個需要練習的技巧，但如果運用妳招牌的堅毅性質，最後會獲得勝利。每當孩子陷入問題時，不要花時間怪罪自己或責備任何人，只要讓自己趕緊學習新的技巧和紮實的支援方式，這樣就能當事情再次發生時有所準備。摩羯座的力量能幫助青少年在身體發展時感到舒適。雖然妳也有自己的煩惱，但性觀念通常不是其中的考量。「我想性就跟食物一樣重要」，擁有一位十五歲孩子、同時是性愛產品公司「女神內衣」（Lingerie Goddess）設計師瑪格麗特說道，「我知道我女兒會想要『吃』，但我要她知道所有的一切」。她開始在房子各處留下關於身體意象、月經及青春期的書籍，「一開始我對女兒所說的內容感到驚嚇，但我不會放棄。我知道她會抵抗是正常的，但我告訴她，我要她在問問題時感到安全，這是人生裡非常正常的一部分。」

最近瑪格麗特帶女兒參加五律禪舞（5Rhythems）的課程，這是於一九七〇年代創立的一種自由形式的運動系統。瑪格麗特解釋：「我有點緊張，因為她是裡面最年輕的，而且有時候會跟同伴合作跳些比較肢體接觸的舞蹈。我坐在旁邊思考：『我的天啊，我到底帶她來到什麼地方？』但之後她感謝我，並說：『一開始我覺得不太舒服，但這建立了我的自尊心。』」

雖然妳和青少年很親近甚至友善，但也沒必要和他成為最好的朋友，尤其這樣的關係與妳試圖挽回失去的青春沒有關連。據說摩羯座在進入三十五歲或四十歲時，會開始呈現逆齡狀態，但此時孩子正逐漸成熟，而妳很可能會完全進入中年危機的問題。也許以前妳犧牲了所有的玩樂與女性特質，成為一位負責的家長、養家糊口的人與供應者，但現在妳內在的聲音正發出低沉的吼叫聲：「開派對了！」

妳當然有權利（終於）實踐妳一直壓抑的慾望，只是要確認孩子不會被迫成為妳的觀眾。「我媽媽在我青少年時也跟青少年沒兩樣。」妮可回憶她幾年前離婚的摩羯座媽媽的事。「她開始參加一些派對、和別人約會，而且幾乎和那個人住在一起。如果我朋友在旁邊時，她也一起加入，甚至想跟我一起參加派對。我朋友會說：『哇，她真的是最酷的媽媽了，』而我則表示：『不，一點也不。』」

不過就在一次高中足球聯賽時，發生了致命一擊的事。妮可記得：「我那時候上高中，一位足球選手朝我走過來。我那時非常驚喜，他就要和我說話了！結果他問我，我媽媽有沒有在跟任何人約會。」

不敢置信！從家庭殉道者變成性感少婦的轉變跌破每個人的眼鏡，如果發生類似的事情時，請嘗試找些成人團體，分享妳這時期的試驗。「我報名一個名叫吉娜媽媽女子藝術學院（Mama Gena's School of Womanly Arts）的組織。」潘蜜拉說道，在那裡獲得了兩百多名「姊妹女神」的支持。因為妳容易壓抑自己的女性能量，以及走向女性成年的旅程（感受情緒、打開心房、面對讓其他人進入的不安全感），這些可能跟青少年歷經青春期的過程一樣混亂。

雖然妳無法避免自己突然驚醒（妳應該會這樣），但可以監測自己在這過程中的步調。比起清楚劃分工作與玩樂之間的界線，不如嘗試將更多樂趣整合到生活裡。一位摩羯座媽媽：「經過第二次離婚，我開始嘗試登山和健康飲食」，另一位媽媽則開始和一群新認識的女性朋友定期旅行。創造儀式感滿足妳的慾望與獨立個體，在妳身為媽媽這段人生過程裡，這些尤其重要。就像妳的孩子邁向獨立的個體，妳同樣也需要允許自己這麼做。

掰掰，小鳥離巢（十八歲以上）

終於可以成為……你、妳和我（各自獨立生活的個體了）！現在孩子離開家中，妳能好好享受生活，至少拾起之前暫時擱置一旁的計畫與夢想。多年來妳為家裡做牛做馬，現在妳有數不盡的閒置時間能使用。不像一些媽媽，妳不會浪費時間去想著要如何填補空閒。我們認識的一位摩羯座媽媽離婚後，直接回到校園，將她「學位夫人」（Mrs. degree，意指年輕女子讀大學以找到潛在配偶）身分直接由中世紀研究博士取代（現在「博士夫人」，謝謝）；另一位媽媽則是賣掉房子，搬到更遠的國家一間可愛的公寓，用符合她喜好的鄉村風格家具裝潢。她不諱言地說：「現在是我自己的時間了！」

在妳卸下母職工作之前，記得孩子看起來已經長大了，但不代表他的情緒發展已經完成。當然，他能合法投票、買菸或喝啤酒，但他仍需要妳——至少過渡期的時候。好消息是，他確實會將妳明智的建議聽進去。最後妳會聽到他說，「媽，妳是對的。」（好悅耳），或者看著他採用妳提供的有用建議。擁有兩位剛成年的孩子的摩羯座媽媽凱倫：「現在他們長大了，我喜歡和他們喝杯咖啡，一起聊天。我們會一起去外面晚餐或出門辦事。」

有時妳需要停止自己過度看管孩子的習慣，逼迫他去選擇穩定的專業或處理他的經濟狀況。對摩羯座來說，妳很難停止扮演供應者，妳可能會告訴自己，任務已經告一段落，但卻還在提供孩子金錢上的資助，或在他已過了壯年時期還給他情緒上的支持。一位女性說：「我的摩羯座媽媽多年來都把哥哥當作孩子養。直到她再婚，她還是會每年飛去科羅拉多待一星期幫他整理房子，這也是為什麼哥哥五十歲了還未婚。」

再次提醒，如果妳過分介入孩子的生活，不斷管理他的金錢和安全，反而會使孩子的未來弄巧成拙。一位摩羯座媽媽離婚後，她那位曾是啦啦隊隊長的十八歲女兒，在一間成人俱樂部午間時段跳大腿舞，賺取大筆鈔票並使用名為「嫉妒」的脫衣舞拐杖。

這位成功的媽媽認為她女兒的命運不該如此，於是決定用她一慣的摩羯座管教方式，利用開放的對話與女兒談談，而不是去責罵她。「我花了一天的時間與她談。我了解在一些特定的時間點上，她也許會開始感到無聊、困擾，不然就是感到厭倦」（她是對的）。媽媽補充道：「希望有天她能去做業務的工作，畢竟她很擅長讓人們從口袋掏出錢來。」這位摩羯座媽媽因為能夠退一步思考，保持冷靜態度，結果這位叛逆的女兒最後嫁給高中時期的男友，組織家庭，過著穩定且傳統的生活。

無論孩子令人感到疑問的選擇只是暫時的階段、或是開啟了他一系列不幸事件的大門，妳能控制的終究有限。「我曾經希望我是那種從脫衣俱樂部直接把女兒拖出來，然後把她關起來直到有所改變的媽媽，但我不是。」媽媽說道。妳是一個現實主義者，凡事給自己也給別人留點餘地是妳的座右銘，妳會將大部分的判斷力留給自己。妳引領孩子進入成人階段，剩下的人生就交給他；或者，如另一位摩羯座媽媽所言：「說白一點，妳的孩子不是你的孩子。」

當然妳有自己的偏好，妳的孩子更多時候會走向傳統的路線，給妳值得驕傲的表現，而不是需要隱瞞的事情。如果有任何事出錯、遠離預期的方向，妳可能會默默責備自己，即使那時孩子已經結婚，展開新的家庭。現在是時候將你們轉換成大人對大人的平等關係，將任務傳承給他，讓自己獲得應有的享受。

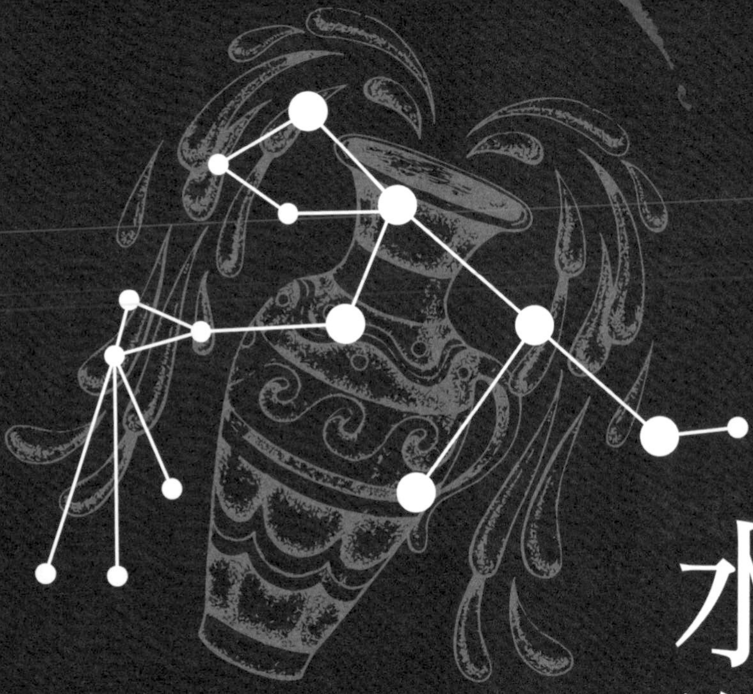

水瓶座 媽媽

（1月20日～2月18日）

媽咪魔力——妳的優點：

年輕活力、開放心態、原創、平等

媽媽咪呀——妳的挑戰：

界線、混亂與情緒化、分離、傾向過度寬容

知名的水瓶座媽媽：

雪瑞兒．可洛、蜜妮．卓芙、伊莉莎白．班克斯、
卡蜜拉．艾維斯、克里斯蒂．布琳克莉、
艾莉西亞．凱斯、丹妮絲．理查茲、
艾拉．費雪、莎拉．裴琳、夏奇拉、布蘭迪、
法拉．佛西、黛安．蓮恩

✶妳的教養風格

當妳與女兒在一起時會得到什麼綜合體：一個搖滾樂團體、一位選美皇后、一個女性機器人、和妳孩童時代最好的朋友？身上多了幾個刺青、空手道黑帶或至少在衣櫃裡放一具意想不到的人體骨架，（一個悔恨的穿洞、一位星際迷航的會員）以及得到一位水瓶座媽媽——女孩兼具著妳榮耀的特質。

水瓶座媽媽是好奇心的綜合體，無法將她歸類在任何一個範圍內。妳可能感情豐富但冷血無情、嚴厲苛刻但隨興，是世界上最柔和的控制狂。妳是獨角獸上的波麗安娜，對著彩虹與陽光唱著歌，也是在街道上諷刺挖苦的犬儒。妳善於面對有組織的混亂，妳的養育風格也會在沒有提醒就改變的狀況下進行。與水瓶座媽媽一起的生活會從冒險創新到超級瘋狂，但絕不無聊。妳將自己的存在視為一場巨大旅程，妳想要孩子盡可能體驗這場魔幻烏托邦之旅——由妳自己清晰的想像中塑造出來。

妳的守護星為非比尋常的天王星，此行星與情感分離、反抗、驚喜有關聯。到妳適應媽媽的角色之前，「期待意外」是妳的養育指南；妳的脾氣、心情，甚至是另一半可能都會在沒有任何告知下更改。水瓶座以對親密感不自在聞名——妳是個對連結與情誼不太在意的星座，對於自己屬於世界而非某個人感到自在。所以，成為母職其中一個最大的意外，是培養妳情感上的深度。妳可能上一秒還感傷地流淚，下一秒就露出嚴肅、堅決的表情，成為籃球決賽裡最後三十秒擁有鋼鐵意志的籃球教練。即使妳外表給人好相處和寬容的模樣，但冷與熱是妳的內定值。在妳的母親身分中找到平穩狀態前，可能還需要一些時間適應。

妳的第四宮由傳統的土星掌管，為妳快速冷靜的風格添加一層保護膜，就像將土象星座的能量建造在妳福斯商旅車外圍的白色柵欄。事實上在孩子到來時，妳飄蕩不定的心會第一次渴望安全感和根源。「成為媽媽讓我內心產生動搖」，一位兩歲孩子的水瓶座媽媽這麼說，其婚禮以溜冰迪斯可為主題，現在住在華盛頓州的農場裡。突然間，妳能在網路上分享迷你杯子蛋糕食譜和無化學成分的沐浴用品，而不是上傳一些近期的雞尾酒女孩夜晚聚會。另一位水瓶座也同意：「母親身分培養出我所不知道的傳統的一面。」

如果妳急著扮演一位居家女性，那麼請盡情享受，不過不要因此放棄原本前衛、成為媽媽前的自己。此外，妳可能對於所有苦差事都落到妳身上而默默地抱怨，這會導致嚴重的身分危機。為了避免如此，有個三歲孩子的媽媽米亞自己到電影院去，她說：「我也需要成為一個人」。她強調水瓶座渴望有明顯的身分認同，「我過去有自己的興趣、自己的事，這些讓我更感興趣，而且可以使用我善於分析的能力；不過我因為想成為一位『好媽媽』，如果我去做那些事情，會感到有罪惡感，但是我需要一些像那樣的逃避出口。」

因為妳相當獨立，許多水瓶座女性依然對轉變為母職的情緒感到矛盾，有時要到三十幾歲後段或四十歲初才會擁有小孩。有的水瓶座如克里斯蒂·布琳克莉（Christie Brinkley）則在很早時就有小孩及超過一次的婚姻。雖然妳不一定年輕時就當媽媽，但妳永遠保持年輕心態，比起一般所稱的典型媽媽，妳更像個時髦的姊姊或有個性的阿姨。（幾年後妳的孩子會發現這讓他感到緊張和尷尬！）在妳身上，絕不會看到穿上牛仔褲擠出來的贅肉及俗氣的聖誕節毛衣。

因為水瓶座是人性化特質的星座，在某種意義上，妳會在自己的世界裡顧及到每個孩子；妳能接受孩子逃避，或是容忍沙發上有個尋求安全避風港的流淚青少年。妳與生俱來的社會正義，讓許多水瓶座成為令人驕傲的養父母。如水瓶座的歐普拉·溫芙蕾所言：「血緣不過是成為某人媽媽的最低條件」，妳再同意不過。這也許是為什麼水瓶座的米亞·法羅（Mia Farrow）十五個小孩裡有十一個是領養的。（她也住在獨立公寓裡，與丈夫伍迪·艾倫維持將近十二年的關係（水瓶座典型的舉動，維持她的身分認同）。

水瓶座媽媽在個人層面上會為自由而戰。妳成為媽媽以前，可能會鼓吹一些社會議題或理想，妳不會因為有了小孩就停止這樣的想法。妳的星座算是（沒有小孩）女權主義先驅的一員，像是女權運動者貝蒂·

傅瑞丹、客觀主義作家艾茵．蘭德（Ayn Rand）以及民權活動者安吉拉．戴維斯。水瓶座通常是個直言不諱、獨樹一幟的女性，這可能代表妳擁戴極端自由主義的價值，並以波希米亞風格、華德福教育、同性教父教母過著如同習以啜飲紅酒與成人對話的巴黎式生活型態——來撫育小孩。或者像水瓶座莎拉．裴琳（Sarah Palin），妳個人自由的連結可能包含美國全國步槍協會（NRA）成員、五個孩子及成為反對巨大政府的平台。

妳的底線在於沒人告訴妳如何思考或相信，這會讓妳成為一個矛盾的個體。舉例來說，裴琳曾作為第二位競選副總統的女性，不過她卻替反對女權的政黨效力。自我矛盾？是的，那就是妳。作為風象星座，妳隨風而逝，追隨自己的動機……無論它帶領妳往何方。

有時妳過度自由的方式會使孩子失去穩定性。雖然妳有一堆如《慾望城市》的故事可說，妳的狂野風格，也會讓妳成為他人最喜愛的故事者，不過，過多的前後不一致會讓孩子感到害怕、不安定，這使妳吸引一些自戀伴侶或緊張、不穩定的朋友，導致妳容易陷入關係情緒（或其他）的漩渦，進而使養育責任受到分心。

水瓶座是友誼特質的星座，身邊一定有多采多姿的人群圍繞著妳。然而，現在妳的身分是母親，最好能先過濾掉一些比較偏激的類型。如果妳是單親媽媽，爸爸可能是個有問題的角色（或來自匿名的捐精者），孩子幾年後有些地方會傳承其父親形象，這是妳人生中另一個需要保護的部分。一位水瓶座的女兒回憶：「我媽媽通常無條件地支持我，不過她的男朋友……呃，則另當別論，我不想提起他。」

雖然妳想與孩子當朋友，可能有時也會發現很難拿捏好朋友與權威角色之間的界線。前一秒妳可能發瘋或威嚇孩子，下一秒就變得不慌不忙和放縱。無論如何，請盡可能努力讓自己變得可以理喻。

水瓶座是象徵未來的星座，因此妳的控制傾向會來自對於眼前的事感到不確定時。當然妳喜歡即興的邀約——不過是以巴黎春裝展邀請函、或熱門音樂季門票的形式；但突然的驚喜又是另一回事了。妳是個會默默擔憂的人，習慣分析的面向，需要在能「看到某件事的幽默或有趣成分」之前，在腦中先做處理。水瓶座媽媽會是未來的媽媽部落頭目，會與人連結、互動，用妳的智力與他人商量以達成目標，並以客觀的距離檢視情況，努力搜集其他的智慧與目的，將其轉化成對妳有用的內容。

當然，時常處在這樣的狀態並非易事，現在與過去不是水瓶座媽媽的管轄範圍，而且妳會看起來不帶感情，偶爾無法進入狀況。任何補救方法？即使妳成為一位媽媽之後，也要確保維持自己強烈的獨立個體，這對每個媽媽來說不可或缺，特別是對外向的水瓶座極其重要，以此培養出年輕心態和社交方式。如果妳喜歡音樂節、運動比賽、藝廊開幕或週末女孩假期，找個方式持續這些活動，同上，也記得帶上妳古怪的風格。擺脫為孩子而活的形象，穿上妳的復古踝靴、貓耳毛帽和過膝長洋裝。如果妳嘗試做個完美的家庭主婦，之後妳只會想反抗，母職對妳來說，感覺就像個陷阱。請在保留獨立性與為孩子生活而提供一致性之間，取得正確的平衡。

✶如果妳有女兒

優點

妳永保年輕，讓女兒同時獲得朋友和媽媽，妳可能還會被誤認為是女兒的姊姊！當她需要建議時，妳不會說謊或為現實說好聽話。水瓶座媽媽尊重孩子，不會以居高臨下的語氣說話。作為一位天生的導師，妳偏好培養女兒批判性思考的技巧，妳會讓她接觸混合了通俗古怪與前衛想法的事物：博物館課程、塔羅牌、寵物救援的志工、扎染，也會鼓勵她發揮創意，教導她友善的重要，尤其對動物和環境。

水瓶座媽媽褒獎獨立性，會鼓勵女兒自由思考，對任何事抱持疑問。因為大部分的水瓶座都有頑皮的氣質，妳也會與她一起享受動態活動，如騎腳踏車、滑雪、划船和登山(可能還有比較女性的活動，像逛街、外出吃飯和看電影)。妳常接觸流行文化，可能在她朋友間成為一位「酷」媽媽。妳的年輕活力，使妳與女兒的困惑、青少年時期的風暴產生連結。

缺點

哈囉，水瓶座妳還在嗎？當妳全神貫注時，可能會進入魂不守舍的狀態。當妳失去控制，從冷靜鎮定轉變到焦慮不安時，女兒會感受到妳的焦躁並開始為妳擔心。妳習慣壓抑自己的情緒，堅持每件事都很好，即使明明有某件事確實困擾著妳。直到妳的水杯逐漸滿溢流出，傾洩出一波使人窒息的情緒水花。請提供救生衣！

和女兒成為朋友是很好，但妳可能會搞不清楚其中的界線，讓她太早暴露在大人的問題中，甚至讓她變成妳的共謀者。在妳與另一半產生摩擦時，請不要因為她看起來像個聰明的陪伴者，就認為她足以成為妳實驗性生活方式的見證者，或逼迫她選邊站(請丟掉妳那微不足道「與媽媽同一國」的T恤)。事實上，如果妳持續過度掌控或阻止女兒成為她自己，會破壞妳與她成為人生最好朋友的可能。華麗裝飾警戒！水瓶座女性通常不是太女性化的人，所以如果女兒比起馬拉松對化妝更感興趣時，這些可能不在妳能掌控的範圍；將一些ＳＰＡ活動分配給比較有女人味的奶奶或阿姨吧！

擁有兩位年長兒子與一位年幼女兒的水瓶座媽媽承認：「男孩容易多了，說真的，有時真的不知道怎麼跟女兒相處，頭髮、衣服，還有她的情緒——這完全是全新的世界，而且我還無法確認我是否喜歡。我完全不是典型的女孩，即使我喜歡衣服、化妝類的東西，但我真的對外表沒有太多要求。我對女兒喜歡的褶邊裙子和下午茶派對沒輒，而且她情緒不穩定時，我無法阻止自己去想：『我的男孩從來不會這樣』。雖然這對她不公平，但我就是無法停止比較」。維妮發現她與女兒有一起打網球的共同點，即使她承認她得用可愛網球裙來吸引女兒。嘿，反正可以成功就好！

✶如果妳有兒子

優點

呼！對比較男性化或理智的水瓶座類型來說，Y染色體的消息簡直鬆了一口氣。妳不會用過多的女性能量淹沒他，使兒子喘不過氣，反而會讓他變成媽咪的小王子（及未來他討厭的女人的惡夢）。有兩個兒子的水瓶座媽媽艾蒂：「我不喜歡女孩子的玩意，也無法處理女孩子家的抱怨，我根本拿女生沒輒，我每天都很感謝老天讓我有兩個男孩。」

因為妳喜愛動態的生活形式，會與兒子分享許多冒險。《浮華世界》美容總監兼狂熱跑者的水瓶座仙姬．格林內爾（SunHee Grinnell）：「我會帶兒子去吃早午餐，我們走向自然，在草地上打滾，四處跑」。水瓶座是象徵未來的星座，妳會鼓勵他專注在長期目標與成就。此外，因為妳具備競爭意識，可能會從兒子很小就開始讓他投入運動，也鼓勵他成為心胸開闊能自由思考的人，歡迎他各個階層的朋友進入家中。

缺點

小心成為放任孩子的媽媽！水瓶座媽媽可能讓兒子過於放縱，使他上了年紀還是個男孩，不然就是讓他走偏。妳可不想手上多一頭怪獸，所以請為他制定清楚的期待與目標。

如果兒子屬於比較敏感的類型，妳不會對他過於嚴厲、要他堅強，但也不要為了拯救他就魯莽跳進去。當他對事情的態度表現太超過時，也請小心處理他脆弱的情緒，不要笑他。

水瓶座是象徵社會的星座，妳想要兒子藉由同儕融入社會，要小心，不要嘗試將他塑造成人氣王，如果他天生比較內向，也不要強迫他加入其他人。不要因為妳從沒遇過壞人，就代表他能辨別出朋友的好壞（呃，妳可能還需要他在前方提醒）。

他的朋友會對妳感到崇敬，羡慕你們之間的相處，但妳可能需要從這樣哥兒們的系統裡稍微鬆手。妳傾向將他女朋友納入生活的一環；一位男性的水瓶座媽媽兩年來都和他的女友每天傳簡訊，直到他們分手為止。記住，如果妳想持續在街上做個辣媽、維持年輕的一面，可能會讓妳和兒子都感到尷尬。拜託，千萬不要讓家庭的水壺傾瀉，或讓你們的母子關係擦槍走火！

✶不同年齡和階段的教養

嬰兒期（一歲）

水瓶座象徵偶然連結和情緒分離，這感覺不太像是能培養母性直覺的特質，而妳冷靜、沉著、鎮定……直到初來乍到的寶寶出現在妳懷中，突然間，妳與另一位人類陷入猛烈愛意，妳不再退縮或逃跑。這是個充滿親密與安定的美麗新世界，妳的系統可能為了暫時的升級而先停止運作。

此時，沒有人比妳還驚訝地發現自己竟能與新生兒如此自然相處，誰會把妳視為在寶寶旁低聲細語的人呢？大部分的水瓶座會為寶寶穿上作工精細的連身衣，能迅速適應母親責任，母職身分引發出妳負責任的一面。當然妳可能厭惡權威，但當妳制定了規則後，請小心！現在妳有自己的領土要掌管，因此妳會變得像蘇菲旋轉舞般展現出工作效率。經營虛擬小型企業公司的創新媽媽艾蒂說道：「我喜歡寶寶的階段，因為我樂於處理每件事。」其公司使用高科技技術和衛星員工，她找出能兼顧家庭以及跟兒子相處良好的方式。

當然不是說妳在懷孕期間沒有崩潰的權利，妳是象徵未來的星座，這會引出神經質、過度準備的一面。我們見過的一位水瓶座女性（單身、沒有小孩），她存了一筆夜間照料的現金，這樣未來無論她何時有小孩，都能維持正常上班，晚上還能睡個好覺。很多水瓶座是動物愛好者，妳可能會擔心寵物如何跟寶寶相處，或是當新生兒報到時，對於自己沒有把足夠注意力花在貓咪或小狗身上感到內疚。接著妳家裡會出現寶寶防撞裝置、無毒產品等，及無止盡地查詢依附教養和費伯法的相關資料。有時妳真的知道該如何把自己逼瘋！

有些水瓶座媽媽喜愛她們產前容光煥發的模樣，有些則受到寶寶在體內成長時的影響而變得焦躁。（一位水瓶座媽媽開玩笑說：「我感覺好像雪歌妮．薇佛（Sigourney Weaver，飾演電影《異形》的美國演員）」，她在孕期第三週時，將肚子裡兒子取了「外星人」的綽號。因為妳的星座容易有焦慮性自我懷疑的傾向，所以可能會默默擔心自己是否有辦法勝任，畢竟在妳二十歲出頭時（或更大），曾靠著沙發衝浪的方式過活。當妳幾乎無法對自己的人生負責時，現在卻需要為另一個人的人生負責！甚至那些原本認真且有競爭性的水瓶座，到了下班時間就會立刻打卡回家，卸下她的A型人格。歡迎來到調整時期。既然妳跳入了這個媽媽兔子洞，就需要暫停追尋妳平常的活動和友誼，或甚至從社交圈中完全消失；與寶寶的連結讓妳重組人生的重心。幸運的是，抱著嬰兒真的讓妳暫時忘卻理性，感受身體上的親密碰觸。對行為怪異的水瓶座來說，寶寶就像完美、具有人性的解毒劑。妳的第四宮由感官的金牛座掌管，妳比自己想像中還更享受嬰兒的觸感。「我可以一整天在寶寶旁低聲細語」，兩個孩子的資深出版人水瓶座媽媽基爾納．梅奧（Kierna Mayo）笑著說，「我會成為坐在某個孤兒旁的祖母，只為了要搖著嬰兒。」

水瓶座是象徵合作的星座，當妳將寶寶固定好、踏出家門時，可能會感覺你們是最重要的雙人團體。妳會對推車上的寶寶做鬼臉，為孩子指出所有令人興奮的景色與聲音。如果感覺自己出不了門呢？請呼叫救兵；妳會從朋友那裡得到一些幫助或者說更多幫助。使用妳星座裡互助精神的特質，加入一個媽媽團體，無論如何，先找到一個媽媽部落格吧！如果妳來自大家庭，對水瓶座來說，等於是擁有一群志同道合的家長（通常是女性）組員，你們能分享理想和方法。如果是虛擬的社區，正好也符合妳科技通的特質，畢竟同志情誼不管什麼形式都算數。

來自西雅圖、有個學步兒西爾維的水瓶座媽媽凱莉：「我去上了一些環保布尿布的課程，在臉書的一個團體結識了三十幾個媽媽。一半以上的媽媽都很活躍，而且她們都很棒。我能在臉書上跟她們說任何事，也得到回應。這些媽媽來自各個領域，沒人會互相批評。這真的是一個『媽媽烏托邦』。」

因為妳對社會正義的議題很敏銳，母職身分可能更能引出妳人道的一面。在寶寶睡午覺時，妳可能忙著張貼關於生育權、禁止女性在外哺乳的不公平待遇、或來自海外工廠製造的危險玩具等相關資訊；另一方面，又可能會堅定拒絕成為「那樣的媽媽」：失去先前的身分認同、失去分享關於事業、政治立場和社會追尋的媽媽，不斷將關於父母的事獨立於社會之外。妳努力工作，證明妳不是兩眼無神的「媽媽殭屍」，不讓自己成為被孩子事物忙到昏頭轉向、還沒時間洗澡的媽媽。紐約的一位藝術教授蒂芬妮：「自從我兒子出生後，我就一直把他當成一個人類對話，沒有模仿任何童言童語。現在他兩歲了，我們之間擁有很棒的對話。」

水瓶座媽媽需要維持一些原本舊生活習慣來感覺平衡。雖然現在要成功可能會很棘手，尤其是如果妳以前不斷說服自己「母職不會改變妳」。不管喜不喜歡，妳整個生活型態的確已經在轉變了。加上妳是象徵巨大改變的星座，一旦決定改變所有的事，就可能會走向極端。要注意，像這種大刀闊斧的轉變方式，以前可能會成功，但現在只會讓自己陷入不熟悉的水域中（尤其剛生第一胎的妳），會使妳感到抑鬱且被孤立。

一旦妳下定決心奉獻一切給孩子，不是任何人都能阻止妳。妳最終會明白，經歷許多虛驚一場的崩潰後，連老朋友都會開始疏遠妳。

此外，水瓶座取悅他人的特質也會造成問題，尤其如果妳傾向為他人過度犧牲；妳可能會試著證明妳是個好朋友，回應每通電話，或在妳精疲力盡時還讓朋友順道拜訪。請提醒自己這階段頂多一至兩年，妳不需要在安撫寶寶睡覺時還要花時間和誰一起，或讓哪通電話進入語音信箱就失去朋友。那些不懂妳狀況的朋友（可能有不少這樣的朋友），需要從妳的生命離開，現在也是讓妳認清誰是真正朋友的時機，水瓶座身邊有很多人無法獲得此頭銜。現在是妳第一次需要設定界線，並知道自己有選擇權的時候。

此外，太多過度激烈的改變，也會對妳的感情關係造成負面影響。妳會因為現在不知所措的調整過程而完全忽略伴侶，而且假設年長的狂野孩子沒有情緒發洩出口時，妳可能對性生活也不太感興趣，也會厭惡伴侶在寶寶需要妳時在旁囉唆。有太多人要求妳的關注，這對一個不喜歡親密感的星座來說，是很大的挑戰。此時要小心一頭憤怒的猛獸正逐漸逼近，水瓶座如雷霆般的脾氣會一觸即發，造成巨大的破壞，請密切關注自己多少的厭惡感是能接受的，伴侶治療將會是妳最好的產後禮物。

當然，水瓶座會對自己最嚴格，妳習慣過度尋求同儕或社會上的認同，但是質疑妳的直覺或尋求認同，會讓妳進入混亂的漩渦——在育兒裡不容完美主義的存在！一位水瓶座：「我從學校畢業後一直責備自己，因為我無法照顧我的孩子，這讓我產生罪惡感，無法再待在受虐的婚姻裡……有太多罪惡感了，我太情緒化，有時我最大的挑戰是我得隱藏自己的情緒，在孩子面前表現出堅強的樣子。」

就像妳對世界上其他人一樣友善，請分給自己一些同情心吧！舉例來說，比起舉辦一歲主題式的生日派對，不如隨意吃飯或野餐就好。如果妳需要為緊張的能量找個出口，買台慢跑推車或跑步，或好好深呼吸（對風象星座來說很重要），將自己帶回到內在核心以及當下。

學步期（兩歲到五歲）

準備玩樂！其他媽媽可能在這階段感到掙扎，但妳卻沉浸於學步兒不經意的頑皮舉止和無止盡的好奇心。每個水瓶座心裡都有位自然的老師，在孩子人生中這段好動、具可塑性的階段，妳享受成為事必躬親的家長。本身就是個大孩子的妳，現在有更好的理由深入探究孩子滑稽神奇的世界，讓妳有個小小陪伴者在身旁。

水瓶座的行銷顧問漢娜：「我喜歡學步兒時期，孩子就像海綿，每件事物對他來說都很新穎，妳看著他們成長。他們還沒有強烈的性格，不會回話，沒有任何困難可以阻止妳享受育兒的樂趣。」作為團體導向的星座，這幾年間妳會享受許多與家人相處的機會，當寶寶在一個封閉空間裡蹣跚爬步時，家人可以在旁閒聊。雖然妳會避免成為精英媽媽，但妳是這個小不點的辣媽玩伴，甚至成為主要的活動舉辦者，在家中辦些有創意的小聚會，附上美味點心，及在一些不知名的手作部落格裡發現需要動腦的藝術活動。

水瓶座掌管社會，妳會敏銳意識到自己正在養育下一個世界領袖——即使妳未來的國王或王后的第一個王座是在便盆上誕生。作為一位澈底的理想主義者，妳會為這個易受他人影響的孩子謹慎挑選接觸的環境。水瓶座喜歡研究與學習，妳大概會努力研讀一些關於孩童發展的先進技巧，也會四處涉獵另類教育的相關資訊，讓孩子沉浸在像華德福學校的體系裡。這套世界上最大的獨立另類教育，在超過六十個國家實行，由奧地利哲學家魯道夫．史代納於二十世紀初期所創立的教育體系，孩童會學習以三個發展階段（各七年）為基礎的課程。華德福學校教育，強調寓教於樂與培養批判性思考，有許多學校甚至強制推行無電視政策。雖然妳可能永遠無法放棄最愛的ＨＢＯ迷你劇，但將孩子安頓在這樣的環境裡，能增進他的創意精神，會更接近妳理想主義的一面。

這階段，妳會確認周遭環境是否都具備對妳而言重要的條件。我們的水瓶座姪女在一個以色列基布茲（意指純猶太人聚落）裡撫養兩個女兒，她們住在這個以社會主義原則為基礎的社區；一位喜愛自然的水瓶座朋友則遠離城市，與孩子在充滿羊群與雞群的農場生活；另一位時髦的都市客，將資金投入在布魯克林區的褐砂石街區，她的丈夫將三人的房子翻新成夢想中的家園。

無論妳理想的烏托邦形式為何，在前幾年，水瓶座媽媽會堅定地讓孩子維持在這樣理想的狀態中，其中有部分原因是妳在抑制自己緊張的能量，畢竟在妳冷酷外表底下，隱藏許多積聚許久的焦慮感。妳想要在孩子變得更會說話、互動時，盡情享受與孩子一起的樂趣，而且如果妳是不斷擔心環境問題的媽媽，可能會因此錯過孩子在這個階段所有可愛與滑稽的舉止。因此，沒錯，妳可能是在整齊完善的社區裡，最不可能有好市多（或有機商店）會員卡的鄰居。

市郊似乎是不錯的想法，但當妳居住的範圍充滿無止盡修整整齊的樹籬，及千篇一律的商店街，這可是會讓水瓶座的靈魂感到絕望。妳是帶有前衛性質、富創意力的星座，需要各式各樣的角色豐富每一天。部分的妳對於放棄原先的青春活力感到鬆口氣，但別開玩笑了！妳仍需要一群不按常理的人的陪伴，更需要那些拯救專屬女孩夜晚的活動，即使是羅曼諾義式餐廳裡的一杯瑪格麗特，而不是最喜愛的廉價酒吧裡的便宜烈酒，也無傷大雅。所幸水瓶座很快就能建立新的友誼。我們的水瓶座阿姨，在離開靠近軍事基地城鎮的獨特群體後，開始在新社區裡聲援公眾藝術，然後她被選為藝術委員與博物館管理人，又離開了原先千篇一律的市區生活。

當妳和小孩在一起、無法從工作中騰出時間時，也許是妳在家工作的機會。有兩個年幼兒子的媽媽艾蒂，就在她學步兒傑森陪伴下經營自己的事業。她說：「我雖然在家工作，不過重要的是，我能在孩子身旁感受自己被需要、被包容與被讚賞。我喜歡和他一起過真實的生活。雖然我沒有跟他玩枕頭大戰、或追著他跑，但傑森會和我一起煮晚餐、追著小型購物車，而且他還有個專屬的玩具電腦和手機。有一天他對我說：『媽咪，我需要我的電腦，安靜點，我有通電話要接。』」

事實上在這階段，妳對保母沒有這麼大的需求，除非妳遇到真的需要的情況。一位水瓶座媽媽承認：「我不是會控制他人的媽媽，但對於讓寶寶和保母一起時，我肯定會有所控制。就很像……如果保母說些什麼或做些什麼，孩子不喜歡的話該怎麼辦？我知道孩子很有彈性，但是這與保母無關。」

在這階段在紀律的部分，也會是第一次讓妳感到精疲力竭的時候。妳會發現孩子一些淘氣、有趣的舉止，即使他在公眾場合情緒崩潰也不會覺得尷尬，但是，像是嘗試要帶孩子到某處時必須的耐心，以及他藉由踢打拖延或試圖挑戰底線時，此時妳的容忍度可說是跟紙一樣薄。另外，抱怨也是妳最無法忍受的事。水瓶座媽媽仙妮藉由假裝聽不懂孩子的話以改掉他的習慣，她告訴兒子：「我不懂『抱怨』是什麼，如果你要我聽懂你想表達的，你就必須告訴我到底發生什麼事。」

妳向自己保證絕不對孩子吼叫、處罰或讓他難堪，但妳會發現在某些日子裡，妳正在將自己逼入「瀕臨神經崩潰邊緣」的境地。基爾納：「我作為水瓶座的哲學是，在教導紀律時，必須以身作則。孩子習慣拖著腳走路，若在去年，我會對他們吼叫。但我必須反省自己的做法，於是我想出能避免早晨壓力的方式。我學習如何不過於隨興，變得更有組織性。」

一旦妳從中汲取訣竅後，會變成一位富有禪理的媽媽。凱莉：「我學到保持冷靜不代表縱容。在學步階段前幾年，我感覺我不是被說服就是過度權威。不過我看了珍妮特・蘭斯伯里（Janet Lansbury，美國教育學家）的部落格，她解釋一種名為「RIE」（resources for infant educators，嬰兒教養者資源）的養育理論，建議以冷靜、有權威的語調敘述內容，就像一位執行長對員工說話一樣。所以現在我想，『怎樣像一位執行長會做的事？』或是使用我『執行長的說話語調』，結果真的奏效了！」

如果妳原本是個具備競爭性與成就導向的水瓶座，現在這階段，可能會讓妳感到挫折，因為妳無法做好任何事。此時，先將待辦清單擱置一旁，盡可能確認目前已經完成的事情，並專注、享受在與家人一起的時候，如果身邊有伴侶，也能好好享受與他相處的沉靜時間。一有機會，無論是和另一半或和一群朋友（將孩子放在一旁玩樂），這些都是創造共同撫養孩子的時機。

就在學校鐘聲緩緩敲響，或得與老師、同學、教練和朋友分享孩子的注意力之前，妳可能要盡情感受與孩子相處的每分每秒，請沉浸在成為這小烏托邦宇宙的媽媽、創意總監和主要設計師的角色！

童年早期（六歲到十一歲）

準備好再次改變！正當妳習慣了學步期的節奏時，孩子也開始上學了，這讓妳的人生得重新安排新的例行事項。雖然妳很珍惜好不容易回來的自由時光，不過很快地，這些時間又會被足球練習、過夜和其他家庭活動接送的行程填滿。當然只要妳有時間，都會很樂意陪伴孩子經歷這些冒險，妳也可能成為孩子朋友間最喜愛的「動感媽媽」。

如果過去幾年間妳將自己孤立起來，現在則是重拾友誼與塑造新社群的時機。所幸，學校剛好提供這個完美的機會，尤其是妳打算將孩子送入各種不同課程，在那裡，家長參與意願高，妳會發現有更多與妳意見相同的媽媽可以相處。與孩子一同參與課外活動的家長，也會是拓展妳社交圈的一環。

艾蒂說：「我和丈夫整天都在家工作。我們不是非常浪漫的一對，而且我對浪漫不感興趣，自信比花朵更能引發我的情趣。不過我們全家都參加格鬥比賽，我們會一起做訓練。如果我們有自己的時間，會邀請朋友帶著孩子，再將他們送到樓上玩耍，我們則在樓下待著。通常會有三十人左右，我們會一起看終極格鬥冠軍賽和綜合格鬥，這只是一般平常的星期五夜晚。」

在這階段，孩子會逐漸發展出人格，妳很享受回答他數不完的好奇提問，因為妳是個對凡事質疑的星座，妳會鼓勵他進行批判性思考，同時也持續小心地讓孩子接觸在妳所選擇的環境裡。妳可能還沒準備好將烏托邦的泡泡公諸於世，他現在整天和朋友相處，妳能掌握到的是他從外頭和學校範圍所學到的事物。有兩個兒子的水瓶媽媽艾蒂說：「我不想孩子成為任何事物的犧牲者，我了解自己有義務授權給他們，讓他們自己做出正確選擇並堅持下去。我要他們也支持他人，力量對我來說，無論在個性和信念上都很重要。」

隨著孩子逐漸發展出強烈的獨立性，妳卻可能發現自己有一點存在感的危機。擁有凡事爭第一的個性，水瓶座媽媽會堅持一些決定性的價值和理想，所以如果妳注意到孩子正在偏離妳所期待的軌道，妳可能會陷入兩難：到底要支持他的獨立性？還是干擾他呢？

水瓶座的基爾納：「我最大的兒子非常熱衷於世界摔角娛樂（WWE），但我是個女性，我從沒想像過每看一次巨石強森要付七十塊美元。我替他付了好幾年，教導他非暴力的議題，告訴他：『不要因為你是男生就代表你得打架』。但我後來終於明白兒子享受摔角的評論，這是他的精神糧食。因為他有讀寫障礙，評論能增加他的詞彙量，即使他會說這些文字，也不代表他會去做。所以如果他建立了自己的聯盟，我們會一起聊那些有多酷。有時關於如何養育孩子這堂課，只需重新思考我們已經知道的事情。我原本對所有格鬥只有負面的想法，現在它則成為帶給兒子力量的來源。」

同時期，妳會想確認孩子是否融入班級、是否受到同儕的排擠。一位水瓶座媽媽承認：「我的大兒子在社交上比較笨拙，對那些舉動會感到畏縮。當他讓其他孩子覺得煩人時，我真的很擔心，甚至默默擔心起孩子是不是跟不上大家。」

妳想要孩子受他人喜愛，同時妳人道主義的內在性質也堅決反對暴力。妳天生就對自己很友善，水瓶座通常會成長為群體裡的一部分（即使妳是一群人裡有吸引力的反抗者），因此儘管妳受到其他厲害孩子的擁戴，可能也會設法讓自己不屬於任何一個團體，不做排他、殘酷舉止或對其他較不受歡迎的團體有任何偏見。嘿，妳只是碰巧與遇到的每個人相處，從怪胎、理工宅男到返校節皇后與世界的舞會之王。因此，妳會確保孩子多才多藝，善待他人，成為一位領導者，而非追隨者，並強調堅持自己的信仰與冒險。此外，妳在學業上或運動上都具競爭性，因此可能會培養出未來科學展贏家或金牌運動選手。

對妳這個活躍的星座來說，此時是母子間培養樂趣的黃金時期，因此妳可能得注意不要過度寵溺。一位水瓶座媽媽：「我不會什麼事都管，睡覺時間和家事都很彈性。」但現在是教導孩子責任心的好時機，即使妳忙於與孩子享受快樂時光，也不要忘了培養這個課題。除非妳想在培養孩子通往下一個成熟階段的大門時，他卻將家事和每天的任務當作遊戲，幾年後成為一位為所欲為的青少年。

青少年期（十二歲到十八歲）

任何人有中年危機？作為這個小不點的媽媽，妳從不覺得自己「老」，任何東西都使妳感到年輕有活力。然而，就在青少年開始挑戰妳的界線時，妳可能第一次得面對自己已經是位「有點土」的媽媽。水瓶座媽媽對於自己的自在與美麗感到自豪，因此妳會默默地不滿孩子沒看到或欣賞到這一面。

流行、前衛的水瓶座媽媽，總能跟上最新的書籍、電影、音樂和流行語，而且就算是妳知道這些事，也不會讓人覺得奇怪。孩子的朋友可能會來拜訪「妳」，如果妳和女兒穿同樣尺寸的衣服，那麼她會時常跟妳借衣服；妳會和兒子和其朋友坐在一旁輕鬆聊天，跟他們說妳年輕叛逆時的故事。妳相信高中和大學的學校生活對他們的重要性。

因為妳擁有自由奔放的靈魂，最不想成為嚴厲的權威者，箝制青少年的獨立自主或風格，畢竟妳自己的人生也是由各種實驗性質的瞬間（與從錯誤中學習）所拼湊而成，妳可能覺得自己不夠資格作為孩子的典範。妳過去大概花了整個青春期與權威對抗，承諾自己不會成為「那樣」的家長。

一位水瓶座媽媽回憶：「我媽媽在我青少年時，從不對我們施壓。當我想做某件事時，她都會說：『妳應該去問妳爸』。」

當然妳也不想對他過度縱容，使孩子陷入麻煩之中，這將會出現道德困境上的問題。妳作為星盤上的反抗者代表，知道家長如果對孩子太過嚴厲，他就會背著你們去喝酒、抽菸、嘗試性愛與藥物。因此，到底妳應該使用鐵腕政策管教？還是持續與孩子開放對話，讓他從錯誤中學習呢？

有些水瓶座媽媽會走向過度保護的路線，和青少年成為最好的朋友或甚至同謀者。一位水瓶座媽媽的女兒米莉莎：「我媽媽和我有一些祕密的逛街行程。她會在我身上花一些我爸爸不希望她花的錢，要我答應她不要告訴爸爸。這幾乎跟姊妹淘沒兩樣。我媽媽和我在一起時更能做她自己。我們之間有我們才懂的笑話，而且還會開彼此玩笑。」

隨著青少年開始走向個體化（孩子拒絕妳成為他獨立過程的一部分），妳可能會感覺孤單和被遺棄。妳以為孩子長大、減少對妳的依賴會讓妳鬆口氣，其實這會成為妳第一次感到心碎的時候，呼叫懷舊的關・史蒂芬妮（Gwen Stefani）：「我真的感覺我失去了我最好的朋友。」

當妳想給孩子下馬威時，可能會導致失敗下場，畢竟妳自己的行為本身就不足以成為要求孩子的典範。不是說妳真的如此，只是說妳也是個多工處理的狂人，自己也是隨風起舞四處留下足跡。基爾納：「孩子的房間簡直一團亂，讓我很煩惱。不過當你進入我的房間時，一半辦公空間、一半床鋪，你可以看的出來他們都是跟我學的。」

水瓶座是追求友誼特質的星座，妳會將孩子看成是同伴或同輩。在某個程度上，這沒有問題，但當麻煩來臨時，就代表有某個人要受到控制了。如果不是妳控制自己，那麼就讓孩子自己從中分辨對錯，即使成果不甚理想。設定界線能讓孩子感到安心，也能讓他知道妳的底線，同時表達出妳對孩子有足夠的關心和保護。另外，妳說「不」的能力也幫助他發展自身的道德羅盤。

不要讓自己的欲望去干涉養育的責任。當然妳與孩子（看起來）的關連能在混亂的青少年時期減緩衝突，或是……可能只會讓他感到困惑。水瓶座媽媽的女兒伯達尼，回憶母親給她高中同學喝啤酒的事，她說：「世界上所有的人都認為我媽是最酷的媽媽，但除了我以外。」

另外，請小心不要想透過孩子來恢復自己的青春年華。蘿拉：「我有位水瓶座的阿姨常常會在晚上時帶著我和她兒子去吃披薩或看電影。她可能覺得『我超愛這些事情』，就像跟朋友出去玩一樣，而且朋友還能開車。」另一位水瓶座的女兒記得她媽媽在離開一段不滿意的婚姻之後，還與對方有短暫私情。「我當時十二歲，完全不知道發生什麼事，我媽根本不夠成熟。這對我來說真的很困擾。」後來這個女兒表現得太強烈，想重新獲得她媽媽反覆無常的注意力，但狀況卻每況愈下。

一些占星學家相信水瓶座是由兩個行星共同掌管——代表反抗和年輕的天王星、以及表成熟和抑制的土星，看看這兩顆星的對比性！這也許能解釋為什麼妳一下子死板，又突然完全不慌不忙，此外，這也是為什麼一些水瓶座年輕時就結婚（我們知道的一些水瓶座嫁給她們高中的心上人）。我們所知道的就是在妳傳統價值觀之下，藏著一位無法被壓抑、獨特的自由戰士。妳拒絕成為一位「典型媽媽」，因此如果妳發現自己陷入跟少年時期一樣的混亂時，請確保讓自己得到一些援助。

「我知道我老了，但我不想被認為是那麼的老」。一位到了五十歲初仍維持時髦外貌，穿著木底鞋、打著鼻洞和留著精幹短髮的水瓶座媽媽卡拉承認。「女兒開始上高中時，我度過了一段有點哀傷的時期。感覺就像『等等，我是否應該試圖參與學校的戲劇表演和足球隊！參加看看會怎麼樣呢？』」此時，妳可能需要理解自己嚮往變成彼得潘的傾向，因為在妳內心深處想完全避免一些成人的陷阱。

幸好後來卡拉將專注力轉換到公民義務上，在社區裡積極投入社區支持農業計畫，將在地農場生產的產品外銷，並在貧困地區教導孩子如何種植食物以及營養飲食。她吸引了不分年紀的志工參與，包含女兒的一些同學。卡拉說這為她的人生帶來意義，讓她不再畏懼老化。「我開了頭將人們串連起來，我再次感受到熱情與活著的體悟，就像『年輕』時最好的我一樣。我不再希望回到過去，而是愛上我自己的生活。」

掰掰，小鳥離巢（十八歲以上）

理論上是要放手了……現實卻很難說。妳能理解此時需要讓孩子離巢，但內心深處可能對此感到心情複雜；其實這在某種程度上，就跟最好朋友離開一樣。妳的孩子可能是第一個也是唯一一個讓妳感到關係可以如此深厚的人，甚至超越任何感情上的伴侶。所以妳本能上想維持這樣的連結，希望彼此發展成真正的朋友。

一位水瓶座媽媽三十九歲的女兒梅莉莎：「當我以成人身分跟媽媽說話時，她將我與她分享的事物作為生活的依據。當我開始進入自己的世界、不與她分享時，我注意到她有點魂不守舍，聲音裡少了一些熱情。我想她覺得受到冷落。我會與她分享所有事，她也從不會插嘴、做評論，她真的很支持我。我媽媽從不問我結婚或生小孩的事情。她說：『當奶奶是不錯，但我知道妳有其他事要做』。」

如果妳是性格比較冷酷的水瓶座，可能會讓孩子經歷一段自我成長、鼓舞人心的壯遊。一位水瓶座媽媽的兒子：「我媽媽有次告訴我『去紐約流浪吧！這是個很棒的機會』。」另一位冷淡水瓶座媽媽的成人女兒貝絲記得，就在她隔了好幾個月終於回家時，她回憶：「我媽媽只是從她的書裡抬起頭，微微地點頭，然後繼續看書。」

雖然這些是比較極端的例子，但妳會希望擁有自己的人生，重新進入自己的生活節奏，擁有個人的「文藝復興」之旅。如果妳現在單身，可能會放縱自己去約會、搬遷或甚至回到校園。有婚姻的水瓶座能重拾過往的冒險火花，完成拖了許久的二度蜜月。一位水瓶座媽媽在接近六十歲時甚至參加了火人祭（Burning Man），與年紀小她一半的人在沙漠中露營；另一位媽媽則開始與年輕攝影師約會，陪著他到世界各地拍照。妳可能也會與孩子見面，或跟他們一起旅行，蘿拉說：「我水瓶座的阿姨通常會和我一起約會。現在她兒子都待在家，她只跟我出去！」

如果妳發現自己正為空巢期感傷，請求助水瓶座喜愛的偏方：人群的力量！去參與社區活動、慈善事業或任何努力創造連結的團體，不要在情緒化的過程中，屈服於自我孤立的陷阱。哎呀，一位水瓶座隱士通常都不會快樂。回到人群中，重拾心靈之旅，有很多事物正等著妳，然後，記住剩下的事就是照顧好自己。

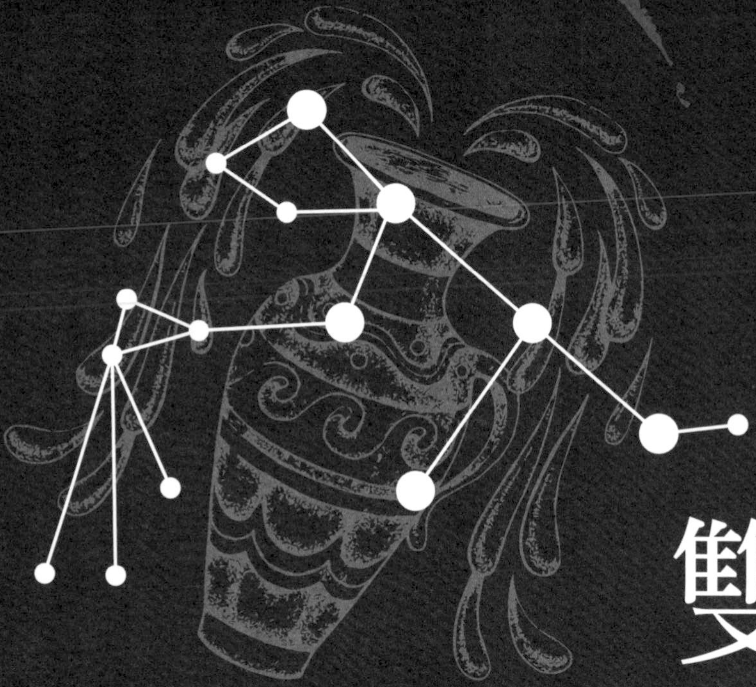

雙魚座

媽媽

（2月19日～3月20日）

媽咪魔力 —— 妳的優點：

同理心、想像力、照料、創意

媽媽咪呀 —— 妳的挑戰：

發狂、控制欲、不穩定、罪惡感

知名的雙魚座媽媽：

茱兒．芭莉摩、伊莉莎白．泰勒、克莉絲汀．戴維斯、
肯琳．曼罕、辛蒂．克勞馥、艾麗．拉特、
迪娜．曼佐、瑞秋．懷茲、珍妮佛．樂芙．休伊、
艾蜜莉．布朗、奧利維亞．魏爾德

✶妳的教養風格

哈囉，美人魚媽媽！雙魚座媽媽是融合誘人女性及天生母親具魅力的個體。妳喜愛將家庭安置在一個舒適但奢侈的泡泡裡，家中設備齊全，搭配相符的衣櫃，即使是運動褲，妳也會讓它看起來時髦有型，大部分時間都能隨時準備好妳的特寫鏡頭。幸好妳本身散發出足夠的溫暖，比起讓其他媽媽感到威脅，妳反而能吸引她們。妳對品味相當講究，也總是敞開雙手迎接這世界。水象的雙魚座是星盤上最後一個星座，妳具有同情心且優雅、充滿靈性且敏感，兼具智慧和感性，妳知道如何待自己像個女神，當然妳也鼓舞身邊的媽媽跟妳一樣。

雙魚座媽媽有一些怪僻，大部分的雙魚座媽媽都是。即使妳的心在正確的位置，但妳的腦卻不知在何方，妳本身就是矛盾的綜合體，可能前一秒還和大家一起，但下一秒就情緒崩壞。在黃道帶上兩隻方向相反游泳的魚，象徵雙魚座，這也許是為什麼家人總說妳既虛偽或前後不一致。

但妳就是無法阻止自己這麼做。妳知道人是複雜的生物，無法容身在僅有一元論思想的機器人。雙魚座媽媽總會改變想法，反覆無常（這也許是為什麼雙魚座伊莉莎白．泰勒擁有十一任丈夫、茱兒．芭莉摩在四十歲前結婚三次）。

作為一位母親，妳跟隨自己情感上的流動，依賴直覺過活，可能某天強烈地相信某事，下一秒又支持完全不同的哲學理論。我們認識的一位雙魚座媽媽，原本是位基層組織者兼動物權益參與者，不過在她嫁給保守的共和黨人之後，成為美國全國步槍協會（ＮＲＡ）的活躍成員，甚至帶著步槍旅行，參與飛碟射擊競賽。在妳的世界裡，凡事都會在無告知的情況下改變，這使妳不是變得怪裡怪氣就是很有彈性，端看妳如何詮釋。

另一個讓妳成為性格多變的媽媽的原因是妳的第四宮由代表雙胞胎的雙子座掌管，雙魚座和雙子座都是雙元星座（兩隻魚和兩個人），這帶給妳實驗性的優勢，這個宮位同樣讓妳變得有趣、古怪和年輕。妳是城市裡的媽媽，喜歡讓孩子接觸創意或能幫助進步的經驗，妳鼓勵他變得前衛，培養自身的獨立性。妳是那種會將鬆餅做成奇形怪狀的媽媽，帶著孩子看晦澀的藝術電影和博物館展覽，或是帶他去冥想處所。視覺性的雙魚座通常對拍照和電影具備天分，妳也會有展示藝術性家庭照片的畫廊。

再來談談關於妳的朋友，雙魚座媽媽身邊經常會有各式各樣的角色，從讓妳尊敬的貧窮詩人到富裕的避險基金人，邀請妳到私人遊艇上航向蔚藍海岸，這些人讓生活充滿樂趣。孩子可能會有一群同性戀叔叔或奇特的教父母，將會豐富妳孩子的生活。許多雙魚座對動物有所偏愛，特別是救出來的動物，因此妳可能也會飼養一些動物。我們知道的一位雙魚座媽媽在四十歲生日派對上，展示自己豢養一群小動物的動物園，榮譽嘉賓還是隻樹懶。

雙魚座是星盤上的落跑藝術家，妳需要一個屬於自己的發洩出口，尤其在妳進入殉道者媽媽的模式前。維持基本平衡對雙魚座來說有困難，這也是為什麼一些雙魚座媽媽有時會從無條件地疼愛變成一隻「性情冷淡」的魚。妳沒有時常注意妳的底線，所以不斷給予，直到精力耗盡為止，接著妳的系統會關閉，迫使妳抽離情緒。一位男性記得小孩時期曾有一次感到非常驚嚇，他雙魚座的媽媽將自己關在房間一整天，他去撞媽媽的門卻沒反應，就在時間慢慢流逝下，他越來越害怕。到底發生什麼事？作為一個單親家長，她凡事自己來，最後導致她無法承受，幾乎精神崩潰。她待在床上好幾個小時，提不起勁幫兒子開門。雙魚座，請將這故事當成一個警戒：知道自己的底線，尊重所有情緒反應。

對雙魚座媽媽來說，樂趣不是奢侈，是不可或缺，提醒自己適當的休息能幫助妳成為更好的媽媽；到靜修所修復、享受SPA或在提供成人飲酒的地方盡情放鬆，用快速撥號聯絡女性友人加入豪華航程，妳可能不理解妳有多渴望社群，友誼對雙魚座媽媽的靈魂來說是重要的慰藉。妳不會提前預約社交行程、填滿月曆，因為妳隨時準備好即興的快樂時光、午餐約會或女孩夜晚，請不要帶著罪惡感，盡情沉溺就好。

就像《如果你給媽媽一杯馬丁尼……：找到自己十分鐘快樂時光的一百種方法》（If You Give a Mom a Martini...: 100 Ways to Find 10 Blissful Minutes for Yourself）的合著者雙魚座媽媽萊斯．斯特恩（Lyss Stern），可能將高檔的媽咪落跑變成一種生意。萊斯將「雙魚座女主辦人、創造精美設置、幫助世界」這三項合而為一，成立了「酷媽網站」（Divalysscious Moms），這是間位在紐約市為了最好媽媽所成立的網路交流公司。除了提供SPA、健身和逛街活動（有些活動適合家庭一起參加），酷媽網站主辦專門的書籍發表會包括了《格雷的五十道陰影》（Fifty Shades of Grey）作者E. L.詹姆斯（E. L. James）九百人的盛大聚會派對。帶著能讓他人導向成功的魅力，妳知道如何讓一位完美陌生人感覺是妳圈子裡最親密的成員。

雙魚座也是象徵仁慈與業力的掌管者，如果妳的華麗事業能幫助世界就更好了。雙魚座媽媽迪娜．曼佐（Dina Manzo），在好幾季的電視劇《新澤西的真實主婦》（The Real Housewives of New Jersey）以及自己HGTV裡的《迪娜的派對》（Dina's Party）出演，她同時也為癌症孩童募款營運非營利組織「瓢蟲計畫」（Project Ladybug）。雖然迪娜畫廊式般的鞋櫃和為數眾多的衣櫃，比一些人的公寓還大，但她將風格與靈魂融入生活的方式，則提供了令人信服的理由。迪娜說：「妳能同時維持迷人，與他人做出差異，做法就是穿上妳超棒的鞋子，踏出去，為這個世界做些好事。」

確實，這些不真實的愛麗絲夢遊仙境，讓妳成為一位魔法媽媽，將家庭時間變成讓人飄飄欲仙的瘋帽客下午茶派對。妳家的家務事屬於非典型，孩子可能對妳從時髦高帽裡變出魔法感到敬畏；令人陶醉的假期、道路旅行、短途郊遊，妳在睡覺時會突然爆出這些想法。不過這些會變成一種奢華還是一場災難呢？試過就知道。雙魚座阿爾伯特．愛因斯坦（Albert Einstein）曾說過一句著名的話：「評估一個人智力高低不是知識，而是想像力。」（他也說過：「一個從沒犯錯的人不曾嘗試過新鮮事物」。）

妳是個隨心所欲的人，缺點是缺少界線或穩定性，在孩子長大時，會因為妳無法預測的改變與缺乏條理，使他焦慮與尷尬。在這些方面，妳確實讓人無所適從。妳本身討厭被人告知要做什麼及何時去做，因此要讓孩子在固定時間上床睡覺和吃飯，或提供他足夠的穩定性，妳的內心就會感到掙扎。如果妳對於養育孩子感到焦慮，妳最好確定自己的伴侶、祖父母或照顧者能幫忙妳強化這些例行常規。

雙魚座由夢幻的海王星掌管，這是顆代表想像、幻覺與模糊邊界的行星。對妳來說，媽媽與朋友一線之隔，每小時都在變動。雙魚座媽媽伊莉莎白・泰勒有四個孩子，曾有報導這麼形容：「非必要的話，她不是凡事自己動手做的媽媽。」出自傳記作家威廉・J・曼恩（William J. Mann），同時也是《如何成為一位電影明星：好萊塢的伊莉莎白・泰勒》（How to Be a Movie Star: Elizabeth Taylor in Hollywood）的作者，「她有許多保母和助理幫忙照顧小孩，比起管教者更像個朋友，大家都說她是最親切的媽媽，『如果你想跟我說話的話，我就在這裡』。她十八歲時就有了（第一個小孩）麥可，他們年齡上幾乎差不了多少，她對所有小孩都用這樣的方法。」當然也不是說妳無法在某些特定的事上採取嚴格或強硬的態度（如我們所言，妳本身就充滿矛盾）。妳對某些事會堅持一些嚴格的規定，其他部分則容易依妳個人詮釋而定。雙魚座媽媽蒂娜：「我討厭成為一位權威者，但喜歡掌控。我很常改變，對於一致性、工作與生活的平衡及對自我的事後糾正感到很掙扎。我們從不體罰小孩，也不會讓他們自己哭著睡覺或任何像這樣類似的事。然而，我們確實有規定的睡覺時間，也會寫給對方感謝信或其他類似的小紙條。」

雙魚座媽媽把自己當作脆弱的花朵，甚至為了得到情緒上的支持，過度依賴孩子，但她也能在孩子需要時提供保護。沒有任何人能招惹妳最愛的孩子！如果妳聽到校園暴力或一些心機女孩的事，可是會啟動黑手黨模式。此時妳可能得阻止自己取出鑽石飾品、穿上細跟高跟鞋及痛打霸凌者。

確實，妳可能做得有點過頭了，但其他人無法阻止妳。對了，妳可能也會被說過度依附孩子，但妳不在乎，在妳的字典裡多少的關注都不足夠！孩子知道妳會在背後支持他，為了他的幸福，妳會做出可能的犧牲。孩子絕對會在妳的寵愛下，帶著健康的自我價值長大成人（也有可能過於健康，但就這樣吧）。在妳眼裡，他不會犯錯，妳會安撫、寵愛他，為他每項成就歡欣鼓舞。一些雙魚座媽媽會將孩子捧在手心寵愛，妳可能會讓孩子被寵溺或是自己就這麼做，無論如何，妳會珍惜每分每秒與他相處的瞬間。雖然妳有自己的人生，幾年後妳還是會與孩子維持親密關係，妳是他的媽媽、社交管理者及摯友，妳會做所有事，且看起來毫不費力。

✶如果妳有女孩

優點

有個女兒簡直就像在天堂，雙魚座媽媽！妳等不及與她一起做些母女間的假日出遊、SPA旅行與兩人下午茶，妳喜愛與女兒親近，為她打扮——請幫我們照張相！伴隨著妳對文化的興趣與領悟，妳會與孩子一起享受博物館、電影院、畫廊及音樂會，甚至會一同分享音樂和衣服！

談到回饋這件事，雙魚座媽媽是個完美典範，妳本身就做了很多公益和義工活動；關於寵物議題，妳也能大聲討論，為女兒做出很棒的示範。透過自身經驗教導她友善與同情心——對她自己以及他人。

缺點

不再互相依賴？妳想確保女兒知道妳隨時在她左右，但妳們的關係過於親密與舒適，如果妳總是保護她，為她爭長論短，會使得她變得過度放縱。比起不斷為她解決，更應該教導她如何為自己而戰，及使用批判性思考的技巧。雙魚座媽媽不是設定界線與客觀看待事物的最好典範，哎呀，在妳的圈子裡，或許有一些製造混亂的人，使妳做什麼事都是出於罪惡感。讓女兒成為妳擺脫殉道者模式的理由，教導她試著改變世界，而不是去拯救她。

記住，妳的任務是訓練她可以獨立自主的藝術。不過，這對一些雙魚座媽媽來說可能有點站不住腳，畢竟妳自己本身對此就拿不定主意。有時妳很容易感到挫折或崩潰，在悲傷中扮演可憐少女，妳不能一邊告訴女兒要強壯，然後一邊自己又表現出無助的樣子。注意妳擁有「照我說的做，而不是跟我做一樣的」的傾向，不然妳可是會失去她對妳的尊重。

✶如果妳有男孩

優點

男孩只能是男孩？在妳的看管下不會如此！妳的主要優先順序，是確保兒子成為有堅定的價值觀、尊重他人及富同情心的人。比起運動，妳可能會說服他接觸藝術，或至少確保在他幻想的美式足球比賽與足球競賽中，培養紮實的文化素養與情緒智商。

事前提醒兒子，他可能註定會成為一位都會美型男，或至少到達某個程度。沒有人能像雙魚座媽媽那樣，將一個男孩放在女孩堆裡的指甲修護行程裡。妳會拎著他參與妳所有活動和寵愛自己的行程，他會學習如何好好享受按摩肩膀及修剪指甲。不過他可能會抗拒妳讓他成為一位陰柔男性，等到他知道女性有多喜歡這副模樣時，他會非常感激妳，未來的女朋友也會很愛妳，甚至享受與妳在一起的美好時光。一位雙魚座媽媽從她十九歲兒子的女友那收到一則臉書貼文：「大聲對珍妮說生日快樂！謝謝妳打造出超棒的男友」。只有時髦的雙魚座媽媽，能激發出像這樣兩代間的情誼。

缺點

小心不要削弱孩子陽剛一面！究竟是養育還是使孩子窒息，對雙魚座媽媽和兒子之間僅有一線之隔。妳可能會將孩子看成是最好的朋友和摯友，為他投入過多的能量，並將親密式育兒發展到極限（我們知道的一位雙魚座媽媽親餵兒子直到五歲）。請小心不要與兒子的朋友和女友過於親密，這會導致妳的情緒吞噬他，或是過度參與他的事情。他需要自己的空間和一些隱私！過度親密、逗弄的舉動，可能也會傷了他的自尊心，當妳用扭捏的小名稱呼他，或跟他的朋友分享以前的糗事時，都會使他感覺不太自在。

雖然妳會教導他學習如何尊重女性：為對方開門、拉椅子，妳可能也需要在他面前隱藏妳的一些情緒起伏。雙魚座會輕易流露出自己的情感，不經意地讓孩子暴露在妳的艱苦與混亂之中。如果兒子看見妳在拭淚或情緒崩潰，他會下意識地覺得需要拯救妳，這會使他產生忿恨和無助的心情。當妳出現情緒化的一面時（可能很常發生），請打給妳的心理醫師或摯友求救吧！

✶不同年齡和階段的教養

嬰兒期（一歲）

啊，為妳祈禱！在與嶄新生活產生連結時，寶寶的第一年會在磨鼻子、照護與築巢的混亂中度過。不過比較好的是根據科學顯示，妳的情緒海洋會創造出更健康的浪潮，與孩子依偎會使大腦分泌出催產素，也就是所謂愛的荷爾蒙（或擁抱荷爾蒙），在妳生產、餵乳或將寶寶抱在懷中時，會刺激其分泌。是的，妳也會很快發現自己完全陷入於愛意之中（完全不需要康復！）

雙魚座媽媽是終極的依賴型家長，妳喜歡這階段許多親親摟抱的感官享受，妳不介意換尿布也會與孩子一起睡覺。如果這小不點需要，妳會盡可能地經常親自哺乳，沒有任何東西比與孩子相處之間的愛還重要。

生產前剛考完大學測驗、取得學位的雙魚座媽媽琳達：「第一個月時，女兒睡得香甜。我們一起看電影、睡覺和摟抱，接著進入睡眠不足、有點意識模糊的狀態，對寶寶的遊戲小組、音樂玩具及洗不完的衣服感到痛苦且無聊。」

但是，就在妳已經與小不點產生靈魂上的連結時，誰需要這些小玩具和凡事都綁在一起行動呢？另一位雙魚座媽媽堅持說：「寶寶是離上帝最近的事。我覺得他比我們其他人還聰明和有所察覺」。因為雙魚座是最靈性的星座，妳應該知道！事實上，在小孩還在子宮裡時，妳會試著跟他說話、唱歌和夢到他，藉此產生親子之間的連結。

雖然妳轉為母職的第一年宛如天堂，但因為妳的星座有失去時間感的傾向，對現實的掌握比其他人還要有落差，因此也可能讓妳迷失方向。妳的生活有太多時間圍繞在寶寶的行程上，這使妳產生混淆。畢竟妳已經因為每幾個禮拜就會消失在夢幻之城的經歷而聞名（哈囉，雙魚座？妳的語音信箱……又滿了），而妳現在可能又處在更難以聯絡的狀態。

女兒九個月大的雙魚座媽媽塔拉：「前六週簡直是場災難。她是很棒的寶寶，但要適應真的很困難。我不認為人們會討論當媽媽有多難，他們可能會問：『妳不愛當一個媽媽嗎？』我會回答：『我愛我的女兒，但我不喜歡我人生裡的這些新面向』。」

其中一個課題會是自信。每個雙魚座裡都住個「悲傷少女」。雖然妳相當能幹，但妳可能是最不相信自己的人。在某些時刻，妳就像嬰兒一樣無助，任何停不下來的哭鬧、腸絞痛或無法入眠的夜晚，都使妳敏感的神經逐漸失控。妳會被自己的情緒及恐懼感所吞噬，這一年就好像搭上巨大波動的感情雲霄飛車一樣。

妳越重視親子關係，就越有可能感到孤單與孤立，因為妳與外在世界失聯過久。雙魚座，倘若妳的情緒開始無法承受時，請多加小心，加上妳又習慣當那個「請拯救我」的受害者類型，那麼現在正是改寫腳本的時機了。第一年的主題將是培養自主獨立。是的，雙魚座媽媽，妳能自己安撫寶寶的脹氣痛，當乳房從妳的絲綢襯衫漏出汁液時，妳也能自己恢復尊嚴，這些妳都做得到。母親的直覺已經讓妳成功一半了，現在勝券在握。剩下的部分妳能學習上網查詢、或詢問小兒科醫師、從妳的育兒書中找答案（在兒子成長到學步兒階段時，《寶寶五十二週完全手冊》（Your Baby's First Year）的系列書已經翻到有點破爛，邊邊都折角了）。

如果妳回歸職場，可能需要處理一些內在的嚴重衝突。生產完後很快就回到職場的雙魚座媽媽塔拉：「維持職場與媽媽之間的平衡是最難的部分。雖然我工作的負擔不是超級大，但這是個工作，要恢復到生小孩以前相同的程度讓我很有壓力。我也無法每天待在辦公室等到晚上八點。如果日托中心打來說孩子發燒了，我就得離開。作為一位職場媽媽，無論在工作還是育兒上，都有很多的罪惡感。」

妳也需要藉由依賴阿姨、叔叔、祖父母和朋友，來幫助妳減輕壓力。因為妳不想要「麻煩」任何人（或感覺欠他們），可能會避免尋求協助，直到事情瀕臨危機狀態。在妳陷入崩潰的泥淖時，請不要等待，立刻找尋協助。記住，不是每個人都有讀心術（好，也許妳有，但其他星座通常沒這樣靈敏），妳必須說出來，向他人解釋妳的需求。

就像一位優秀的女童子軍，妳需要防患為然。雖然提前準備對妳順其自然的天性有違直覺，但這能幫助妳停止將小挫折演變成早上五點的鬧劇。將鑰匙分給幾個朋友和家庭，讓他們知道家裡大門（幾乎）都是開著的。即使妳是待在家的全職媽媽，也能雇用一位保母來幫助妳，或支付青少年媽媽幫手一些費用，他能在妳上廁所時，幫妳四處巡視、偶爾幫忙寶寶換尿布或照顧嬰兒，妳也會很享受這樣的陪伴！

談到陪伴，如果妳能拖著自己離開家中，參加寶寶音樂教室、參觀博物館或寶寶媽媽瑜伽教室的話，就去做吧。將寶寶固定好在嬰兒車上，逼迫自己離開房子，即使只有一、兩個小時也好。在寶寶小睡片刻時，到博物館或喜愛的百貨公司閒晃。

妳也能引發出內在冒險的一面。雇用一位私人冥想老師，幫助妳或其他少數的媽媽一起上課，或舉辦簡單的產後派對，邀請朋友來看看寶寶。慈善事業可能也是一個讓妳盛裝打扮和回到原本世界的理由，加入捐款募資委員會，或為募款與恢復到產前的身形參加健走慈善活動。

妳的感情生活也會因為妳回到文明獲得好處。如果妳不再接觸廣大的世界，可能會過度依賴另一半，藉以尋求情緒上的支持，不過這會使對方精力耗竭；或是以為世界只有你們三人，住在夢幻的泡泡裡，這樣反而使關係變得更封閉。稍微打破這樣的模式，甚至為彼此安排一個只有你們兩個、沒有寶寶的夜晚。雙魚座是個浪漫性質的星座，稍微更換氣氛能讓關係走得長遠。透過成人對話、一頓美食和一杯紅酒重新連結彼此關係，妳的「前」媽媽時期也需要一些時間和關注。

學步期(兩歲到五歲)

雙魚座容易適應環境，妳隨遇而安的性格在此時能發揮作用。如果孩子在遊樂場搞得一身沙子，或脫掉褲子(或尿布)在沙堆裡尿尿時，妳不用成為實行鐵腕政策的媽媽，試圖威嚇孩子。這些都會發生對吧？妳會發現學步兒最可愛、逗笑的舉止，這些舉止也不會讓妳覺得丟臉。恭喜妳，雙魚座，妳已經接納學步兒一個恆久不變的事實——幾乎無法控制這個生物！

雙魚座媽媽蒂娜：「我愛兒子，在這個應該很恐怖的兩歲時期。僅管生活忙碌，我幾乎無法記得十五分鐘前發生的事，但我能清楚記得那一整年的每一天，每一件事在記憶裡都是如此清晰，就像美麗的九月天，透著明亮藍天、金色葉子和綠地。他做的每件事都充滿樂趣，每分每秒都是全新、有趣的體驗。」

即使小不點很可愛，但這階段的混亂，仍會不斷挑戰妳的底線。因為妳不喜歡扮演執行規則的角色，所以對學步兒維持一貫管教很是困難。有三歲小孩的雙魚座媽媽凱達絲：「我用紀律處理，因為我比伴侶更了解孩子的動機和心理。我知道孩子應該會嘗試他的界線能到哪裡。」不過要小心，若妳表現得太有同理心，會以為自己很了解他；如果妳總對他說不，又會對他的人生造成心理傷疤。因為妳拒絕當壞人，可能無法為這年紀的孩子帶來他需要的人生課題及能教導他的時間。

事實上，妳也能開始成為一位星媽，妳會毫不猶豫地以孩子的可愛為賣點，送他到模特兒或演藝經紀公司，或讓學步兒在廣告或朋友的獨立電影裡客串。我們知道的一位雙魚座媽媽，將她臉書上的宗教狀態標記「蘿西」（她女兒的名字）；一位有經驗的製片人會用照相機捕捉早熟女兒的畫面，不過不幸的是，她也讓女兒變成隨時都想吸引他人目光的孩子，她因為總想搶風頭而惹惱同儕。

在其他時間，妳的態度會一百八十度轉變，突然變得嚴格，這通常發生在學步兒做了一些恐怖的事，像是跑到街上或在百貨公司裡突然消失，此時妳可能正在試穿一雙可愛的露趾鞋。當妳受到驚嚇時，內在的控制狂會使妳出現少見但戲劇性的表現。不過像這樣從默許到鞭長莫及的轉變會使孩子困惑，此時妳應該為他指出一些明確的規則和界線。

妳可能會從遵照正向教養（positive discipline）獲得好處，這方法讓家長專注在孩子正面的行為，就像直接指出何謂好行為與壞行為，強化好行為會最有效率。實行正向教養的家長，會同時表現出友善和堅硬的態度。舉例來說，比起責罵小孩弄得一團糟，不如教導他整理，或在收拾玩具時做些有趣的儀式；與其收回他的特權，讓孩子稍微避開冷靜一下，不如在事情發生時，不斷讚美他的好行為。這樣的方式對妳這個具備友愛與同理心的星座來說會更自然。

這階段的另一個挑戰是如何有組織地管理。按時生活、遵守常規絕不是雙魚座的強項，不過對大部分的學步兒來說，按照例行常規對他比較好，即使只是個簡單的方式。他知道接下來要做什麼，能讓他在這世界裡感到安全，並建立他的自信心。學步兒特別會對未知感到恐懼，所以請制定一些例行常規，像是刷牙、收拾玩具、洗澡等，這些事情能建立他自我控制力與自主權。在這年紀，他會面對許多發展上的轉變，能在熟悉的日常活動架構下能將轉變處理得更好。

對雙魚座媽媽來說，堅持照著行事曆做事只會感到壓抑，因為妳也需要時間做夢、放鬆及潛入奇幻世界，哎呀，不過這些妳需要且能恢復元氣的事，恐怕會讓學步兒感到不安。記住，妳不是只有一個人（也不是唯一一個）能強化這些一致性的習慣，請確認孩子的人生裡有其他人也能一起實施。如果伴侶比妳還嚴格管教，讓他或她處理孩子的洗澡、吃飯和如廁訓練（妳最不想做的！）還有上床睡覺時間，或是將工作分配給照顧者。妳的孩子不會在意是誰為他做起司通心粉，但如果妳一下子晚上六點餵他、下一次又九點半餵他，他的生活可能會脫離正軌。

當然，如果妳沒為他念睡前故事書、或親自把他塞進床被裡，可能會有罪惡感，但請先放下這些心情，思考一下怎樣做對小孩（還有妳）最好！給雙魚座媽媽的規則是：別信口開河。只承諾妳能持續做到的事，除此之外沒有別的。妳可能會在週末時負責處理孩子的睡覺時間（當妳遵守不一樣的行程，隨便），然後週一到週五讓伴侶負責念《晚安月亮》；如果伴侶較會為固執的學步兒穿衣服，就讓他做，妳不需要扮演烈士，逼迫自己成為軍人。而且時間一久，妳會為自己的犧牲感到不滿，這會導致被動攻擊的反作用力，為你們的關係增加不必要的緊張。

專注於你們在一起的質而非量。妳擁有許多創意和有趣的事能交給孩子。一位雙魚座媽媽的「可取之處」列表，讀起來像本複雜的文化內容，她說：「我喜愛宮崎駿的電影《神隱少女》、《魔女宅急便》、《貓的報恩》，這些電影都很棒，充滿日本風土民情，還有勇氣十足且原創的女主角故事。」於是這位媽媽特別注意讓小孩接觸藝術性的動畫，及擁有複雜敘述的故事，用來平衡資訊龐大的標準西方媒體消費。

自我療癒的儀式對雙魚座尤其重要，而且妳會比以前更需要。如果妳回到職場的話，在離開前讓保母提前一小時到（至少），這樣妳就能慢慢打扮再前往辦公室。另外，一整天勞累後的放鬆也不可或缺，每週一次額外多付保母費用，請對方多待久一點，這樣妳就有時間好好泡澡。當妳無法退一步思考時，會在這個階段要求的選擇中感到麻痺，使得在面對簡單決定時表現得歇斯底里，進而精神崩潰。我們知道的一位雙魚座媽媽逼迫自己回到職場，當時她育有兩個年幼的孩子，這使得她的狀況完全失調：她十八個月內搬家三次，最近則搬到曼哈頓的一房公寓，她與丈夫、兩個孩子住在同一個房間裡。雙魚座媽媽，妳需要自己的空間，如果妳做出太多犧牲，身邊其他的人都會遭殃。

兩個孩子的媽媽、雙魚座健身專家吉莉安．麥可斯（Jillian Michaels）：「我回到家，我就像這樣，『好，我來幫你洗澡、改變你、餵飽你、為你讀書、安頓妳——等等，我要如何才能做完所有的事？他媽的，這超難！』」她繼續說：「我的新座右銘是：『只要我贏得比輸得多，我還是贏！』」像這樣的老生常談和口號使雙魚座有所依靠，妳的廚房可能塞滿印著鼓舞人心格言的磁鐵和馬克杯。

在這時間點上，妳可能也會重新思考自己的生活型態，身邊的朋友是消耗妳精力的能量吸血鬼？還是支持妳生活的益友呢？如果妳發現自己忽略某人的簡訊或拖延回覆朋友的來電，那可能會產生更大的問題。如果妳因此對這個人出現內疚或焦慮的想法，也許這段關係已經變成了不健康的互動——一個需要妳幫忙的人會把妳的活力榨乾。嗯，雙魚座媽媽，現在妳得對一位真實的小孩負責，根本不需要再忍受那些「大人寶寶」，是該與他們切斷關係的時候了。

妳可能也會考量妳現在居住的地方。附近對家庭友善嗎？這個社區歡迎妳這位媽媽嗎？妳喜歡其他家長及這城鎮大致氛圍嗎？畢竟孩子會在這區域上學，這代表妳會與生活周遭的人度過大部分重要的時間。如果妳發現鄰居是個勢利眼（或太過低俗），也許是時候把「出售」的牌子放在草皮上了。

而這段友誼會持續接下來的十五到十八年，所以妳是否喜歡圍繞在自己身邊的人，真的很重要。雙魚座媽媽希瑟：「如果我沒有朋友，我可能會迷失方向。沒有任何事比我能與最好的朋友說話還重要，無論是和他們討論育兒經驗、或自身孩童時期經驗，都會是撫養孩子最寶貴的部分，我們之間真的跟一個部落一樣。」

根據研究顯示，妳會跟妳相處的團體變得很相像，請確認妳是否真的想成為那些媽媽的一員。她們是快樂、正向的嗎？還是經常說人壞話和挖苦呢？二〇一二年七月十一日發刊的《科學人》（Scientific American）文章標題〈壞心情是否會傳染呢？〉作者麥可・李納爾帝（Michael Lenneville）和小蓋瑞・W・萊萬多夫斯基（Gary W. Lewandowski Jr.）描述了三階段過程：「情緒感染」（emotional contagion），指一個人的心情轉移到另一個人。當妳和某人說話時，會不經意做出苦惱的面部表情，這會引發大腦感受到相同的情緒，接著妳會開始針對這些情緒做出同步化的舉動（例如以前不對孩子亂發脾氣，現在卻開始對他缺乏耐性）。因為妳天生具有同理心，情緒的感染力又比其他星座還更敏感，所以請慎選妳的陪伴者！雙魚座媽媽需要一位有淨化作用的親人，和他在一起，妳能感同身受、發洩情緒和分享有趣的故事，妳會在每天的苦難中看到幽默的一面，成為「媽媽音樂劇」（媽媽喜劇）很棒的來源。一位雙魚座記得她三歲的女兒呼叫她到浴室來，當她走進去時，女兒驕傲地舉起布滿刮鬍膏的腿和一支剃刀。這段學步兒用刮鬍刀刮腳的故事，也會變成家裡流傳下來的有趣事蹟。一旦妳笑了，就能找回妳輕鬆看待事物的一面。

學步兒時期充滿許多嘗試與試驗——這毋庸置疑。本著正向教養的精神，專注在妳的優勢上，而不是那些妳認為會失敗的地方。是的，雖然妳可能上星期連續六天的晚餐都叫外帶（妳雖然嘗試下廚，但差點把廚房燒了)，但妳建造了驚人的絨毛動物堡壘，以及為小不點拍了一些雜誌等級的照片。當學步兒開始發脾氣時，妳可以調高音樂，展開一場隨興的舞蹈派對，讓心情變得愉悅，而不是一直眉頭深鎖。另外，當女兒想拖著妳的細高跟鞋和戴著珍珠飾品時，就讓她做吧——雖然飾品很昂貴，但培養她的想像力卻是無法用金錢衡量的。

童年早期(六歲到十一歲)

雙魚座媽媽，請擦乾妳的淚水。當孩子開始上學，妳可能會感受到一些嚴重的空巢悲傷。即使他只是在對面，卻感覺在世界的另一端。因此，妳會抓緊參與孩子學校生活的機會。一位雙魚座媽媽：「我是班級媽媽，負責資金募款和每次的戶外教學。老師還必須禮貌性的建議我可以讓其人做做看。」

是的，對於孩子的離開，妳可能也經歷一段艱苦的時間，如果孩子是依附性強的水象或土象星座，或許會更為控管他；不過相對獨立的火象或風象星座，可不想要一直被當作小孩對待。因此，如果孩子躲開妳的擁抱或擦掉妳的吻，用來顯示自主權時，妳柔軟的心恐怕會感到受傷。妳會不斷聽到孩子對妳說：「媽，我已經不是小孩了！」直到妳習慣為止。要注意不要讓孩子感到內疚，或擔心他是否傷到妳的心。

事實上，罪惡感對雙魚座媽媽來說是一直存在的課題。一位雙魚座媽媽：「當我因為金錢關係，無法完成他的要求和應得的東西時，感覺自己就是個失敗的家長。我應該更專注工作，但又很害怕忽略孩子。」

那麼在孩子上學的時間裡，妳的養育能量又該如何利用呢？當然需要有個發洩出口，現在也許是嘗試做些平衡與孩子相處時間品質的事情了。有時藝術(和工作)源於生活，妳不需要將眼光放得太高來尋找妳的天職。如果妳真的享受育兒相關的事，像是計畫生日派對、製作木偶或為孩子拍攝浮誇的影片，那麼就自己發展一個小型事業——不要錯過擺在眼前的機會！

雙魚座媽媽真的會想給孩子一些公民責任感，尤其在這容易受到影響的年紀。一起做志工是與孩子產生連結的好方法。無論是安排公園清掃、參觀醫院病房或在養老院唱聖誕歌，妳與孩子之間一些最難忘的回憶會在未來有所回饋。

妳可能會舉辦派對，教導孩子做些不一樣的事也能很有趣。我們知道的一位雙魚座媽媽，想預約一間動物收容所或動物拯救協會，幫孩子舉辦十歲生日派對（搭配放縱的披薩和冰淇淋午餐）。妳也會藉由做些人道行為來平衡妳寵溺小孩的罪惡感——在妳邀請他人參加晚宴的邀請函上，可能會有這樣的註解：「可以將送給芭比七歲生日禮物的費用捐款至自然保育協會」。

當然不是說妳會剝奪孩子的權益，妳的家還是會充滿許多夢幻的玩具、遊戲和藝術項目，尤其妳對美學和呈現方式特別敏銳，這些是妳想傳承給孩子的東西。禮物包裝、手寫卡片和傳統且有品味的裝飾會做出不同的效果，特別在這個時間點和這個年紀。妳會教導孩子不以貌取人，但一樣要為禮物包上華麗的包裝紙。

妳的創意能力也會挽救整體態勢。有兩個孩子的雙魚座媽媽蒂娜：「如果每個人都脾氣暴躁或行為不端正，我會嘗試做些不一樣且突破傳統的事。前幾天，他們脾氣不太好，所以我就宣布跟他們說今晚是SPA時間。我們在浴室放上蠟燭、放了輕快的音樂，來個燭光沐浴。」

雙魚座不喜好競爭，不過確實在意其他人怎麼想。妳對批評敏感，對學校團體裡其他家長也會感到不安，有時可能甚至有點排他或八卦。然而，妳不會為了讓孩子變得多才多藝，以他的快樂為代價，對他施加壓力、要他表現得更好。靈性的雙魚座相信命運，妳知道每個人都有來到世上要表達的神聖禮物。比起讓孩子凡事拿第一，妳更希望孩子發掘自己的人生意義，成為一個不錯的人。

為了培育孩子的創意潛能，妳會盡可能讓他接觸文化相關的事物，行程包含畫廊漫步、到博物館旅遊、音樂課程及聖誕節《胡桃鉗》（The Nutcracker）的芭蕾舞表演。雙魚座由夢幻、詩意的海王星掌管，這給予妳藝術家的靈魂，還有對音樂、裝飾、食物、流行（特別是鞋子，因為雙魚座掌管身體的腳部）與原創性的天分。妳欣賞美學，妳會幫助他重視細心的感動並講究精湛工藝的細節，孩子成長時會熟悉許多藝術形式、流行潮流及音樂種類，也會品嘗生活裡所提供的更美好事物。

具有同理心的雙魚座媽媽，對不公不義和霸凌非常敏感，妳對此也會緊盯著。一位雙魚座媽媽也因為這個原因，將她高智商的兒子送到校風優秀的學校。她解釋：「如果他去公立學校，最後他可能只會被關在置物櫃裡」。

七歲兒子凱登的雙魚座媽媽米迪：「我喜歡困難。他知道無論他做了什麼，都可以來找我。雖然我可能會有點失望，不過他能清楚明白我對他無條件的愛。我相信他也有敏銳的靈魂會注意到別人的痛苦，在有能力時幫助他人。當我看到他去安慰某個心情不好的人時，我會想：『這個孩子真的擁有寬大又美麗的心』。」

記得妳孩子的心偶爾也會受傷，你們雙方都有責任。在還沒了解事情全貌時，不要直接當著校長或老師的面前提起。記住，孩子也需要知道如何捍衛自己。他知道當他有麻煩能隨時找妳，妳會幫他解決困難，只是確保不要讓他覺得媽媽會無條件為他據理力爭。妳的目標是教導他必要的生存與社會技巧，讓他擁有力量。

青少年期（十二歲到十八歲）

請繫好安全帶！妳現在即將前往一趟刺激但筋疲力盡的旅程。比起其他星座，雙魚座媽媽非常了解青少年的情緒雲霄飛車。因為妳很敏感，自己也經常在一天內一下子感覺精明、一下子又變得無助，因此妳能辨別出孩子上一秒所向無敵、下一秒又變得脆弱的心情轉變。

大部分時候，妳和青少年相處融洽，比起長輩的權威形象，妳更像個朋友。家裡對青少年來說是個舒適、可待著的地方。當他來到房門，妳也能親切地與孩子對應。雙魚座常會站在弱勢的一方，因此妳家裡的沙發會變成落跑青少年或孩子同學和家長發生衝突時的避風港。妳與生俱來的同情心，會知道如何確認青少年現在的難過情緒，同時給予他可靠的建議。一個十二歲孩子的雙魚座媽媽說：「我兒子就像我的死黨。真的，我們幾乎常常在一起，雖然家裡的規則由我來定，但如果他認為我對他不公平或把他當小孩看，我還是會聽他的。我對他的想法和擔心感同身受，會以成人的角度跟他對話。」

雖然平等主義的教育風格有其好處，但當到了需要立下權威時，卻可能會使得事情產生偏頗。上一位媽媽說：「我想我有點太寬容了。我試著在產生巨大的青少年災難前掌控狀況。」

在這階段，妳真的需要抓緊界線，即使給孩子一個擁抱或屈服於他的要求看起來很簡單，但在某些時候會變得棘手。一旦確立標準，就沒有討論空間，這可能是妳第一次拿出「因為我是媽媽，就是要這樣」的尊嚴。據專家所言，孩子需要界線才能感到安全，如果妳太高估孩子，對待他像同伴而非家長，他可能會缺乏安全感。妳的青少年甚至會藉由發洩情緒來挑戰妳的界線——以青少年的方式要求妳設定限制。現在學習成為具備一致性的權威形象，也是妳需要快速適應的事。一位雙魚座媽媽的十七歲女兒解釋：「我媽媽是個偽善者。她的規則毫無道理，她自己就充滿矛盾」。她解釋媽媽是如何在她取得駕照後，接著在十七歲生日時買給她一台昂貴汽車，兩個禮拜後卻不信任她能自己開車。「我不知道為什麼她認為兩個禮拜是個魔法數字，當時覺得我已經準備好。後來我也沒有開得比第一次好，而且媽幾乎不陪我練習。」幾個月後，女兒發生了輕微車禍，她的雙魚座媽媽就把車開走了。

雖然妳會盡量解決問題，但直接跟親愛的孩子硬碰硬（這對容易受傷的雙魚座來說很痛苦）會比較好嗎？還是對他稍加寬容，這樣就不會失去孩子對妳的喜愛？現在是時候將妳的目光放得更長遠一點了。有些人相信只給予孩子他能應付的，會付出更大的代價。在卡巴拉（Kabbalah，我們只有簡略讀過），有個稱作「羞愧的麵包」（bread of shame）的概念，指的是當某人接受不該得的禮物時，某種程度會感到靈魂上的沉重或受損。這也是為什麼大部分的樂透得主會在三年內失去所有的獎金，那是因為他們沒有完成內在工程的建設，能夠處理如此高的責任或豐足感。所以在妳取出信用卡前，考慮好心靈上是否能承受孩子帶來的後果。

通常罪惡感會是讓妳心軟的動機之一。身為母親，妳意識到自身的不足，覺得必須不斷補償孩子。「我真的在一致性上感到掙扎」，同時身兼單親媽媽與全職博士生學位的藝術家希瑟說道，「確保處理好兒子與學校的責任是個龐大的任務。在和他的家教、朋友、老師說話時，我經常感到無法承受，我知道我也因此忽略了一些事情。」

同理心與給予權利是不同的事，學習如何在提供建議前確認孩子的情緒，接著再決定要給予安撫或控制。我們最喜歡的書籍中有一本提到這個主題，兒童心理學家海姆．吉諾特醫師（Dr. Haim G. Ginott）所著的《父母與孩子之間》（Between Parent and Teenager），他解釋渴望以成年身分體驗事物的青少年與家長間彼此的心態，認為鬥爭的根本來自家長渴望被需要，青少年卻不想要他們的父母介入。

敏感的雙魚座媽媽容易將這些舉動放在心裡，因此，當青少年回嘴時，吉諾特醫師簡單的溝通風格會特別管用。有些時候面對孩子的大膽行徑，妳會以強勢、不可輕犯的態度處理，雙魚座媽媽凱蒂：「我女兒可能真的很賤，所以我學習予以反擊。」在其他時候，妳可能需要向旁人解釋妳突如其來的爆哭，並哭著對朋友說：「為什麼她要這樣對我？」

妳的孩子可能會看到妳哭泣（妳完全不避諱，通常不加思索就哭了起來）——但妳不應該把他當成臨時的實質心理治療師。即使孩子看起來有超齡的智慧，妳在與他分享時還是要設下限制。請將妳的發洩管道留給精神科醫師，再把那些情緒留在車外，不要帶回家。妳是個敏感的星座，但當妳自己的感情受傷時，不一定會維護自己或強調直接正面迎擊，而且比起直接溝通，雙魚座媽媽會變得被動攻擊或情緒化操縱。妳堅持「我很好」，但顯然對整個家庭來說，妳並不好。雖然妳只不過是在撫慰受傷的心情，但是拒絕表達出自己的情緒，反而會帶來不利的影響。妳的言語與真實間展現出不想和睦相處的態度，這會使得孩子不相信他自己的情緒——或不相信妳。

作為一個家長，妳應該努力讓心情更透明與直接，因為青少年可是能精準感知到妳是否語帶保留。如果他察覺到妳略帶罪惡感或巧妙地處罰他，這只會使他離開。想維持他的愛以及得到尊重？請說出妳真正的想法。

此外，妳的自我界線比較模糊，導致孩子有點深入妳的隱私。雙魚座媽媽是庇護和不適當的奇怪綜合體，當妳開啟一個八卦或對某個控訴感到氣惱時，可能忘了自律的道理。快訊：容易受到影響的青少年會是妳一些大人議題最好的觀眾，還有雙魚座會掉入「受害者」的心理狀態，所以請注意不要在孩子面前做出這些行為。妳應該形塑他的個人責任，而不是教導他去責怪和指責他人。

一位雙魚座媽媽：「我在兒子十二歲時離婚，那段時間真的很難熬。我老公為了另一個女人離開我，而我就變得像是個破壞者。兒子不僅看到我哭，同時聽到我向女性友人及母親抱怨，基本上孩子只能看著我崩壞。在我最低潮的時候，我朋友和我會對著那個情婦的臉書嘲笑，開些像是『我老公為了這個原因離開我？』的玩笑。我兒子也開始對此鬧脾氣時——我知道我把一切弄得一團糟。因此我必須成長，我了解現在沒有人能為他負責，除了我，我得趕緊表現得像個大人，成為他的典範。」

每個青少年在某些點上會對他們的父母感到尷尬，妳有時可能也會給孩子一個假裝妳是陌生人的好理由。雙魚座由自由奔放的海王星掌管，天生就對另類與前衛感興趣。如果妳的前衛裝扮，像是從大都會藝術博物館時裝學院偷來的，當妳出現在孩子學校時，此時就算他假裝不認識妳也不用太驚訝。此外，雙魚座媽媽也是個派對女孩。如果妳在女孩夜晚裡喝個爛醉，在調酒吧台前開始借酒澆愁，之後妳當然會想盡辦法從後門溜走或待在朋友家不敢回家。就算妳討厭「老」的感覺也無濟於事，因為在這段時間，可能會讓妳更意識到年老的事實。成為一位青少年的母親，絕對會激起妳的中年危機意識，對曾是迷人、天真無邪的少女雙魚座更是如此。

那麼妳該如何在這段騷動時期持續與孩子維持關係呢？給雙魚座最好的配方就是同時結合同理、共通點、堅毅與彈性。你們可以一起當義工、旅行和鼓勵彼此的獨立性。一些溺愛也能達到效果，就讓孩子加入樂團（妳可能還會當後補貝斯手或和聲），在婚禮、派對上給他葡萄酒，一起探索世界。

妳也能在此時鑽研靈性的一面，做些自我發展的探索，這個階段會充滿個人成長的機會。雙魚座媽媽琳達對此感到驕傲——意識到自我、依附及養育，還有確保女兒有足夠空間成為她想成為的人。雖然隨著時間流逝，妳可能無法一直維持相同程度的開放，但這會是個崇高的意圖。只要記得為妳自身的人性保留一些餘地，每天提醒自己「每個人都在盡力成為最好的自己」。

掰掰，小鳥離巢（十八歲以上）

抓緊面紙！敏感的雙魚座會在孩子成長過程中經歷痛苦的時期，在看到孩子房間收拾乾淨或家中空蕩的景象時，妳可能會度過一段哀悼時期或一點身分認同上的危機。畢竟妳人生過去十八年或更久的時間，都圍繞著他生活，也投注所有的精力在育兒上，所以應該會有些混亂的事情需要清理。

所幸生理上的分離可能很短暫，但情緒部分卻需要一些時間。學習獨立對妳和孩子來說會是段過程，當然孩子不會過了一晚就變成陌生人，而且如果妳要維持一段健康的關係，基本上也沒理由與孩子疏離。一開始因為妳的心還保持年輕狀態，可能會在兒子或女兒長大成人後持續與他們外出。

不過，妳仍然對沒看到的地方會發生什麼事而感到害怕和多疑，哎呀，也許會偷偷窺探孩子的社群，監視他的一舉一動。妳下意識地把他當成小孩看待，因此時常傳些充滿假裝無助的簡訊或打電話給孩子。在不知不覺中，妳會成為他每次大小危機的熱線（「媽～我室友每晚都讓她男友來，我根本無法念書！我應該怎麼做？」或是「在洗有顏色的衣服時，倒柔軟精要用熱水還是冷水？」）不是說妳在意這些（而且老實說還有點喜歡），但妳也不想阻礙孩子試圖追求自我獨立。

妳甚至會巧妙地提醒孩子，妳的大門永遠敞開，如果孩子過得不順利、想搬回來都可以。小心，自己許下的願望可能會一語成讖（租電影《爛兄爛弟》（Step Brothers），確保妳的人生不是在模仿「藝術」）。就像我們談到的一位雙魚座媽媽，妳甚至想搬到孩子附近。媽媽，請不要太快打包妳的陶瓷品，孩子長大了，他需要學習自己闖蕩。

當然，妳自己的生活也很忙碌，尤其是當妳展開了一場新戀情——情勢將變得無法預測。如果妳與另一半相處很長的時間，需要重新探索你們之間的關係，至少在這個階段來說可能會有點棘手（兩個大人在晚餐桌上能說什麼）。因此，也許是需要為妳的婚姻關係進行全新改造的時候：重修舊好、去峇里島度長假、分享共同嗜好；如果妳單身，試著再次開始約會吧！

幸好雙魚座是個多變（適應力好）的星座，對重塑自己持有彈性且適應良好，總能順利達成。當然不可以一開始就上演情緒化戲碼；但是，一旦這場戲結束、布幕拉下時，妳會優雅地進入下一場戲。誰知道呢？由妳養育出擁有忠誠內心與靈魂的孩子，而他將會變成妳最大的粉絲。

第三部

媽媽和孩子星座配對

Mother and Child Matches

牡羊座

ARIES

牡羊座媽媽♈&牡羊座孩子♈

合拍部分

女高音萬歲！一位自信、獨立的超級巨星，以牡羊座寶寶的形式誕生在這世上，妳的小不點巨星以他自己的心智破繭而出。雖然照顧他會耗費妳一些體力，不過年輕小牡羊很快就會追隨妳活躍的生活方式，會在運動到學生會上展現出興趣，妳可能需要雇用一位司機（或自己戴上司機帽），接送小牡羊在各個活動間奔波。因為你們是同一個星座，所以對於彼此內在的自我需求有一定的理解。妳不是個直升機家長，但會時時警惕他的一舉一動。小牡羊跟妳一樣橫衝直撞，覺得爬到垃圾堆上學習如何飛很有趣。哎呀！為了避免他刺傷、撞傷及開始玩角色扮演，家中得加裝額外的保護防撞措施。

你們都野心十足。當妳為孩子加油，希望他成為最好的自己時，牡羊座孩子會更感激妳對他的鼓舞，妳會也獲得相同的回報；談到捍衛妳的理念時，孩子每次都會站在妳身後，為他的超級媽媽重振旗鼓。

不合部分

照顧牡羊座寶寶可會讓人耗費精力；當他肚子餓、疲憊或單純覺得無聊時，可是會展現世界級的壞脾氣。你們都想要立刻滿足需求，但是為另一個人提供需求呢？哎呀，真的很痛苦。妳想要獨自一人完成計畫，需要時能自由來去。不過小牡羊停不下來（聲音大到像個女高音）的阻礙，會拖住妳一些更重要的冒險，而且你們都固執得要命，脾氣都非常暴躁，於是沉思及不理睬的態度，是牡羊座另一個能採取的對策，點燃一場冷戰能讓家中清靜幾天。

妳是家裡的蜂后，但是妳的迷你版性格獨立，不喜歡遵守規則，鐵腕政策只會讓小牡羊的態度越演越烈。如果你妳想要他合作，就必須解釋命令背後的理由。嗯，為何不試試呢？媽媽，妳現在是在扮演一個領導者，妳會發現如果妳的決定邏輯是清楚的，這隻擁有先見之明的公羊就會跟妳合作。

牡羊座媽媽 ♈ & 金牛座孩子 ♉

合拍部分

雖然牡羊座和隔壁鄰居金牛座只有少許的共同點，但家務相關的事物會是妳們產生連結的部分；立刻下訂那張大尺寸的沙發！由金星掌管的金牛座孩子會發展成熱衷於文化的人，向妳介紹一些稀有的樂團和電影，促使妳成為一位酷炫媽媽。金牛座喜愛傳統，牡羊座媽媽喜歡慶祝，你們會將一場狂歡的生日和假期合而為一。公羊與公牛都有引發激烈競爭的天性及暴躁的脾氣，你們會突然間性情爆發；請在娛樂間準備好一組沙袋，或是與孩子一起參與家庭運動社團來發洩情緒。

你們都喜歡寵溺自己，但願妳能在金牛座熱愛奢侈品的青少年時期，控制好逛街預算。你們都重視認真工作的價值，請支持勤勞的公牛在商場裡打工，彌補因開學而瘋狂購物的損失。妳關心整體全貌，金牛座喜愛分析細節；如果妳能屏住氣靜靜等待更慢、更具體的想法湧現，就能從孩子身上學習到一些東西。

不合部分

基本上，妳和孩子以完全不同的速度移動！金牛座討厭匆忙，能量十足的牡羊座媽媽總是忙個不停；讓無精打采的公牛在休假早晨換掉絲綢睡衣，將會考驗妳的耐性。雖然妳喜歡築巢，一旦妳感覺被困在裡面太久，會變得過於封閉；不過對孩子來說並非如此，愛家的金牛座孩子覺得家是心之所嚮。媽媽，請試著在家中準備一些活動，因為與孩子一起長時間待在家，對妳來說更具挑戰。精力過剩的牡羊座媽媽，對於嘗試新想法和展開重要計畫會很興奮，金牛座孩子則喜愛可靠的方式，可能不太願意跟妳一起參與冒險。你們都很易怒，當其中一人生氣時，脾氣很快就會一觸即發。牡羊座媽媽生氣前請先倒數十秒，多做幾個深呼吸！

牡羊座媽媽 ♈ & 雙子座孩子 ♊

合拍部分

你們是聰明的母子檔，同時都有與生俱來的辯才能力，你們的話匣子一打開，絕不會有冷場的時候，嘴裡總是充滿令人耳目一新的至理名言（推特信息不斷！）。勇士牡羊座與反主流者雙子座喜愛爭辯，而雙子座孩子能在不激怒妳的情況下，按照妳的思考脈絡做出回應——那是因為好問的雙子座是出自於真誠的好奇心，而不是想要挑戰妳。舉例來說，當他問為什麼不能跑到街上時，這是因為他真心想知道原因，比較不介意別人批評的雙子座，會接受妳的回饋意見並去實行。牡羊座和雙子座都不喜歡無聊，你們在家時經常會一起發掘一些新事物，像是做些木工或一起在旁工作。準備培樂多（Play-Doh）的飛機模型組，讓小雙子在妳為某個工作提案做最後檢查時，他能將心思花在模型上。能量十足的雙子座會讓妳的城市瘋狂之旅稍微放慢腳步，因為妳可能得擠出額外時間，停留在玩具店或時髦的孩子服飾店。但是，嘿，其實他這樣做對妳也很公平，因為小雙子積極地幫助妳在商店購物、影印文件、挑雙新的長靴。從許多層面來說，小雙子會成為妳最好的朋友，雖然妳在他面前很難成為嚴格管教者，但他會是個充滿樂趣、一同冒險的好夥伴。

不合部分

牡羊座熱情、情緒激烈，雙子座則是冷酷的風象星座，他需要退一步，以客觀角度看待事情，因此，妳要活躍的性格可能會使孩子無法承受。牡羊座媽媽果斷，雙子座孩子猶豫不決，對妳來說，很容易就想用執行決策來打壓孩子，但千萬不要這麼做！相反地，妳要教導年輕雙子座做決定的實用技巧，像是列出利弊分析。牡羊座媽媽基本上很獨立，然而雙子座是星座上的雙胞胎，他渴望經常性的陪伴。妳有時會發現孩子有所需求，尤其是在他學步期（而且不停歇）開始不斷地以「誰、什麼、何時、哪裡、為什麼……」接二連三的問題來考驗妳。

雙子座跟妳一樣缺乏耐心，可能無法安靜地坐在學校的椅子上（不要期待孩子會遵守老師的步調），小雙子內心裡可藏著一個小惡魔。有時候，兩個健談的人居住在同一個屋簷下會是個挑戰，特別對負責家務的其他同住者而言。當妳需要想稍微休息，脫離比妳還會閒扯的小孩時，請創造一些能讓妳獲得片刻安寧的區域。

牡羊座媽媽 ♈ & 巨蟹座孩子 ♋

合拍部分

巨蟹座是星盤裡的母性宮位，然而牡羊座是個寶寶——事實上，是個奇妙的角色互換。只要妳養育中的巨蟹座大到會燒水時，他會為妳泡杯熱茶。這個孩子的同理心難以想像，他願意且能夠直接專注在妳身上（一些明星牡羊座真心感激）。但是，等等……到底誰才是家長？妳也不要忘了詢問小巨蟹今天過得如何，畢竟妳可能也不想培養一位有灰姑娘情結的孩子。

巨蟹座男孩需要與他親愛的媽媽建立特別的關係。請大力讚賞他們，避免對他大聲命令。雖然妳想對他嚴加管教，但是他的敏感正是他獨特特質所在。牡羊座和巨蟹座都喜歡獨自一人，在自己的空間裡慢條斯理地處理事情。在不打擾彼此活動、共處在相同屋簷的情況下，妳會享受與安靜的巨蟹座孩子在一起的舒適感。你們都不輕易相信他人，所以妳敢打賭，任何小巨蟹帶回家中的朋友，都會經歷妳本身擴展社交聯繫時，相同嚴格的社交標準及忠誠度測試，唯有通過的人，才能打入公羊和巨蟹的世界。

不合部分

注意前方的情緒波動！巨蟹座孩子的心情起伏像坐上六旗遊樂園（Six Flags）的雲霄飛車一樣。雖然過去妳有一兩次大發脾氣，但妳對他的情緒起伏還是有一定的耐心限度。小巨蟹負能量聚集時，妳只希望他能擺脫那些麻煩，能幫助他的方式有溫暖的擁抱、熱可可、許多同理心，而不是用妳出名嚴格的愛要求他。牡羊座媽媽，請放軟！作為象徵基本的星座，巨蟹座和牡羊座都有強悍母性的一面（雖然在任何方面巨蟹座更像隻母熊媽媽），誰才是老大呢？這孩子可不會輕易認輸，會跟妳爭奪王位……喔，是蜂后。

有時可愛小巨蟹的保守價值，會對妳狂野的風格造成阻礙，妳可不要輕易掉入這孩子對禮儀規範唯命是從的陷阱。若妳想沉浸在更多的大人冒險時，先把孩子丟給祖父母照顧；這其實就是牡羊座想盡可能待在童心純真泡泡裡的跡象。

牡羊座媽媽♈＆獅子座孩子♌

合拍部分

大膽、愛現、喜愛成為眾人焦點且具魅力的牡羊座媽媽，與有明星潛力的獅子座公子哥；如果不是和孩子一起在演藝圈工作，那麼你們無論去哪肯定會吸引許多目光。作為火象星座的夥伴，妳和小獅子很容易就能互相協調；你們都是玩樂、冒險的愛好者，會一起狂歡，盛裝打扮看電影、戲劇和流行音樂演唱會。此外，你們體內充滿著熱情洋溢的靈魂！對話很快就會達到最大音量，讓你們得到不少白眼（沒人注意到）及嫉妒和打量的表情。

你們也是喜歡分享運動和冒險的勇者，會去遊樂園，參與其他令人興奮的活動（這些活動可能需要一些安全措施）。讚美會同時激勵牡羊座與獅子座，加上愛競爭的性格，你們會是激烈爭奪的雙人組合。問題是，你們需要知道競爭只是一場遊戲——牡羊座和獅子座都過於渴望勝利。

不合部分

如果舞台上只容許一位女高音登場？妳會暗中厭惡獅子座孩子輕易成為鎂光燈的焦點，更糟的是，妳可能會不經意地奪走小獅子的目光，在過程中扼殺了孩子的火花。雖然其他家長會看到妳：完美家長會會長和童子軍隊長的光鮮外表，但妳自己卻減少了參與孩子日常生活的時間，獅子座寶寶需要的是確保自己的領土，並非要和妳爭奪注意力和權力。妳不是個懂得悉心照料的人，但是小獅子對擁抱與讚美不間斷的需求，會把妳逼到邊緣。時間對獅子座來說不是個問題，他喜愛複雜的遊戲，每五分鐘就展開一場冗長又生動的故事，而妳原本就缺乏的耐心，會被這個孩子持久的自言自語磨平。

獅子座是十二星座裡的國王，他可能會挑戰牡羊座蜂后的寶座。獅子座嘗試開始到處命令妳時，權力鬥爭就此展開。不過如果妳並不想扼殺孩子崇高的性格，請給他領導的權利，賦予他做出重要決定。隨著時間流逝，妳會驕傲地看著孩子進入大學。

牡羊座媽媽 ♈ & 處女座孩子 ♍

合拍部分

牡羊座媽媽對事情很講究，凡事都得按照妳的方式完成，與一絲不苟的處女座有很多相同之處。當然，你們兩個可能會把標準服務生般的等級推到極限，而妳很樂意養育出一位獨立、果斷的孩子，不害怕任何客製化的請求，就像妳一樣。處女座是代表服務的星座，孩子會成為妳快樂的小幫手；給他任務，看著他發光發熱！對於總是需要幫忙、有太多外務的牡羊座媽媽來說，著實鬆一口氣。此外，確保妳有相對應的回饋機制，不然妳可能會不經意地強化小處女的殉道者情結。

妳和這個孩子意見明顯一致，可能會很驚訝孩子在很年輕的年紀時，彼此的談話內容就有一定的深度，最後還會共用同一個書櫃，而且你們都喜歡書店裡的自我提升專區。喔，你們也會用乾洗手劑——牡羊座和處女座都以潔癖出名。小處女的神經質可能會讓其他媽媽受不了，但不會是妳，而且妳很慶幸自己不用在充滿細菌的遊樂場閒晃。

不合部分

牡羊座媽媽是個有自信、愛自己的人，完美主義的處女座則在與自我懷疑對抗。媽媽，請在妳嚴厲的愛之中做些調和！小處女需要很多正面強化與鼓勵，任何否認的暗示（即牡羊座所謂的直接和誠實），都可能讓處女座掉入羞辱漩渦裡。

擅長研究的處女座，需要知道每件事的原因和如何運作，這孩子無止盡的提問會將沒耐心的牡羊座逼到發瘋——請儘速在妳的網路瀏覽器加裝防止兒童開啟裝置，並教導他學習使用 Google 查詢，不然就得安排每天提問的時段，在這時段，針對處女座以監督態度提出大量的好奇提問來幫他找答案。

牡羊座媽媽會大聲說話、浮誇且有點過頭，不過謙虛的處女座，可能對妳戲劇性的性格和裸露的服裝選擇感到猶豫、無法理解，妳大概也會受到保守孩子的一些指責。因此，去孩子學校時需要稍微低調，但相反地，也不要因此喪失自己自由的靈魂，牡羊座！孩子說不定有一天會欣賞妳的勇氣與大膽。

牡羊座媽媽 ♈ & 天秤座孩子 ♎

合拍部分

可愛的天秤座會將牡羊座媽媽理想化，讓妳很快就掉入這孩子的溫柔陷阱。是的，妳容易受到他的擺布；就像妳一樣，他是個少見的領導者。這愛好和平的孩子天生就有濫好人的傾向，不過牡羊座媽媽會確保孩子發展成一位有勇氣的人。相反地，天秤座孩子會幫助妳軟化姿態，讓妳更有合作意願且不那麼好鬥。

衣櫃！造型！你們喜歡隨時讓自己看起來很棒，在大眾面前像是一對時尚達人。此外，天秤座喜愛社交，這對妳活躍、馬不停蹄的生活型態來說非常完美。用熊寶寶揹巾將孩子包好，讓他參與妳的午餐會報、專業會議和晚餐約會。牡羊座是十二星座的勇士，天秤座代表正義的天秤；當為了追求共同目標而努力時，你們會是不可忽視的力量。讓小天秤在年幼時參加公益活動，之前由你開發的募款活動的參加者，或許會被具備外交手腕的孩子迷倒，現場觀眾很快就會為他的微笑酒窩和迷人風姿打開他們的錢包——讓這個世界更美好！

不合部分

牡羊座作為十二星座中的寶寶形象，妳會不斷地從最親近與最親愛的人身邊索取摟抱與愛撫；小天秤的小酒窩、女高音般的可愛要求，迫使妳讓他從的嬰兒床中爬出來——牡羊座，請不要為了渴望他人的注意力隨意耍脾氣！早晨可能是母子競賽間最糟糕的時刻。悠哉的天秤座不喜歡被催促，牡羊座媽媽則會變得非常沒耐心，就在妳等著女兒耍孩子氣，說她想要穿公主裙外出、或是等兒子精心挑選哪雙牛津鞋適合搭配襪子時，妳腳上的綁帶高跟鞋可能已經將家裡的硬木地板上踩出洞來。投降吧！這個孩子只是在教妳如何放慢腳步，享受每個時刻。

牡羊座的是十二星座的勇者象徵，天秤座則是和平主義者。妳面對衝突的各種發散性思維，可能會是關係中最大的痛處。妳不能讓關係擦槍走火，或用太直接的方式管教孩子，除非妳想讓孩子覺得不開心而哭泣，或在他成長為有勇氣的人之前，就阻斷他表達意見的能力（天秤座比起戰鬥更容易選擇放棄）。請深吸一口氣，讓脾氣冷卻下來。妳必須對天秤座這個迷人小傢伙保持更堅定的態度，當妳在設定這些規則時，也務必保持冷靜。

牡羊座媽媽♈&天蠍座孩子♏

合拍部分

妳從沒想過自己會是個控制欲強烈的母親，直到天蠍座寶寶出現在妳眼前。我們就稱之為命運、或是有很深淵源的前世歷史——你們的星座擁有神奇的連結。妳等不及衝到攝影棚，捕捉孩子每個成長的瞬間，妳很有可能在每次拍攝時，自己也跟著在一旁擺姿勢。忠誠的天蠍座會宣誓效忠他強權的牡羊座媽媽，他不是會質疑妳顯赫地位的孩子，而且他會跟朋友誇耀媽媽有多不可思議，有誰會不愛這樣的孩子？

牡羊座或天蠍座天性都不輕易相信他人，而且都容易變得有些偏執。妳得小心不要讓小天蠍養成強迫症的傾向，請抑制妳一些戲劇性、並帶有警告意味的故事。

你們都是成績出眾的高成就者，會一起分享對統治的渴望，而且如果你們有相同的興趣，你們會一起找到賺錢管道的契機。少年得志的天蠍座孩子可能直接接管家中事業（由妳的興趣所建立的帝國），青少年時期會先在妳的關注之下成長，未來則繼承妳的衣缽。

不合部分

因為你們之前有很深的連結，妳和孩子會形成「一起對抗世界」這種不太正常的互動關係。嫉妒特質是你們星座的致命傷；妳和朋友在一起時，可能會加深他對妳的占有欲——反之亦然！當你們一同合作達成任務時，妳身上激烈競爭的特質，會使你們成為一對銳不可擋的組合；但如果妳發現自己身在敵方，那要小心了！小天蠍的毒刺有種特殊方式會使妳受到嚴重傷害，而且在許多層面上，即使妳不讓步，孩子強烈攻擊和以復仇作為處罰的方式也會讓妳完全沒輒。

牡羊座作為一個獨立的女冒險家，會驕傲地敘述過往日子的瘋狂事蹟，就像搖滾樂愛迷的牡羊座媽媽凱特・哈德森。但請注意！雖然妳的叛逆篇章只是火象星座歷史裡電光火石的輝煌瞬間，但水象星座的天蠍座則容易出現自我毀滅的行為。因此身為一位家長，妳最大的責任就是讓天蠍座遠離麻煩；當妳計畫大肆玩樂一番時，請先將孩子送到奶奶那裡。天蠍座為了讓自己能在這個世界感到安心，他眼前需要看到的是個內心堅定、可依循的榜樣。

牡羊座媽媽 ♈ & 射手座孩子 ♐

合拍部分

可以說你們是最好的朋友嗎？迷人的射手座和媽媽簡直一模一樣：獨立、愛冒險，你們出去玩耍時，可能不知道到底何時回家。如果其中一人看到有趣的事時，很多時候你們會停下腳步、駐足不前。你們都是火象星座，妳是好鬥的戰士，射手座更像是有哲理的外交官；妳的神射手會冷卻妳暴躁的脾氣，在妳毀了一切之前提醒妳看到光明的一面。

牡羊座和射手座都以擅長運動聞名，不過小射手可能會有點笨拙，缺少妳靈活的運動技能。因此，妳在向射手座介紹妳擅長、需要更多協調性的運動時，請放慢速度，不然可能會看到小射手從滑雪練習坡上跌落的畫面。不過，這些跌跌撞撞會釋放出射手座源自於妳陽剛的一面，確實能讓妳從女高音的場域裡迎來休息片刻！你們天生就有創業家的性質，小射手或許會對妳的事業理想感興趣，甚至從年輕就開始幫忙妳發展其中一項事業。妳會開心地鼓勵他積極進取的做事方式，為他的檸檬汁生意建造一個攤位，甚至成為他大學畢業後第一個創業的天使投資人。

不合部分

牡羊座的直接令人膽怯，射手座則是完全沒心眼。如果妳尖銳的牛角與小射手的箭糾纏一起，事情可能變得一發不可收拾。作為火象星座，你們都容易怒火中燒，能自己在角落好好冷靜，可能是最好的解決方式。就請接受射手座孩子跟媽媽一樣天生的任性，感到很不耐煩嗎？當你們其中一人想去做什麼時，就是要現在去！不要拖著孩子參加活動，妳知道他不會享受其中。當聒噪的射手座孩子企圖干擾妳的好時光，抓著衣袖要妳陪他，特別是在突然說再見、發動汽車鑰匙前，此時妳最好先雇用個保母。

談到社交，你們的交友風格可說南轅北轍。牡羊座對於誰能成為朋友非常挑剔，小射手卻很明顯能和每個人成為朋友，從老師的可愛寵物到來自失衡家庭、衣衫襤褸的麻煩製造者。有時孩子邀請來家中過夜的人，會讓妳時常處於驚嚇邊緣，但如果妳樂意接受，反而能幫助妳拓展視野。

牡羊座媽媽♈&摩羯座孩子♑

合拍部分

小摩羯是妳期待已久的小神童，高成就、有幹勁的他，與妳具有相同的野心。就在小山羊為家族帶來榮耀時，妳會是每場頒獎典禮上感到驕傲的家長。有禮貌、有紀律且會自我調整的摩羯座是位模範孩子，他能陪伴妳歷經許多需要大量精力的任務。

有任何人要加入鄉村俱樂部的會員？關於挑選朋友，你們都有點排他——不是任何一個凡夫俗子都能找到方法，打入牡羊座或摩羯座的小圈圈裡。你們一起時，可能會變得有點精英氛圍，所以請小心，不要鼓勵孩子變得過於勢利。就算妳不那麼喜歡他托兒所的玩伴或籃球隊裡的孩子，但與其教他吹毛求疵，更應該教導他學習包容，及鼓勵他減少對他人的評斷。嘿，這代表妳也需要以身作則，牡羊座媽媽，這也會逼迫妳拓展自己的社會界線。

不合部分

牡羊座是十二星座裡的寶寶，摩羯座則是與父性有關聯，因此你們可能容易就進入角色互換的關係，孩子感覺就像是妳的家長。不過呢，至少妳不用擔心年老時還需要照顧他。把時間留給妳的晚年生活，另外也不要在孩子還早時就強加大人的責任在他身上。

摩羯座是天生的完美主義者。如果妳急於批評（將妳不假思索且未經思考的批判性意見脫口而出），可能會阻礙小摩羯座發展對達成目標的自信心。你們都相當固執，不過當妳說話比較大聲、更強而有力，會對感到脅迫的小摩羯造成反效果。摩羯座善於心計的方法能與授勳將軍的策略匹敵，哈囉，就是冷戰！先不要急著跟安靜的孩子說話或立即否決他的意見，不然妳的小山羊會先暫時撤退，然後準備藉由抽離情感，破壞妳為親密關係的努力，與妳進行遠距離的戰鬥。

牡羊座媽媽♈&水瓶座孩子♒

合拍部分

聰明的水瓶座孩子，跟媽媽的聰明機智和靈活簡直如出一轍，你們都有創新與奇特的想法，可能會一起發明一項產品或展開一場革命！孩子跟妳一樣想要改變世界，你們都有對正義的急迫性與熱情。

牡羊座和水瓶座都會邁向未來，這小水瓶傳承妳對於最新、最棒事物的喜愛，相對於妳他可能更沉迷於機械方面的事物——給他一些小玩意來制定目標，從此再也不會稱他為怪咖。

牡羊座和水瓶座是社交場合上的高手，你們會是派對上充滿活力的母子檔，通常是第一個到，最後一個離開；你們活動力十足、愛冒險，足跡遍行旅行、博物館到運動場。水瓶座是妳最重要的出遊夥伴，可能最後還會成為妳最好的朋友；你們都愛開玩笑，開個惡作劇玩笑會變成妳最喜歡的消遣，帶上會發出聲響的整人坐墊吧！

不合部分

即使身為一位母親，妳也需要藉由認同來生存——承認吧！妳喜歡孩子讚美妳。哎呀，不過妳精力充沛的活動能力不會從冷靜、超然的水瓶座孩子那裡得的「哇！」和「嗚！」的尖叫聲。

牡羊座和水瓶座都有反抗特質。無論妳有多前衛及善解人意，但孩子每次不可避免與權威對抗的態度，都是代表對妳的質疑，這就像對著鏡子看著自己一樣，這樣的感覺又更難承受（外婆是不是在旁邊竊笑？哎呀）。妳的鐵腕命令對水瓶座來說不太受歡迎，這孩子會以邏輯回應妳。因此，妳可以這麼做：如果妳做○○，就會有獎勵；如果妳做△△，就要處罰。當水瓶座感覺到有選擇時，他會覺得自己已經是個能自我做主的個體。

牡羊座和水瓶座都在與生氣管理做對抗；妳很容易怒火中天，水瓶座的脾氣則是來得快去得也快。對他而言，讓他感到不公平的地方容易煽動著他的怒火，而且，他不太會表露出受到挫折，這使得牡羊座媽媽難以察覺孩子情緒崩潰，也無法事先預防。（舉例來說，如果妳知道孩子不想做英文作業，是因為他覺得老師對他上一次報告的評分有失公平，妳就不會對他的不聽話太過嚴厲。）雖然妳的聲音中希望水瓶座能給妳線索，不過不要逼他一定得說出感受，不然可能會看到破壞性的怒火正蠢蠢欲動，這樣可不是一件值得高興的事！

牡羊座媽媽 ♈ & 雙魚座孩子 ♓

合拍部分

雙魚座通常代表消極，牡羊座卻表現得積極進取。這小孩很高興把韁繩交給妳，讓妳來管教他。從舞蹈課、禮儀課到青年社交俱樂部，無論妳夢想將孩子塑造成什麼模樣，性情不定的雙魚座都會接受，但這是好事嗎？這麼做會使得在形塑孩子性格時落入墨守成規，導致忘記教導雙魚座應該發展出自己的心智。

另外，也請確保培養小雙魚的興趣，不過這興趣得藉由積極觀察孩子來發掘。牡羊座和雙魚座都喜愛藝術，會成為無可限量的表演者；看是進入母子雙人跳舞比賽，作為能量十足的雙人組，盡情展現出你們的藝術天分來吸引他人。只是要記住，小雙魚話少做多，他可是會在不說任何話的情況下讓妳驚艷。

牡羊座媽媽，面對吧，妳對笨蛋的耐心非常少，但有時候可能太快拒人於門外。富同理心的雙魚座會教妳如何打開心房，反之，妳則會幫助理解力較慢的孩子設定界線並堅持下去——這對雙魚座來說是很重要的一課！

不合部分

牡羊座媽媽注重行動和清晰思路，對於生性飄浮不定、缺乏組織結構的雙魚座來說，人生就如一場夢。因此，妳馬不停蹄的生活方式會因而放慢，所以請準備好降低妳的速度。悠閒的雙魚座喜愛到了晚上還穿著睡衣四處徘徊，與他的玩偶朋友創造一個想像世界；或是玩著樂器，盯著某處看，沉浸在他的想像世界裡。哎呀，妳不能拖著輕飄飄的孩子陪著妳做太多雜事。這孩子老是從汽車座椅上進進出出，實在考驗妳的耐性，他喜歡在有充分的理由下，待在安全、舒適的泡泡裡。雙魚座的心靈接收器比大部分的人都強烈，妳的小雙魚會在這個空間吸收每一分能量。

牡羊座媽媽個性直接，小雙魚則是隱晦、甚至有點擅長操控他人，這時要設定邊界不太容易，而且會發現當妳其實想表達拒絕，但嘴巴卻說出「是」，這是因為妳受到這小小操弄者的影響。如果是共同養育孩子，請確保另一半在規則和管理，都與妳維持一致的態度。這個狡猾的小雙魚在妳否決他的請求時，可能會去找爸爸獲得許可！因此，請在板子上寫下家規，這樣在睡覺時間、門禁和家事上就不會有任何「不清楚的地方」。

金牛座

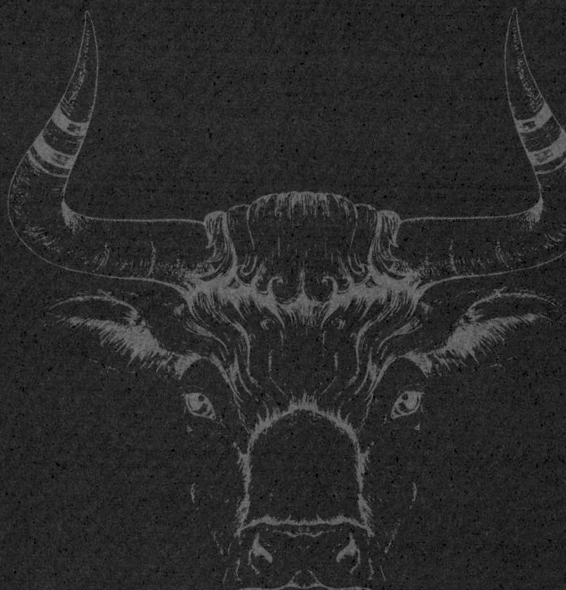

TAURUS

金牛座媽媽♉ & 牡羊座孩子♈

合拍部分

強悍的金牛座媽媽，與任性的牡羊座孩子性格都相當激烈、果斷。妳對信仰有極度的熱情，你們雙方在敘述自己內心世界時都不會有太大問題。妳也了解小牡羊難以取悅的品味，妳不在意為挑剔的小牡羊做個簡單的漢堡，然後為其他家人做紅酒燉牛肉。

你們都是手巧的補鞋匠，擁有對機械方面的天賦，像是使用樂高、複雜的木工組與模型飛機組，用雙手建構事物會幫助妳產生連結。金牛座媽媽與牡羊座孩子的體內都有個尋求刺激的靈魂，親子運動、遊樂園，甚至是高空滑索和高空彈跳都很吸引你們。雖然小牡羊的一些滑稽舉止可能會讓妳心跳停止，但妳也會默默地受到他的啟發，開始挑戰極限。只是要確認有設下一些限制，這樣小牡羊才會理解「心靈勝於物質」的道理，並不是他想跳上車庫屋頂時就會擁有飛翔的能力。

不合部分

發瘋的牡羊座會以馬不停蹄的腳步四處奔波，快速地轉換方向，妳通常有條不紊，在規劃好的行程裡排好路線，以悠閒的步調悠游前進。因此，嘗試跟上妳的迷你小羊可是很累人的！

妳是相對過時、傳統的人，牡羊座則是打破常規的叛徒；試著讓這孩子在宗教禮拜時好好坐著、或是遵守服裝要求時，總是跟妳拚到底的反叛兵。哎呀，金牛座媽媽，妳可不能依照教科書管束牡羊座孩子，這頭羊做任何事都是按照自己的方式，在所有育兒書裡絕不會看到有一樣的例子。不過也不要因此太為難自己，就算孩子比大部分人還晚斷奶（或從一開始就無法理解他），或是比大部分孩子身上多了撞傷和瘀青，也不代表妳就是失敗的媽媽。容易發生意外的牡羊看起來每次都會遇到麻煩，因此妳得預期自己全天候開啟追逐模式，家中最好也多加裝一些防撞設施。

金牛座媽媽♉&金牛座孩子♉

合拍部分

啊，你們就像一幅公牛與小牛甜美的景象。金牛座媽媽和小孩就像是豆莢裡的兩顆碗豆，掛在甜美草皮的田野上（換個方式說，像在妳柔軟的L型沙發上），或在看到揮舞的紅旗後又精神飽滿（也就是逛了一天的百貨公司特賣）。你們是會寵愛自己、感情豐富的母子檔，親密時間讓你們就像在純粹的天堂裡。

傳統、傳統、傳統！金牛寶寶沿襲妳對家庭的價值觀和對儀式的喜愛，對妳來說，他就是完美的小小監護人，妳能將祕密家庭食譜和祖先故事傳承給他。假期對你們來說也很重要，你們喜愛所有圍繞在身邊的儀式，從烘培料理、房子裝潢到所有親戚聚在壁爐旁的聚會；之後也會一起製作剪貼簿，將照片印製出來，用裝飾印章和手寫筆記，讓回憶成為永恆。

金牛座同時具有享樂和務實的性質，但也請確保傳承妳的一些常識給他，不然在妳發現以前，可能會多個頤指氣使的孩子，不過，嘿，他可能也會幫妳好好管教手足和玩伴，對妳來說也會讓育兒更輕鬆些。

不合部分

現在表演的是：固執者與更固執的人。任性的金牛座孩子跟妳一樣頑固，你們之間的鬥爭會變成無止境的領土之爭。妳的底線是：「我已經說了！」小金牛：「妳不要逼我！」唉呦。

你們對於改變較難適應，像是從斷奶、如廁訓練到第一天上幼稚園，每天的過度轉換都讓小金牛帶點抗拒感。「拋棄的恐懼」是金牛座的致命傷，在妳掙扎著要與小金牛分別時，他的恐懼會宛如海浪般掀起，妳的放手也會格外困難。嘗試讓兩個慢郎中金牛座離開家中，會是個磨練挫折的訓練；這孩子就跟妳一樣喜歡慢慢打扮與磨蹭。金牛座掌管道德與價值觀，當他到青少年時期開始受到挫折時，小金牛的反抗階段，有可能會使得他走向與妳不同的政治理念或宗教信仰的道路。此時請深吸一口氣，讓他發表自己的意見——並希望他能找到回家的路。如果妳知道自己盡力完成任務，並且已經為孩子灌輸了分辨好壞的能力，那麼就抱持一點信仰，相信他能做到！

金牛座媽媽♉&雙子座孩子♊

合拍部分

亂無章法的雙子座就像洩氣的氦氣氣球一樣亂飛，妳永遠無法跟上這孩子的瘋狂之旅，而且妳也不應該嘗試。他需要的是條理分明、有跡可循的方式——剛好是金牛座最擅長創造的東西。家裡對小雙子來說應該像個安全的港口，可預測且牢靠，好消息是，妳就是家中的核心築巢者！同樣地，妳是否也因此有更多的機會能向外探索呢？這就是為什麼雙子座對妳來說有如天賜之物。因為你們都是熱衷於文化的人，特別是對音樂的喜愛，小雙子會陪著妳在公園裡的演唱會跟著音樂擺動，增加許多照拍的機會。

用雙手打造事物也是你們都喜愛的興趣；手工製作蔬菜罐頭（妳自己發明的）、燒壺日間茶、建立遊戲組合。妳的雙子座會是熱情的助手，有可能為妳的傳統常規裡添加一些創意，真是天才！

不合部分

「為什麼？媽咪，為什麼？」這是雙子座最喜歡的提問。喔，不，對總按照教科書行動的金牛座媽媽來說，生活的各種疑問是妳最不感興趣的事。妳寧願事情單純，不是黑就是白，然而小雙子卻想在每個謎團裡找尋密碼，但妳卻興趣缺缺。雖然妳得因此做更多的功課找答案，但好處是，過程中妳能因此拓展自己的智力。

不需要鉛筆和書本？雙子座不是傳統的學習者，這對古板的女教師金牛座來說也很棘手，請忘掉那些對妳有效但千篇一律的課表。小雙子需要的是另類或磁力學校（類似專門學校），像是華得福或蒙特梭利的教育體系；另外要記住，不是因為他注意力缺失才需要，而是因為這就是他的行事風格，不要讓任何人為此貼上標籤，或是在沒有尋找其他可能性前就給予阿得拉（Adderall，治療注意力不足過動症的藥劑）。在家中，和雙子座一起沉默不會是金，一旦他的話匣子打開，絕對會阻擾妳的安靜時光，為這孩子的房間加裝防隔音設備會是不錯的主意，尤其遇到像許多雙子座孩子選了樂器把玩的時候。

金牛座媽媽 ♉ & 巨蟹座孩子 ♋

合拍部分

請給他牛奶和餅乾！身為兩個都喜愛舒適的戀家人，妳會慶幸妳的窩充滿溫暖與情感的氛圍。在這裡，妳不用保留自己熱心母愛的一面，因為巨蟹座喜歡被疼愛的感覺。妳可能一不小心就幫這孩子洗衣服洗到他結婚，甚至更久。與其用碎念或是逼迫他獨立，不如請這愛幫忙的小孩跟妳一起做家事，讓他轉變成妳的副主廚或花園裡的小幫手。另外，也可以帶著他一起工作，鼓勵小巨蟹離開外殼去探索世界。

保守、家庭取向的你們偏愛緊密的團隊關係，團員要不是親人、就是以完全忠誠付出獲得家庭地位的人。只是妳要確保自己沒有養育出一個性格過於內向的孩子，害羞的巨蟹座在交新朋友時，妳得稍微輕輕推他一把。巨蟹座是個美食家，妳自己也是個喜愛美食的人，警告：你們會把食物當作情緒的慰藉，得小心不要讓孩子養成嗜甜的習慣。在他身邊放一些健康的點心，並用妳熱愛巧克力棉花糖般的熱情，積極地向孩子宣導蔬菜的營養價值。

不合部位

是巨蟹座反應過度……還是真的有那麼嚴重？情緒化巨蟹座的敏感情緒對就事論事的金牛座媽媽來說完全陌生。哎呀，強烈要求這纖細的孩子克服問題，只會為他帶來更多的眼淚與難過。在擦乾孩子的眼淚前，需要考驗妳的耐心，但是卻因此讓妳變得更有同情心，過程中也不會像以前一樣嚴厲。

妳大而化之的態度，可能對需要保護的巨蟹座來說有點太過頭，因此當這孩子在場時，請維持「家醜不外揚」的表現方式，即使妳的朋友是一群態度開放的女孩也是一樣。當然，大部分的金牛座母親都有完美主義的特質，因此想在孩子面前表現出一切都好的樣子，不過若是扮演一位「鋼木蘭」會造成反效果的。情緒化巨蟹座需要看到妳柔軟的一面並以此與自己產生共鳴，在妳面前才能安心地打開心房；請慢慢地對他嘗試釋放一些親和的態度，分享妳的感受，不然小巨蟹最後會變得太過脆弱而容易難為情。

金牛座媽媽♉&獅子座孩子♌

合拍部分

女高音萬歲！愛幻想與時髦的小獅子遺傳妳對奢侈的喜愛，你們會去高檔的百貨公司，將孩子打扮得有型，在城裡最豪華、對孩子最友善的地方展現你們的作品；你們也是絕佳的星媽與明星孩子，根本就是令人驕傲的一對母子！妳甚至會帶著孩子參加選美比賽或巡迴參賽（請不要太介意用人工日曬膚色劑將皮膚漆成小麥色）。你們都是充滿愛心的人，喜愛被呵護與寵愛。親子SPA之旅會你們未來的目標，請開始存錢吧！

金牛座和獅子座都有傳統的一面且喜愛歷史，孩子會陪著妳參加祈禱儀式或城鎮的藝術之旅。獅子座會帶出金牛座媽媽有活力與愛玩的能量——枕頭戰、馬鈴薯袋比賽及家族飛盤比賽。如果有任何人能讓妳從沙發上起身，那就是這個孩子！即使妳的標準很高，小獅子也樂意滿足妳。藉由給他許多金星星促使獅子王展現出最好的自己，不過請小心，雖然妳想將大部分的工作態度傳承給妳忠誠的孩子，但千萬不要教導他不付出任何勞力就可以取得獎牌的心態。

不合部分

妳是個物質女孩，不過懂得何謂預算的概念；這孩子跟妳不一樣，小獅子對生活有龐大的慾望，總想要更多、更多與更多——教導獅子座金錢價值觀的同時，也請抑制自己對奢侈品的渴望。

獅子座的創意與想像力無邊無際，不過這讓妳實事求是的內心產生恐懼。注意，妳可能為了建立他良好的工作態度，比實際需要的還更苛求他。牛媽媽，這沒有問題，不過請提供他能力範圍內能做的事，暑假時把他送到農場工作，卻不讓他待在足球聯賽裡踢球？似乎有點過頭了。

另一方面，妳會用過多的口頭稱讚與寵愛來提升他的自信心，但實際上妳應該教導他分享榮耀與認同自己的同儕，畢竟自信是他不缺少的東西。即使妳會很驕傲地培養出一位領導者，但妳應該不想養育出自大狂妄的人吧。注意家中的兩位女高音！如果妳有個獅子座女兒，有時妳們可能會在暗潮洶湧下出現一些角力。妳喜歡參與孩子的生活，但請不要過度炫耀妳是多麼厲害的媽媽，在不經意的過程中搶走孩子的風采，請給他足夠的空間讓他在朋友間發光。

金牛座媽媽 ♉ & 處女座孩子 ♍

合拍部分

處女座是土象星座金牛座的好夥伴，孩子繼承妳腳踏實地、實事求是的生活方式，而你們又都是對事情按照規則的完美主義者。當妳為家中大門使用「Elle Décor」的風格裝飾時，孩子會一絲不苟地盡心擺放她架上的多莉玩偶，或根據年分、製作方式和型號將模型汽車擺放整齊。

處女座也是敏銳的生活觀察家，妳則是擁有直率、就事論事的生活模式。妳喜歡與這領悟力高的孩子分享各種發現，你們就像一對專業的批評家，分析每個細微差別，但請小心不要散發出妳覺得說八卦或一些無意義的話「是合理」的訊息。重複提醒、規則與例行常規，會幫助這焦慮的孩子擁有安全感，這些對妳來說是小事一件：安排在固定的晚餐和關燈時間、收起這挑食孩子難得喜愛的食物，然後只在每次重要的場合中端上桌。妳的小處女會幫助妳構思一些規則，如果他們弄壞東西了，他會指出哪種處罰才公平；處女座喜歡設定系統與培養責任的機會，他可能甚至會在妳沒開口說任何一個字之前，就自己去椅子上坐著冷靜。

不合部分

妳過於吵雜的風格對謙虛的處女座來說有點受不了，這孩子寧願退後成為背景的一部分，也不想強出風頭，哎呀！妳可能為了想減輕他的壓力，甚至在他感到尷尬時藉機取笑他，這是非・常・糟・糕的想法。請至少在孩子面前，稍微降低妳的音量和減少誇張的抱怨。也許妳只是想稍微抱怨一下，不過處女座是個擅長解決問題的人，他會開啟拯救模式，嘗試治療媽媽的傷痛。這對妳來說大概沒什麼，但對這敏感的孩子可是極大的考驗，因為他天生就是個焦慮的憂心者。除非事情真的很緊急，不然請妳小聲說話並保持冷靜。

處女座也是個完美主義者，妳不經大腦的想法可能會引發他的陰暗面。妳需要用讚美包裝妳的評斷，或是避免同時使用這兩種方式，完美的小處女很有可能會特別在意他的弱點，積極強化其自信是比較好的做法。透過讚美和鼓勵，妳會看到他的成長，而非總是在挑自己毛病的孩子。

金牛座媽媽 ♉ & 天秤座孩子 ♎

合拍部分

放鬆、認同與釋放。悠閒的天秤座與媽媽一樣，使用相同緩慢的速度行進，你們可能會把閒晃當成是種運動。金牛座和天秤座都是由優雅且浪漫的金星掌管，這讓你們都喜愛美食、高貴衣裳和美麗飾品；談到時尚品味，可說是有其母必有其子！妳認為妳早上已經花很長時間在挑選衣服和裝扮嗎？小天秤可是更略勝一籌，他對顏色和風格擁有獨特見解，也許從小小年紀就開始挑選自己的外出服。

不過你們可能是過得太悠哉的人，你們參加派對時通常以常人無法理解的慢速遲到，這會讓朋友、老師或玩伴感到失望，請試著在早上提早準備，以減少天秤座孩子的一些過失（與妳自己的一些壓力）。

請給我兩張電影票！天秤座就像媽媽一樣是個熱衷文化、欣賞藝術的文藝青年。妳不用等到孩子畢業才邀約他參觀博物館、音樂會和節慶，你們甚至可以開始玩音樂，先用塑膠樂器開始搖擺，然後再使用真正的樂器組團。

不合部分

對不講理的金牛座媽媽來說，這世界的道理就是非黑即白，然而天秤座卻喜歡思考事情的灰色地帶，不停地思考，在妳等待天秤座做出決定時，可是會增加妳不耐煩的頻率！反之，小天秤可能會討厭妳不斷逼迫他快做決定。和諧的天秤座喜歡合作與夥伴關係，金牛座媽媽則偏愛強行進入與扛起責任，簡直分秒都帶給這孩子莫大壓力。注意，不要以為天秤座配合妳的遊戲計畫，就設想一切都很好，維護和平的天秤座孩子，或許只是為了不造成衝突而犧牲自己的願望——這肯定是造成日後埋怨的原因。

外交大使天秤座喜歡在各行各業交朋友，這樣的舉動可能會激起妳內心勢利的一面。請拋棄妳可預期的習慣，讓天秤座「大愛」的態度幫妳對不同文化、哲理與生活方式打開心房。

金牛座媽媽♉&天蠍座孩子♏

合拍部分

金牛座和天蠍座是完全相反的星座，要不是一拍即合，不然就一觸即發。妳堅強、可靠的天性能幫助焦慮的天蠍座放鬆、感到安心；反之，孩子的忠誠度與精明、有策略性的舉動會讓妳感到自豪。請注意小天蠍和妳一樣天生就有遺棄情結的課題。妳了解他需要更多安慰與擁抱，也許得一週兩次兼職當班級監督者。因為妳喜歡參與孩子的生活，妳會發現這樣緊緊依偎的關係很迷人，只是要小心不讓天蠍座誤以為這世界是個令人害怕的地方。妳是個意志堅強的人，能教導孩子面對批評時不會輕易退縮。

你們都不喜歡改變，會自然地進入彼此的生活領域，發展出對彼此存在都感到舒適且有吸引力的習慣。這是舒服的寂靜之聲嗎？你們喜歡待在自己的小宇宙裡放空，在那裡提供許多空間做夢。一直待在妳所創造的舒適泡泡裡，未來某天可會在天蠍座離開鳥巢時遇到問題。

不合部分

你們的心情都容易受到波動，不過天蠍座的黑暗面會持續比妳還長。當孩子甩著門、哭著說「讓我一個人！」時，妳可能會直接魯莽地衝進去，要他現在立刻處理。高壓手段這裡並不管用，金牛座媽媽，請讓孩子私下一個人消化，最後他會克服難關的。

實事求是的金牛座媽媽只看表面就信以為真，然而天蠍座通常會挖掘隱藏在背後的原因；天蠍座非常注重隱私，但妳卻相對性急且直言不諱。在妳分享「有趣的故事」時請先三思，尤其在任何會提到天蠍座或讓他感到尷尬的場面。一旦你們之間信任被破壞了，便很難再重新取得他的信任，此外，他可能還會記在心裡。年輕的天蠍座可能會在網路上公開妳最尷尬的瞬間作為報復。哇，超級尷尬！

睡覺時間應該也會很有趣。天蠍座是夜貓子，但妳呢？妳到了晚上就會有點嗜睡，這孩子會在妳打瞌睡時發生一些意外事故——請將餅乾罐關緊！

金牛座媽媽♉ & 射手座孩子♐

合拍部分

喜歡做自己的金牛座和射手座擁有相同坦率的頻率，不過小射手的直率可能又略勝妳一籌。幸運的是，妳喜歡聽取孩子大膽的想法，你們之間會出現許多擊掌和表示贊成的肢體語言，當然還會有許多笑聲。

頑皮的射手座孩子喜歡走入大自然，這會引出妳樸實的一面。他會讓妳換下ＣＫ服飾，帶上露營裝備。在家中，種植植物會是妳和喜愛自然的小射手產生親密關係的有趣方法。

你們都寵愛自己，尤其在食物上更是如此。射手座是由盛宴之神的木星所掌管，妳則是屬於享樂的金星。妳把東西烤焦會是家裡津津樂道的故事；你們都很難抗拒偷咬一口在特別場合製作的蛋糕。請準備健康的食譜，讓小射手維持正常的體重範圍。

金牛座媽媽努力賺錢，射手座一樣很有野心；帶著射手座跟妳一起工作。說不定在妳發現之前，這小企業家可能已經發展了割草事業（誰知道還有沒有其他的），這會讓注重物質的妳感到驕傲。

不合部分

哎呀！你們都會不小心說出一些真相，不過有時太過一針見血，反而會戳中你們的要害，妳未經思考的評論會讓射手座孩子感到洩氣，反之亦然。因此，妳需要教導孩子一些應對策略——嘗試以身作則的方式。金牛座媽媽做事有條理，相信欲速則不達，射手座則是飛毛腿岡薩雷斯（Speedy Gonzales）的化身。要讓這孩子穿上妳覺得可愛且講究的套裝或戴上蝴蝶結，需要一些運氣，他可能很快就直接脫掉，搞得一團亂。獨立的射手座喜愛自己挑選衣服，結交自己的朋友，但是妳會發現自己很難不去插手。談到社交，金牛座媽媽偏好按照出身交朋友，不過喜歡同樂的射手座，則會與來自不同階層的人做朋友……是的，即使是妳不喜歡的那種朋友。

妳無法將妳的價值觀加諸在孩子身上，尤其談到信仰的時候。他有他自己的信仰，妳只要確認要求他提供感想即可，之後妳會對這位小蘇格拉底表現的智慧感到驚呀！

金牛座媽媽♉&摩羯座孩子♑

合拍部分

工作認真、可靠、有紀律，你們簡直就是天生的母子檔。培養摩羯座成為媽媽的小幫手，因為妳從不知道，會不會有一天一起打開家中事業的大門。金牛座和摩羯座都喜歡象徵社會地位的事物，小摩羯長大後會開始分辨愛馬仕與H&M的差異，妳當然也會多一位逛街夥伴。哎呀，這個可能太貴了。

談到家庭，妳和摯愛的小摩羯都擁有忠誠的特質；摩羯座孩子以照顧其父母的特點聞名，妳是喜歡把孩子放在身旁的媽媽，無論經過多少年，彼此的距離依舊非常近。金牛座媽媽是個規劃者，摩羯座孩子則是打從出生以來就展望未來。因此，妳喜愛想像女兒未來的結婚典禮（她現在還穿著洗禮袍），或是在計畫兒子進入大聯盟（他才剛準備第一個小聯盟練習）。雖然想像未來如何很有趣，但也不要忘了享受當下。

不合部分

雖然金牛座媽媽是個堅毅不饒的人，但同時也相當多愁善感，摩羯座通常不太展現自己的情緒。妳想要滔滔不絕地表達愛意與心情，但孩子可不想妳在雨中給他一個吻，不用了，太超過了。

就像妳一樣，摩羯座是個完美主義者，但這孩子的狀況又更嚴重。妳漫不經心的評論可能變成嚴厲的批評，使摩羯座掉入過度追求成就、自我鞭策的漩渦裡。如果妳注意到孩子過度工作、皺緊眉頭，這可能是他想嘗試贏得媽媽認同的徵兆。請避免讓他掉入陷阱，盡量只使用正面的強化方式鼓舞他，讚美而非奉承，對摩羯座很有效，身為一個努力工作的人，他會為此感到驕傲。

這孩子不會讓居家的金牛座蜷縮在沙發上太久。大眾化、活躍的摩羯座會參與所有事物，從運動、童子軍到夏季舞台戲劇，妳會和其他家長一起規劃開車出遊的表單，或是因為擔任孩子的司機而疲於奔命。

金牛座媽媽♉&水瓶座孩子♒

合拍部分

這孩子是來自不同的星球嗎？他確實讓妳有這樣的感覺，不過妳還是很享受看著聰明、有創意的水瓶座逐漸萌芽成一位瘋狂科學家。妳行事一板一眼，水瓶座則有創意力，給他化學組、火箭模型組以及樂器發揮創意。手工的事物能幫助你們建立關係。計畫派對和邀請朋友是你們喜歡做的事；水瓶座跟妳一樣是個社交高手，雖然你們會吸引到完全不同類型的人！不過，若妳高雅的創意力符合年輕水瓶座古怪的創意時，那麼生日派對、假日慶祝及家庭聚將變成家中的傳統。

水瓶座是代表人道主義的星座；談到貧窮者，妳也擁有寬容的心。你們能參與社區服務團體，在小水瓶年輕時激發他善良的一面。水瓶座也會有叛逆的時候，這傳承自妳瘋狂的特質。當孩子長大時，妳會有個一起享受極限運動與體能挑戰的死黨，妳也會很高興旁邊有個要確認安全帽有沒有帶好的孩子。

不合部分

就在妳穩穩踏在土地時，宛如宇宙太空人的水瓶座，可能還在他的夢幻之城裡迷失方向。要理解這孩子的奇特想法並不容易，他偏左派的想法有時會讓妳覺得不可理喻。請嘗試盡量不要批評他實驗性的藝術計畫、龐克搖滾的芭比髮型、或從角落發出奇怪的外星人聲音。畢竟他就是妳生出來的——是十二星座裡的反抗者！談到人，妳對於人群中的特定類型可是有敏銳的觀察與偏好，不過凡事皆可的水瓶座，會與鎮上最不平凡的人、也會與班上最狂野的孩子交往——從各種文化到社經背景地位的人都有，是時候讓孩子打開妳的心房跟眼界了。

如果金牛座給人有種老師的氛圍，水瓶座就會是班上的小丑。對此妳需要稍微放鬆，重建一些幽默感。緊抓著缺點不放，無法讓水瓶座好好地就範，如果妳想管教他，請將家務變成遊戲。水瓶座孩子非常愛玩，帶點創意的方法會讓他們更快成為妳的快樂小幫手。

金牛座媽媽 ♉ & 雙魚座孩子 ♓

合拍部分

想像力豐富的雙魚座，和妳一樣擁有藝術氣質及對聲音方面的喜愛——一起跳舞、唱歌和參加演唱會，是身為音樂愛好者的你們最寶貴的消遣。妳是個酷炫媽咪，會帶著雙魚座青少年參加他人生第一場現場演出。帶上豐富的糕點，為他穿上有摺邊裝飾的外出服，這孩子不會在意穿上孩童版燕尾服、或是有許多柔軟蝴蝶結裝飾的三層蛋糕裙。畢竟妳一直等著這些換裝派對的到來，牛媽媽，童話般可愛的小雙魚也很享受其中。不過請調好鬧鐘；你們都是需要大量睡眠的人，若是舉辦了「睡眠派對」，在學校第一堂課鐘響前，就必須督促還在睡夢中的小雙魚快點起來。

妳內在的控制欲與這孩子不相上下。雖然雙魚座孩子有被動的時候，不過他也會跳出來指責他人，而且還有點道德魔人的氛圍。聽起來是不是很熟悉？看到小雙魚要求遊樂場裡其他小孩遵守規則時，妳會在一旁暗自竊笑，感覺真是似曾相識。

不合部分

金牛座媽媽是個堅定的現實主義者，雙魚座則是具有夢幻特質的星座，你們之間會產生極大的差異。人們極少對於妳的觀點有所疑問，畢竟妳表達地非常清楚；但是雙魚座是個變色龍，會根據游入怎麼樣的人群做適應。作為一個堅守自己價值的人，妳對於孩子無法維持自己立場感到掙扎。妳的態度堅定，雙魚座則容易輕信他人，這會引發妳過度保護的天性。這個太過相信他人的孩子需要正向的朋友來影響他，但也有可能被麻煩者拖累。妳必須更親力親為，為他的社交生活給出更多指引。因此，對金牛座來說，能夠輕易逼迫雙魚座小孩，比起反抗妳，他反而更容易屈就。不過不要因為孩子看起來什麼都同意，就認為一切都是正確的。不常表露自己的雙魚座需要放下他的害羞，需要別人鼓勵他表達真實的情緒，得先讓他感覺這空間是安心且放鬆的，他才願意開口。如果妳真的想知道孩子在想些什麼，請減少自己先入為主的評斷。

雙子座

GEMINI

雙子座媽媽♊&牡羊座孩子♈

合拍部分

精明的媽媽與思考敏捷的牡羊座可說棋逢對手。小牡羊頭腦清楚，能跟上妳聰慧的評論與如魔法世界般的神奇想法。你們身上都有古怪的因子，他可能會無意間讓妳進入電子線路的世界，從零件組成裝置，讓他的人生變成一場科學展覽。

陷入沙堆裡？絕不會！你們的注意力很短暫，孩子會永遠處在活動的狀態，絕不會在任何沙堆或遊戲裡待太久。就像妳一樣，牡羊座是個愛玩、帶有膽大特質的人，他會找一些原因帶妳一起去遊樂園、滑雪板、岩石攀岩場。從許多方面來說，這孩子會是妳最喜愛的出遊夥伴。

不合部分

若妳沒有符合他「挑剔且緊急」的需求，像是吃飯、離開、睡覺或任何其他要求時，牡羊座的脾氣會突然變得驚天動地，而妳對他易怒、完全無理的要求也很性急。此時，妳得深吸好幾口氣，從十開始倒數以維持理智。

牡羊座孩子與雙子座媽媽之間，最喜歡對話的主題就是「我的、我自己以及我」。有時候你們會為了鎂光燈產生競爭心態，尤其是比起聆聽，你們更想說話表達。獨立的牡羊座也需要許多自己的時間，他對房間具有領土意識；活躍的雙子座媽媽可能比自己想得還更喜歡待在家中，這樣孩子就能繼續完成他未完成、但體積太大難以搬到車上或推車的計畫。

雙子座媽媽♊ & 金牛座孩子♉

合拍部分

風象星座雙子座媽媽和土象金牛座孩子並沒有太多的共通點，不過可能是對很奇特的組合。你們會替彼此提供很好的平衡。小金牛引發出妳更居家的一面，讓家裡充滿笑聲與活力。你們都是手工ＤＩＹ愛好者，會利用假日布置與生日派對盛宴，可能很快就威脅到生活風格女王瑪莎，甚至在網路商店展開新事業，販售起你們的手工商品。

有實驗精神的雙子座媽媽，會讓固執的金牛座孩子打開心房，嘗試新的活動、食物及友誼（有別於他過往以狹隘目光所結交的朋友）。你們都是音樂狂熱者，開始跳起舞、在公園裡參加演唱會，也許某天還會舉辦親子即興爵士樂表演！

不合部分

遵照例行常規生活的金牛座孩子喜愛傳統，但雙子座媽媽經常做些沒意義的舉動（妳放棄了聖誕節假期，卻支持家庭衝浪的計畫讓人覺得莫名其妙）。金牛座是個規劃者，比起措手不及，他更喜愛事情如預期展開；在某些層面，妳討厭能預期的事。如果妳想要小金牛感到安心與安全，就得減少吉普賽人的生活方式，及隨時改變方向與計畫的習慣。

由感性金星掌管的金牛座孩子需要大量的呵護，擁抱讓妳快樂、肯定，但是當妳受到金牛座的控制時，會希望能獲得更多的空間。金牛座相當嗜睡，要將孩子從床上拖出來，非常有可能會拖慢妳快速的生活步調。

雙子座媽媽♊ & 雙子座孩子♊

合拍部分

有任何人要參加極限野外活動？對從不會累的雙子座母子來說，每天都是瘋狂的冒險以及行程滿檔的旅行。變化是雙子座人生的調味料，當你們處在同一個頻率時，會宛如身在天堂般，哈囉，最佳玩伴！你們都喜歡捉弄他人，在與其他家人成員開玩笑時，會在一旁咯咯地笑著，爆開的花生罐頭或其他一些惡搞的小禮物，都是你們的隨身法寶。

迷你小雙子會隨時掌握潮流趨勢，讓妳更容易維持酷媽媽的理想狀態。他能滔滔不絕地舉出樂團、演員和流行趨勢（有其母必有其子），盡量讓妳的腦中資料不斷更新。雙子座喜愛遊戲，妳應該與孩子一起讓家事隨時保持愉快、有趣。只要你們在一起，整個家裡就會充滿樂趣，嘻！

不合部分

資訊過載！你們忙於交流資訊，可能只是滔滔不絕地說些有趣的事情。暫停一下，媽咪，請先好好聆聽，也確保小雙子也跟妳做一樣的事。八卦是雙子座會掉入的陷阱，當你們在一起說些什麼時，可會真的傷到別人。妳必須克制自己吹毛求疵的行為，不然會把這個壞習慣帶給孩子，另外，也請雙子座媽媽注意，不要讓孩子向其他家庭成員抱怨、說壞話！最糟糕的場景是妳或孩子的閒話，使親戚間產生裂痕，這真的非常糟糕。

管教小雙子時，「因為我這麼說」這句話並不會出現，這個孩子就像妳一樣。需要利用的是知道「為什麼」要這樣要求他。有時這對母子間的攻防戰，感覺就像一場充滿心機的棋盤比賽！

雙子座媽媽 ♊ & 巨蟹座孩子 ♋

合拍部分

這組合會是快樂的角色互換，而且你們都樂在其中。喜愛照顧人的巨蟹座孩子天生就具母性特質，雙子座的年輕性質則是永恆的象徵。當妳感到有壓力時，會是孩子端茶給妳，給予妳鼓舞人心的擁抱與建議，然後在妳無法承受時，他會在一旁安靜地做家事。反之，妳是一個態度酷炫、常給人刺激的角色，能夠幫助害羞的巨蟹座孩子打破沉默，與朋友相處，讓他從殼中爬出來嘗試新的活動。

巨蟹座的體內擁有一個老練靈魂，他可能會成為妳最好的朋友與摯友，有時甚至會以為妳是在跟另一個大人說話。這孩子非常懂得如何傾聽，給予對方完全的專注，聽妳說著故事和其他長篇大論。備註：他會記住所有妳說過的話，妳可能會有一些好聽的話……或是話中有話，開口前請三思！

不合部分

哎呀，妳是否打造出一頭怪獸呢？如果妳太常讓巨蟹座孩子（男孩或女孩）取代妳身為母親的角色，那麼妳可能必須奪回原本對家務的掌控權，尤其是家中還有其他手足時更需要如此——小巨蟹會變成自以為是的乖寶寶或小暴君。雙子座反覆無常，巨蟹座多愁善感，你們每一小時就會改變想法與心情，有時敏感小巨蟹的憂鬱心情會讓妳有些吃不消，要怎麼使他克服壞心情呢？

需要隱私的巨蟹座渴望一個人安靜地回到房間，然而妳響個不停的電話鈴聲或圍繞在家中的客人，都會打擾他的平靜，這也是為什麼巨蟹座害怕陌生人，也許他會對妳太過活躍的社交生活感到有些沮喪。

雙子座媽媽♊＆獅子座孩子♌

合拍部分

妳重視原創性，獅子座孩子絕對擁有這樣的特性，小獅子的創意力會撼動妳的心靈，更有共鳴。你們都是舞台上表現最精采的人，妳喜愛孩子在台上無所畏懼的存在感，你們在一起確實會吸引許多目光。對雙子座媽媽和獅子座孩子來說，人生就是一場換裝派對，換上金屬亮片的衣服、羽毛圍巾、高禮帽及披肩，你們都喜歡古怪、五彩繽紛的服裝，在任何場合都想穿上它們，萬聖節會是妳家最熱鬧的場合。因為妳是會鼓勵孩子勇敢表達自己的媽媽，妳也不介意如果小獅子想穿上他恐龍戰隊的衣服到幼稚園——尊重自己，也尊重孩子！

你們都相當非常善於社交。獅子座很願意跟著妳參加許多約會，和那裡其他小孩快速成為朋友；他就像雙子座媽媽一喜歡發現新事物及玩遊戲——讓全家人都能盡情享受樂趣。

不合部分

是否每件事情都那麼重要？雙子座媽媽容易小題大作，小獅子則會誇大其詞。一個小事很容易就被放大檢視，進而造成你們雙方一些火上加油的怒火。渴望讚美的獅子座需要他人不斷的認可，不過雙子座媽媽也是如此。你們會開始你一言我一句，讓周圍每個人都覺得頭痛。由太陽掌管的獅子座有時可能會忘記其實他不是宇宙的中心，比起容易分心的雙子座媽媽能給予的，他會想辦法要求更多的注意力。如果妳不先暫停手邊工作來認可這孩子的努力，妳的小獅子可是會鬧脾氣來搏得關注。對他來說，利用負面做法獲得關注總比被忽視好。

雙子座媽媽♊&處女座孩子♍

合拍部分

雙子座和處女座都是由象徵好奇心與表達的水星所掌管，你們都是具備策略的思想家，會對人生各種細節吸引的瑣事上癮者。小處女最喜歡的問題是「為什麼」，就像小時候的妳一樣（現在可能也是）。妳對孩子許多隨機提問的對答都能展現出自己廣泛的學識涵養，而且又有位如此急切的觀眾看著妳表演，這是件多麼令人開心的事。

你們都喜歡分析別人，而老成靈魂的處女座，對於進入妳生活範圍的人們自有準切評斷，會讓妳大吃一驚。只是要小心，處女座是個批評家，妳可不想養育出一個沒有包容心又愛批評的孩子。你們都是變動星座，很能適應變化。雖然處女座比妳更挑剔些，但他比起大部分的人更能適應妳反覆無常的心情和想法。

不合部分

處女座孩子跟妳相比，有非常不一樣的社交風格：挑剔且難以滿足，有時候還有點頤指氣使，孩子對妳朋友圈中各種性格來來去去的人（嚴格的性格）不怎麼感興趣。處女座帶有急躁不安的特質，因此即使他是個狂野孩子，也不想媽媽變成這樣。如果妳是個喜歡刺青、穿洞以及留雷鬼頭的雙子座媽媽，可能會從小處女那邊得到一些反對的意見與評論，因為他覺得妳跟其他媽媽不太一樣。

樂於助人的處女座嗅到問題後，會進入調停者模式。雙子座媽媽可是每件事都能嘮叨不停！雖然對妳而言只是在吐苦水，但處女座會將他聽到的抱怨當作危機處理。請減少在孩子身邊抱怨，這樣才不會讓他原本就焦躁或神經質的部分變得更為嚴重。

雙子座媽媽 ♊ & 天秤座孩子 ♎

合拍部分

風象星座的靈魂夥伴雙子座媽媽與天秤座孩子，你們會帶著生活之樂愜意地過活。天秤座愛好自然的特質振奮妳的心情，在陽光孩子的身旁，會對人生感到更積極、正面。反之，妳能幫助慢步調的天秤座跟上步伐，啟發這有涵養的孩子，享受世界所有的驚喜。他會是妳逛街、博物館之旅及現場音樂表演的完美陪伴者。小天秤像妳一樣，會受到各種細節吸引，分享對流行、藝術和音樂的喜愛。他就像媽媽一樣，可能會是主要的潮流引領者。孩子也遺傳妳聰明的特質，妳會花很多時間與他一起閱讀。有耐心的天秤座也是個完美的傾聽者，他會全神貫注地傾聽妳的長篇大論，請嘗試讓他也能說上幾個字吧！

不合部分

做決定對你們來說，就跟中樂透一樣困難，雙子座和天秤座都非常優柔寡斷，難以下決定。要妳從一個簡單的問題開始，可能就要花上很長的時間：到底要離開家裡去遊樂園？去野餐？還有那天到底要穿什麼出門？

感性的天秤座，對於冷靜的雙子座媽媽來說，有點太過甜膩；即使妳喜歡付出每個小時與孩子擁抱、用手指畫畫，但仍希望這孩子能稍微減少一些多愁善感的情緒。天秤座是十二星座的和平主義者，他想要每個人都相處融洽；雙子座則是不斷搞麻煩，妳想爭辯和質問每件事的需求，會搗亂孩子的和諧。此外，妳常對每個人或每件事都很有意見，不過請不要期待小天秤會站在妳這邊。他只會教妳如何克服這件事——這將是很棒的一堂課！

雙子座媽媽 ♊ & 天蠍座孩子 ♏

合拍部分

雙子座媽媽和天蠍座孩子之間有種強烈業力輪迴的連結，妳會感覺這孩子的保護欲，甚至是占有欲，他一點也不介意妳將他緊緊抱在懷中。直覺的天蠍座擁有第六感，他能感應到雙子座媽媽時常忽略的一些警訊，妳會從這孩子說出的警世寓言中，學習使自己第六感變得更敏銳。

雙子座和天蠍座都有偵探般的天賦，妳喜歡玩些帶有神祕元素的遊戲及拼圖。此外，你們也擁有如老鷹的眼力，會在尋到珍稀目標時感到喜悅，在孩子高中畢業前，妳可能已經積累了相當份量的珍奇收藏品。隨著小天蠍逐漸長大，你們會開始討論這世上所有的事物：政治、道德觀、媒體，妳會好好為小天蠍灌輸批判思維的技巧，即使妳不是每次都同意他的想法，但是你們彼此會成為深度的思考者。無論是妳或孩子都無法忍受蠢蛋，你們都喜歡挑戰智力。哈囉，我們可是英雄所見略同。

不合部分

雙子座不斷改變的特性，會讓象徵固定的星座天蠍座感到深深不安，天蠍座不喜歡讓自己變得措手不及，妳需要讓自己的生活型態維持得更穩定些。雙子座和天蠍座都過度仰賴策略性的思考方式，比起直接明瞭，你們更喜歡謀略。妳會試著愚弄天蠍座，告訴他蔬菜其實是糖果；妳的孩子則會操控妳為他完成作業；如果妳不想培養出天蠍座詭計多端的特質，「誠實」會是你們之間最好的政策。

天蠍座孩子與雙子座媽媽都有對他人懷恨在心的特質，以及你們很快就會認為別人沒有用處，不過其中差別就在於妳忽冷忽熱、反覆無常，總將敵人當成是朋友；不過天蠍座一旦將對方視為敵人，就需要花永遠的時間來取得他的原諒。因此，在這孩子面前時得小心所指責的內容，不然妳可能會感覺自己永遠都在說錯話。

雙子座媽媽♊&射手座孩子♐

合拍部分

隨心所欲又即興的射手座孩子，是妳終極的共同冒險家，一起旅行會是場饗宴——孩子的第一張照片可能就是護照上的大頭貼。雙子座媽媽和射手座孩子都是喜愛認識新朋友的社交高手，他跟妳一樣會認識許多人，但僅有少許的知心好友。射手座獨立，喜歡獨自一人完成專案，玩自己的玩具，這會提供許多妳想要的「個人時間」，妳不需要時時照料他，呼，真是鬆一口氣！

因為妳具備敏銳的幽默感，家中可能會像個喜劇俱樂部，笑聲不斷。射手座遺傳自妳能言善道的天賦，跟媽媽一樣擁有寫作的能力，你們說不定會一起開設部落格或寫些故事，畢竟你們都善於用文字表達。

不合部分

射手座是妳的對宮星座，你們之間肯定會有摩擦。一方面，射手座是十二星座追求真理者，妳則是以見人說人話、見鬼說鬼話的特質聞名。這有原則的孩子會要求妳解釋自己不斷改變的觀點（在大眾面前）；妳也出於相同的理由，發現孩子有時似乎有點自視甚高。到底誰才是大人？

射手座是個熱情的火象星座，雙子座是如風的風象星座。孩子突如其來的脾氣會讓妳不寒而慄、背脊發涼。射手座和雙子座都是狩獵者，但是如果你們兩個都專注在不同的目標會發生什麼事？妳與孩子的行程產生衝突時，他可是會突然勃然大怒，而且他可不是個喜歡跟著媽媽忙碌行程跑的孩子。因此外出時，請隨時在包包裡裝滿孩子最喜愛的玩具，這樣妳就能讓坐立不安的射手座靜下心來。

雙子座媽媽 ♊ & 摩羯座孩子 ♑

合拍部分

兼具野心與事業心的小摩羯跟妳一樣喜歡複雜的計畫，這快樂的孩子是妳重要的左右手。妳會有不計其數的想法，年輕的小摩羯樂意當妳的跑腿，幫助妳將這些想法逐一實現，妳也會對他的堅毅不饒感到驚艷。

年輕的摩羯座孩子會引發出雙子座媽媽少見的傳統面向，妳會更專注在孩子身上；反之，妳有點愚蠢的幽默感與有趣想法，會成為悲觀摩羯座的支柱。你們在星盤上有一些相同之處，只要你們能接受與欣賞彼此極為不同的行事風格，就能讓你們變成一對完美的親子檔。

不合部分

耐性、堅毅的摩羯座會選擇一個方向並堅持到底，雙子座媽媽則是不斷地從左轉到右，沒有定性，妳有時會發現孩子嘗試過度專注在同一件事情上。這孩子不能稍微放鬆嗎？而妳善變的風格會帶給孩子挫折感，畢竟他想要有足夠的時間來完成已經開始的事。摩羯座孩子一向信守諾言，就像聖杯騎士以遵守承諾為榮，妳可能在午餐前就做了至少三個承諾（然後忘記其中兩個）。請不要以這樣的方式跟小摩羯相處，因為他會將妳說過的話牢記在心。

摩羯座經常憂心忡忡，如果他是男孩的話，會特別想保護媽媽。雙子座媽媽習慣言語表達，因此妳應該小心不要在孩子面前抱怨，不然可會讓他感受到妳的低氣壓。若妳真的想抱怨，請打電話給朋友，並讓孩子維持他該有的模樣。

雙子座媽媽♊&水瓶座孩子♒

合拍部分

作為一對無拘無束、自由思考的遊牧民族，妳和小水瓶簡直一模一樣。沒有人知道你們四處遊蕩的靈魂會不會踏上某個冒險，並因為沿路認識的人而結束。非常熱愛社交的水瓶座，甚至比妳更喜愛人群（是的，非常有可能），只要你們其中一個人認識陌生人，妳會很開心鼓勵孩子發揮其健談的特質。

雙子座和水瓶座都對科技和科學有天分。你們對教育性電腦遊戲、科學展或其他如電線、電路板或神祕密碼非常著迷。創新精神十足的你們擁有許多非常特別的想法。說不定有一天就突然創立家庭事業！

不合部分

理想化的水瓶座會看到每個人最棒的一面，雙子座媽媽則是帶有吹毛求疵的八卦傾向——即使是妳喜愛的人也難逃妳時不時的苛刻批評。妳希望孩子不要跟所有失敗者當朋友，但請等一下，媽媽，其實小水瓶是在教妳如何學習包容，所以請對他「特別」的朋友打開心房。水瓶座是個有團隊精神的人，他喜歡圍繞著團隊做事。作為雙胞胎形象的星座，雙子座有時比較喜歡跟另一個人說話，而水瓶座的多人遊戲會把妳累壞，譬如孩子與他們同伴在旅行車後座的尖叫聲——哎呀！從某些層面來看，妳和這孩子太相像了，你們兩個都會失去理智，此時可能需要培養溫暖與情感的特質，要不先來個擁抱呢？

雙子座媽媽 ♊ & 雙魚座孩子 ♓

合拍部分

對雙子座媽媽與雙魚座孩子來說，人生就像一場夢。小雙魚傳承自妳喜愛想像及對幻想和童話故事的熱愛，對於孩子的裝扮遊戲、培養他內在創意力的部分，妳會義不容辭。隨興的雙魚座對妳不斷變化的心理狀態也能應付得很好。請拋棄任何待辦事項和行程，一起度過沒有行程安排的一天會更有趣，也許在城市最高建築的頂樓吃著冰淇淋聖代？

你們都對視覺線索有所反應，會分享電影、影集及各式各樣（音樂性）的現場表演。甜美的雙魚座會帶出妳柔軟的一面，幫助妳對人更有同情心；反之，妳會幫助天真的孩子磨練批判性思考技巧，培養他面對困難時能更堅強的性質。

不合部分

注意，邁向罪惡之旅！四處遊蕩的雙魚座比雙子座媽媽還更情緒化，妳低估這孩子對情緒的敏感；當妳發現雙魚座緊抓著痛苦不放時，可能會先忽略，最後感到震驚。習慣冷靜的雙子座，擦乾眼淚並不是妳喜愛的消遣，但這孩子需要更多的呵護，即使已經超出妳能承受的範圍。

雙子座媽媽有邏輯，雙魚座依賴直覺；妳有時對這孩子做決定的過程感到困惑，他通常不會按照常理衡量。你們都會被特別的人所吸引，但雙魚座會在任何人群中發現性格認真的人。談到孩子的朋友，請嘗試控制自己太過倉促做決定的習慣，但請確保指引他多跟積極的同儕相處，尤其是如果妳看到他嘗試拯救所有麻煩者時。

巨蟹座

CANCER

巨蟹座媽媽♋ & 牡羊座孩子♈

合拍部分

開始遊戲吧！兩個超級星座都喜愛運動且都帶競爭意識。你們在一起時會提升彼此的能量程度，避免讓任何一方變得自滿或懶惰。牡羊座和巨蟹座是具有領導特質的基本星座，妳對喜歡的事（就像霸道天后）又特別挑剔，對任何事只要擁有熱情都會做到極致。哈囉，母子檔超級粉絲！

巨蟹座喜歡被寵愛，牡羊座（十二星座的寶寶）會很高興收到禮物和關注，不過妳也須小心，不要讓這早熟的孩子變成令人擔心的調皮鬼。你們都有很強烈的情緒反應，沒錯，對所有的事；妳要對會造成情緒激動的場合做好心理準備，而且你們都強烈地擁有自我保護意識。不過無論你們吵得多激烈，只要在面對同一個敵人的時候，你們永遠會是彼此的後盾。

不合部分

小心安全！妳的小牡羊是否在還無法踩水時，就準備從游泳池的高板上直接跳下來？是的，這大膽的孩子尋找危險的古怪舉動與違反地心引力的特技表演時，會讓過度保護的巨蟹座媽媽每小時都嚇得心跳暫時停止。

在不同的領域裡，你們之間的差異通常很極端，這使得彼此的力量爭奪演變得更為激烈，尤其在與妳的價值觀和優先順序產生衝突時。獨立的牡羊座喜歡被寵愛，但卻不想被保護或太過親密，然而這正是巨蟹座媽媽的養育風格，家庭取向的巨蟹座媽媽，對於鬆開對孩子的控制讓小牡羊自由飛翔感到棘手。你們都是擁有敏感特質的星座，容易將事情放在心上，如果妳沒把正當的面向放在正確的位置時，會在很多時間裡感受到自己被冒犯而憤怒。如果牡羊座孩子破壞家庭傳統，去開創他自己新的道路，妳可能感覺被否定。此時，妳需要抑制自己依附與控制孩子的欲望。

巨蟹座媽媽♋＆金牛座孩子♉

合拍部分

親愛的，請給我遙控器。兩個愛家的星座都是一流的懶人，你們之間最大的爭執可能是搶奪寶貴的沙發區。作為具備最傳統與家庭取向的你們，應該不會有太多價值觀上的衝突，妳也不用擔心金牛座會離巢太遠，因為你們都有一些遺棄情結的課題。情感豐富的金牛座會很高興地接受妳的擁抱與感情，請放心參加嬰兒按摩課程或每天早上為女兒梳頭髮。

金牛座由象徵美學的金星掌管，音樂和藝術是你們共同的熱情。兩個星座都不喜歡改變，而且都有務實的一面，加上對美食、設計師服裝、宵夜點心及昂貴的ＳＰＡ療程的喜好，啊，多麼美好的人生！

不合部分

巨蟹座是代表情緒化的水象星座，金牛座則是體現執著又務實的土象星座。巨蟹媽媽會是你們之間較體貼的那一個！有時魯莽的小金牛會忽視妳的情感，一意孤行地前進。喔！妳可能需要耗費所有努力才不會前功盡棄或崩潰大哭。金牛座孩子需要勞動，即使妳想寵愛他，也要派給他一些工作。給予過多巨蟹座風格的親密摟抱，反倒會養出從沒離開圍欄、懶惰又為所欲為的一頭牛。

你們都很有自己的想法，所以罕見的爭吵會變成既冗長又痛苦的意志之戰。千萬不要嘗試改變這固執孩子的心，或提供情緒上的忠告；務實的金牛座會從痛苦的人生經驗中學習。此外，妳也需要額外努力維持體力，因為寵溺小金牛很容易就帶出彼此懶惰的一面。

巨蟹座媽媽 ♋ & 雙子座孩子 ♊

合拍部分

雖然你們是極為不同的星座，但還是有一些共同興趣，會一起探索許多有趣的事。巨蟹座和雙子都是文化愛好者，都喜愛藝術及需要實際動手做的活動。妳會發現你們對藝術表演、料理、木工與布置的喜愛，或是在都喜愛運動的活動。

你們在一起時會變得多話，喜歡討論關於樂團、書本、電視節目、節慶與最新的八卦。在派對上，你們也是對有趣的組合：在妳扮演完美的主辦人媽媽提供絕佳的布置與食物時，健談的雙子座會減緩妳的社交焦慮。有實驗精神的雙子座會讓妳嘗試過去不會做的新事物，妳則教導這位無拘無束的星座定居在新地方生活的價值。

不合部分

是否有位外星人先綁架孩子，然後再把他帶回來……？妳可能經常想著，像妳這樣傳統的人，怎麼有辦法教育這位專注力短的王子或興趣不斷改變的公主？第一個月是小喇叭音樂課，接下來是體操課、潛水課，妳會被雙子座孩子變化多端、各種有始無終的嗜好搞得精疲力盡。在他千變萬化的個性與妳善變的心情之間，很難找到相同的頻率。

此外，價值觀也是另一個癥結。雙子座缺少感性面向，妳卻渴望簡單樸實，這讓妳感到有些沮喪，妳的保護欲會使這隨心所欲的孩子覺得窒息。雙子座對待朋友就像衛生紙一樣，享受好處後，隨即丟棄，不過妳卻擁有一群經過考驗、可靠的朋友——祝福妳能建立一個不斷壯大的媽媽圈，作為固定互相交流的夥伴。

巨蟹座媽媽 ♋ & 巨蟹座孩子 ♋

合拍部分

家是心之所嚮，你們會在舒適、充滿愛的居所裡品味彼此的陪伴；料理、種植、布置、任何家裡的事物——就算離開家中也能一起享樂。家庭假期、夜晚遊戲、共享餐點，這些都是穩固關係，讓彼此感到安全的重要架構。

青少年叛逆期會發生在巨蟹座孩子身上嗎？非常不願意離開鳥巢的孩子，妳需要用一些鞭子或糖果來推他一把。你們都喜歡懷舊的氛圍，期待每年的假期、維持家中傳統並代代傳承；如果妳有女兒，那會有寵愛逛街之旅及分享彼此的衣櫃。作為天生的養育者，巨蟹座孩子會是保護弟妹的兄姊。嗨，媽媽的小幫手（省下昂貴的保母費）。你們都喜歡擁抱、疼愛與親密感，妳天生就理解這孩子敏感的一面。

不合部分

情緒崩潰！家中的所有情緒起伏，會在無意間累積成山，忽然打在妳臉上。妳可能需要好市多的會員，去買一堆家庭號面紙囤積。你們兩個都像個情緒海綿，互相依賴，不斷吸收負面能量，可能也將不安全感投射在彼此身上，進而導致醜陋的爭執。成為孩子最好的朋友或許「聽起來」很棒，但還是有其不好的一面。

巨蟹座孩子容易將媽媽理想化，用較高的標準看待媽媽以滿足自己的期望。不過就在巨蟹座媽媽離婚或粉碎孩子對完美媽媽形象的粉紅泡泡時，妳只能祈求老天幫忙了。任何阻擋孩子安全感的事物都需要立刻處理，也許可直接請求家庭心理治療師的幫忙，不然可能會上演一場顛簸的情緒轉換過程，甚至變成長期的內心傷疤。可以給我們一點樂趣嗎？因為巨蟹座害怕改變，妳會需要一些性格外向的親戚點燃他潛藏內心的冒險精神，避免讓你們變成一對孤寂的隱居者。

巨蟹座媽媽 ♋ & 獅子座孩子 ♌

合拍部分

再靠近一點，碧昂絲和蒂娜．諾爾斯。你們會變成一組超級孩子與星媽的組合。就在妳為孩子的無所畏懼（以及當他的經紀人支配並掌控表演酬勞）感到欣喜之餘，獅子座本來就喜歡在大眾前表演。他也喜歡被寵愛、呵護及在他旁邊低聲細語，這些都是巨蟹座媽媽樂意為孩子效勞的事。你們都想要彼此產生連結，妳會讓小獅子忠心地待在身旁，妳也會為他著迷。

這個外向、有冒險精神的孩子會讓妳從自己的殼走出來，啟發妳發現更多有趣的活動（此外，妳的競爭心態也會因為這孩子在遊樂場受到歡迎而感到滿足）。你們會分享對文化、逛街與藝術的喜愛，等於擁有能一起參加電影首映、百老匯外的表演、藝廊開幕儀式的陪伴者，一位魅力十足的孩子，他的自信能為妳打開以前絕不會接觸到的社交圈。

不合部分

請我一顆鎮定劑。停不下來的獅子座孩子就像是一個電力飽滿、上了發條的玩具，不斷說話、玩樂及表演反重力的特技表演，這些都讓妳時常擔心得快要心悸。巨蟹座媽媽需要一些安靜的個人時間，但妳不太有辦法獲得，除非妳將他送到寄宿學校。妳喜歡被需要，但是要安靜地被需要！獅子座想要受到他人關注的需求讓妳筋疲力盡，妳可憐的小蟹腳會疲於為這隻需要讚美的小獵犬鼓掌。不過因為妳習慣寵愛孩子，可能也會因此培養出一頭怪獸。請確認自己有設定清楚的界線，並在感到舒服的情況對他說「不」。否則妳會成一位暴君的媽媽，不斷迎合這隻自以為是小獅子無止境的需求；或者最後孩子變成失控、不斷追求刺激的人，其大膽行徑恐讓人直冒冷汗，尤其在他取得駕照之後會更為劇烈。

巨蟹座媽媽 ♋ & 處女座孩子 ♍

合拍部分

哈囉，家事女王！你們能一起將事業變成蓬勃發展的在地手工供應商。處女座和巨蟹座對所有ＤＩＹ的東西感興趣，其中也包括將錄音機拆掉後重新組裝，培養重要的剪貼簿習慣，或為妳的下午茶創造一桌精緻的茶組。

你們都是天生的照顧者，會照料脆弱的小生物。處女座孩子可能想要有個弟弟或妹妹，如果妳同意，就能有位現成的保母、廚房助手、打理家事的小幫手，這位摯友還會很高興地跟妳聊最新的八卦。你們的星座象徵語言，也會分享填字遊戲、雜誌文章及最喜歡的電視影集。說故事時間會變成親子書籍俱樂部，而且你們都對以前發生的老故事感興趣，能帶入很多情緒反應。處女座和巨蟹座都擁有個節儉的靈魂，喜歡收集與積累，相對的，也很難斷捨離！

不合部分

兩個星座都有指揮別人的傾向。雖然妳欣賞處女座孩子非凡的成熟與負責的一面，但當這位平常不太開口、眉頭緊縮的孩子，開始主動提供一些育兒建議時，可能會讓人感到震驚。嚴厲的處女座會傷了妳敏感的心，特別是因為土象星座的處女座不像妳總是那麼溫暖及善於表達。

這孩子拒絕妳過度關心，讓妳感覺自己的關愛都是多餘，可能妳需要領養寵物，或擁有另一個能讓妳付出關愛的孩子。雖然你們的性格通常討人喜歡，但都流於一成不變，對於事情如何處理、提供、組織和呈現等會特別挑剔。你們內心都有個戲精，只要有一方感覺被冒犯，內心的怒火就會油然而生（「你怎麼能這樣對我？」會是你們彼此之間很常出現的台詞）。你們都很珍惜個人時間，會努力在家中開創出屬於自己的私人空間，在那個區域不會有地盤之爭，會是彼此感到最舒服的角落。

巨蟹座媽媽♋&天秤座孩子♎

合拍部分

妳可能會有一位很淑女的天秤座女兒、或是都市型男的天秤座兒子，不過這位大器晚成的孩子不願離開鳥巢，直到妳用嫌棄地噓聲趕他離開。你們都喜愛漂亮的事物，像是裝潢、流行及藝術，因此要發現彼此都能享受的活動不是難事；可能甚至會一起舉辦以花朵布置、優雅且精緻的派對，搭配小天秤的手寫邀請函。你們也會是喜愛逛街與美食的文化愛好者，盡情享受生活中的美好事物。

你們會注意到其他人風格上的缺陷及穿搭失誤，畢竟因為有時你們有點挑剔。不過，你們對家人和朋友（即是對低俗的朋友也是）的情感都很深刻。對人生帶著開闊心胸及單純見解的天秤座孩子，會讓妳的人生避免變得苦澀或厭世。

不合部分

雖然妳的情緒波動，對妳來說是必要，還具備淨化心靈的效果，但那些情緒卻讓小天秤感到不知所措。妳可能需要保護孩子避免聽到負面的言語，以免他被妳的黑暗面影響，不小心掉進憂鬱的兔子洞裡——而且他比妳還更難從這裡逃脫。

在保護孩子與使他窒息間，可能只有一線之隔。這社交高手需要有舞台展現，但是他「全世界都是朋友」的態度，會令保護欲強烈的巨蟹座媽媽油然升起一股恐懼感。於是，妳可能開始窺探他的一舉一動，密切注意這容易受影響（有時還有點天真）的小天秤。

但你也有可能創造出一頭怪獸。天秤座可以很懶散，使巨蟹座媽媽做得半死。我們能說是妳讓他變成這樣的嗎？請不要被孩子的可愛迷惑，這會讓妳為他做所有的事、為他義憤填膺，然後這孩子卻比妳還冷靜，而且小天秤可能也會因此錯失為自己努力、形塑成長期需經歷的個人認同的機會。

巨蟹座媽媽♋ & 天蠍座孩子♏

合拍部分

兩個意氣相投的水象星座，信任他人對你們而言並非易事，且你們都不太與人交流。你們之間不需要解釋或討論就能互相理解，就算在同一個空間內，也能數小時不說任何一句話，各自沉浸在書本、拼圖或複雜的事情上，享受彼此的陪伴；但也不是說你們無法進行深層、有質感的對話。具洞察力的小天蠍通常擁有超齡的智慧，不過他其實是很脆弱的，需要妳的保護與照料。孩子每次向妳訴說祕密或尋求建議時，妳的心會完全開放，因為妳知道妳是少數幾個（如果不是只有一位）能進入這個神祕星座內心的人。

廚房是另一個形成連結的場所，你們都可能成為令人驚豔的廚師與烘培師。對食物複雜口感與質地的敏銳度，讓你們成為美食家！將你們最喜歡的獨立樂團音樂調大聲點，準備來場瘋狂的廚房派對！

不合部分

雖然擁有相同的喜怒哀樂幫助了解彼此，但當你們感到受傷時，彼此會變得疲憊不堪。在巨蟹座的蟹腳與天蠍座的毒刺間，你們會用自己的方式抨擊對方，破壞之間脆弱的信任。哎呀！就算是妳的怒火達到高點，也要格外小心不要用卑劣的方式攻擊身邊的人。

談到性觀念，天蠍座在星盤裡代表「性」，這孩子的感官能量會使巨蟹座媽媽感到不舒服。妳可能需要在比預期的再提早告訴他性方面的知識，確保這好奇孩子能學習到合適的界線及正確的生理構造。整體來說，天蠍座孩子甚至會比妳表現地還激烈。孩子進入青春期時，會容易變得抑鬱，吸收來自身旁的人的各種情緒。此時，妳需要處理好自身的情緒起伏，才不會讓敏感的天蠍座感到失望。

巨蟹座媽媽♋ & 射手座孩子♐

合拍部分

你們的星座特質根本是南轅北轍，因此應該會有許多有趣的連結——只要不企圖去改變彼此。外向的射手座會說服妳做些古怪但有趣的活動，像是卡啦ＯＫ、在眾人面前跳舞或為家庭演出戲劇；反之，妳會教導小射手禮儀、好品味及對文化的欣賞。坦率的射手座幫助妳說出內心想法（而不是默默地悶不吭聲），妳則教會他變得更機靈以及富有同理心。

你們也會在廚房和圖書館裡找到一些共同點，因為你們都喜歡料理、美食及學習。此外，當妳一時興起做些有收穫性的活動，像是耙樹葉、包禮物或木工時，會很容易與小射手產生共鳴。雖然這孩子並不是每次都會採用妳的建議，但當他帶著受傷的身軀與心情回家時，會感激妳提供他溫暖的擁抱。

不合部分

射手座是個善於處世且樂觀的星座，對於風險過於放心而且行事衝動、缺乏思考；自我保護的巨蟹座則會預期事情不好的面向，嘗試保護孩子免於潛在問題的攻擊——這也是你們產生衝突的所在。實際的射手座孩子寧願從人生學校中學習，而不是聽從妳自以為合理的警告，因此妳必須每天抑制自己向他碎念「我早就跟你說了」的心情。

巨蟹座擅長搞小團體，不過射手座則會和各式各樣的人結交作伴。大膽的射手座對所有事都保持開放、直接的態度，但這可會傷了妳柔軟的心。妳想逛法國精品店，他卻比較喜歡露營和戶外活動，而且如果是女兒，她會拒絕妳縫有摺邊的華麗外出服，這只求穿脫方便的寶寶，對於任何緊身或過分裝飾的衣服都非常排斥。因此，與其努力打造非常緊密母子關係，反而應該將彼此看成是來自國外、充滿好奇心的旅人或外交官，對彼此文化與習俗一無所知，這樣的狀況會比較好，只要以正確的包裝和份量呈現，就能提供彼此很多幫助。

巨蟹座媽媽 ♋ & 摩羯座孩子 ♑

合拍部分

你們是十二星座裡最負責且以家庭為重的星座——天生的照顧者與提供者。和摩羯座孩子一起，妳會滿心夢想創造出隔代遺產，傳承祖先留下來的傳統與習俗。你們會從經得起考驗的事物裡找到慰藉：經典小說、車子、舊照片以及不斷流傳的家族故事。

你們都有勢利的一面，會受到團體吸引，傾向以小團體的方式結交一輩子的朋友。妳從不用去想小摩羯和誰一起相處，因為那些朋友可能就是從幼稚園到大學畢業期間相同的人。這孩子喜歡帶朋友回家，這讓妳感到驕傲。當孩子與他的朋友在接客間等待時，妳會很高興為孩子摩羯座隊友扮演冷靜（但是合宜）的繼母，讓他們清光冰箱裡的食物或提供點心。在經歷混亂的青少年時期，妳甚至可能在孩子朋友與家長相處不愉快時讓他寄住。

不合部分

巨蟹座和摩羯座是星盤上的對宮星座，有時你們之間的差異可能會天南地北。水象星座巨蟹掌管內心，土象摩羯座則代表所有的義務、責任與謹言慎行——不像妳是由情緒驅使。請減少過度呵護的養育方式，巨蟹媽媽。

妳需要替孩子找到可以挑戰的事物，不斷設定標準，這樣他才會為新的成就努力，這也是他感到驕傲的主要來源。哎呀，妳出於直覺的養育風格可能太過感情用事，就在妳感覺到這個對自我批評又完美主義的孩子對自己太過嚴厲時，妳有需要為此做些巧妙的安排與周旋。除了擁抱與肯定之外，也必須督促自己給予他誠實的回饋與具有建設性的指責。雖然妳很渴望用擁抱緊緊環繞他、用親吻寵愛他，但是妳最好還是給他單手的擁抱與稍微親吻臉頰就好。

食物可能也會是個問題。許多摩羯座對飲食都嚴格控管，他寧願食用葵花籽或所謂的原型食物（非加工食物），也不吃妳精心準備的無麩質巧克力麵包佐貝夏梅爾調味醬。食物對巨蟹座媽媽來說也是一種愛的表現，但摩羯座孩子遵守簡樸的飲食方式，會讓妳感到被拒絕，尤其是妳花了整天清空冰箱庫存或展現妳洗鍋收汁的廚藝時。

巨蟹座媽媽 ♋ & 水瓶座孩子 ♒

合拍部分

居家巨蟹座如何生出這無拘無束的遊牧民族，著實令人驚奇，但你們之間的差異確實讓人覺得耳目一新。水瓶座是如風般的風象星座，總以輕鬆、有趣並帶些讓人捧腹的幽默觀點看待事物，趕緊幫這孩子簽進娛樂圈，就在大眾為他滑稽舉動買單時，妳就能準備當個星媽了。在妳享受星媽的角色時，可能也要將「足球媽媽」（花費大量時間接送小孩參加足球課等課外活動的媽媽）加入妳的人生清單裡。水瓶座孩子通常會是優秀的運動員，也是象徵團體活動的星座，這讓妳有很棒的機會扮演訓練員媽媽，這將是你們絕佳的共同點，因為許多巨蟹座也有擅長運動的一面，妳也喜歡為孩子加油。你們會一起做些體能活動：衝浪、滑雪板、滑雪、划船或在沙灘上玩樂。

雖然水瓶座的孩子已經是妳最好的朋友，也是天生就受大家歡迎的孩子，但他通常不太清楚如何表達自己的情緒。幸好這是妳擅長的部分——妳會幫助他感受自己的心情，他則能教會妳在緊張時學習放鬆。

不合部分

妳喜歡事情在掌控內，但跟水瓶座一起，妳唯一能期待的事就是「出乎意料」；從餐桌椅子上的放屁坐墊到大學輟學前往印度當背包客，這位古怪又愛出奇招的孩子，總會迸出一些不合常理的想法。現在妳只能與美好的家庭景象說再見，並停止思考鄰居會怎麼想——如果妳還能夠維持理智的話，就這麼做吧！

談到朋友，妳有些精英主義的傾向，偏愛與一起共患難後篩選出來的忠誠朋友相處，然而水瓶座就沒有這樣的顧慮，熱愛自由的星座，很快就能與睡在路邊的流浪漢結交，甚至可能邀請對方來家裡喝杯媽媽

「特製」的冰茶——這讓妳感到更害怕。這天真、未經世故的孩子是否想藉機教育妳？這很難說。水瓶座代表社會正義與反抗，如果他從妳身上感受任何一絲心胸狹隘、無法接受他人的氛圍，就會用這樣的方式挑戰妳，搞得妳昏頭轉向。如果妳真心渴望與他成為摯友，關於孩子的想法，妳還是知道越少越好。妳只需要給彼此保留一些空間，當他從戰場又帶了一些傷口或瘀青回家，就直接給他一個不帶任何評斷的擁抱就好。

巨蟹座媽媽 ♋ & 雙魚座孩子 ♓

合拍部分

你們享受在這塊豐饒土地上探索人類情緒及其複雜面向，擅長培養理解他人的能力。你們的關係感覺就像充滿許多餐桌智慧的支持團體，妳可能也會發現，彼此經常拿著茶和點心聚在一起聊天。因為妳的直覺很強，會完全接收到對方的心情，不過如此敏感的風險，就是也會吸收身邊每個人的情緒，讓你們自身蒙上一層陰影，因而對人生感到恐懼及絕望，好在一趟郊外旅行能擺脫你們這些煩惱。你們天生具藝術天分與直覺性，都會在創意之土上安居立業，享受不知名樂團的音樂、參觀展覽與觀看表演、購買傳統匠人製作的藝術品，甚至一起參加藝術或音樂課程。你們也重視歷史、風格，如某時代的裝飾品、精緻服裝或是蒸汽龐克文化，各式各樣由高雅到低俗的文化涵養，都能令你們感到瘋狂。

不合部分

趕緊抓住救生圈，因為妳會在這情緒浪濤裡載浮載沉。即使年輕的雙魚座看起來相當脆弱，但是小魚需要自己的安全感時，便會突然游進私人領域中。這或許會引發巨蟹座的拋棄情結，尤其是孩子的情緒在毫無預警下變得忽冷忽熱，或者突然不願意與他人交流。

雙魚座孩子很容易感到內疚，小心不要讓他在獨立過程或吐露失望心情時，覺得自己很糟糕；他可能也會有自我毀滅或反抗的一面，此時妳得提高警覺。雙魚座由象徵幻覺與自我欺騙的海王星掌管，因此妳不能靜靜地不出手、不做任何事，然後看著他在為了朋友、戀人或各式人生道路上做出愚蠢決定。不過妳越是想控制，雙魚座越會游到妳碰不到的地方。對妳來說，得不斷在緊緊抓住與是否放手之間尋找平衡，並教會他合理界線對自身安全是非常重要的事情。另外也要注意過於沉溺於依賴彼此，會是個燙手山芋；用怨恨填滿彼此，也不符合你們的作風，畢竟你們都會憂心是否傷了對方的心。

獅子座

LEO

獅子座媽媽♌&牡羊座孩子♈

合拍部分

女高音登場！獅子座媽媽和牡羊座孩子都是喜歡成為焦點的搶鏡演員，也是一對終極星媽（妳同時也能獲得名聲，非常感謝）與童星的組合。帶著妳的祝福與鼓舞，小牡羊可能真的會面對滿場觀眾表演，或在其他領域以其出色天賦迷倒大眾。哈囉，媽媽縮小版的超級巨星！

你們都喜歡大張旗鼓與奢華的氛圍，如果小牡羊是個女孩，未來可會有一堆正式場合穿的外出服，喜愛嬉鬧的牡羊座男孩，則會表現出妳愛玩的天性，畢竟妳自己就是叢林女王，而且妳的瘋狂性質會訓練這孩子，讓他在大膽的冒險中跟上妳的步伐。牡羊座與獅子座都是積極、具事業心的火象星座，傾向藉由創意獲利、或是到哪都能爬到領導位置。這幼稚園裡的小霸主，在他剛起步創立的事業可少不了媽媽的支持，幫助他登上王位吧！

不合部分

兩位獨裁者住在同一個房子裡？哎呀！妳可能會與這小暴君在霸權上產生一些爭奪，尤其因為你們都習慣按照自己意思行事。當然妳是媽媽，可不要因為這孩子鬧個脾氣，就讓他輕易得逞，加上牡羊座甚至比妳還更愛指揮別人，所以你們這對組合可能會出現角色互換的情形。

獅子座是個親力親為的媽媽，獨立的牡羊座會被妳過於周到的作風影響，備感窒息。獅子座依靠讚賞成長，喜歡從小孩身上得到認可，不過自我中心的牡羊座只將注意力放在自己身上，忘記跟妳說媽媽的新裙子很漂亮、晚餐很好吃，以及他真心感激妳帶著所有朋友到動物園。妳需要給他上一些禮儀課，教導他「謝謝」的力量，但也不要為了滿足自我價值就對這孩子抱太多期待。相反地，妳應該讓自己從牡羊座天生的自信裡獲得啟發，因為妳的小羊知道自己很棒，不管其他人是怎麼看的！

獅子座媽媽 ♌ & 金牛座孩子 ♉

合拍部分

獅子座和金牛座都是固定星座，你們都喜愛傳統、日常規則及讓事情稱心如意。你們樂於分享，會將精采的家族故事傳承下去，小金牛將這些故事視為寶藏，讓它們代代相傳。獅子座和金牛座都喜愛奢華，尤其是對有歷史痕跡的物品為之著迷。因此，妳會有個小夥伴和妳分享表演服裝、建築之旅，沒錯，還有奢侈的購物行程。

談到風格，兩個星座都做得有點過頭；為金牛座女孩穿上有大蝴蝶結的衣服、為男孩戴上圓頂禮帽。由金星守護的孩子就像媽媽一樣，喜歡在鏡子前擺弄姿態。派對計畫為你們這些創意靈魂提供一個絕佳的相處機會，就一起合作規劃菜單和布置主題吧。這務實孩子可能會帶著板夾或 iPad 跟前跟後，協助妳有條理地安排與緊守預算！如果妳的孩子像典型的金牛座「機械迷」，讓他為派對建立一個播放清單（他們都是音樂愛好者），接上燈光、音響及製作一些道具。妳看！一場能刊登在雜誌上的派對完成，同時也是愛現的獅子座媽媽喜歡的演出。

不合部分

獅子座和金牛座講話都很大聲，但妳比較不會降低自己的音量。妳過於熱情的精力會破壞金牛座孩子的平靜，尤其在他處於輕鬆的心情時。愛玩的獅子座媽媽喜歡活動一個換一個，不過慵懶的金牛座則需要時間放鬆與做夢；讓妳愛睡的小牛好好躺著，不要逼迫他陪著妳在城裡四處闖蕩。

雖然你們都很外向，但金牛座比妳務實許多，這老成靈魂會警告妳花太多錢在設計師鞋子上或是買太多的加熱軟糖聖代，真是掃興的人！但他也已經聽膩妳錢包失血的煩惱，或是不斷受到妳說腰圍有多粗的抱怨轟炸，哎呀，他可不會讓妳忘記自己曾經說過要如何自我提升的保證。金牛座象徵道德和倫理，他會發展出一套屬於自己的價值觀。對於喜歡看著鏡中自己的獅子座媽媽來說，要符合他的價值觀可能是個挑戰。

獅子座媽媽 ♌ & 雙子座孩子 ♊

合拍部分

你們將是最好朋友的母子檔，小雙子跟像妳一樣是個健談、誇張、愛玩與好奇心的綜合體。終於有人能跟上妳的腳步了，你們有許多充滿活力的對話，也會一起在城鎮裡閒晃。雙子座喜歡提問，獅子座則喜歡滔滔不絕地回答。你們會參加寓教於樂的活動，如天文館戶外旅行、參加有導覽的自然鐵道之旅！雙子座古怪、有創意，妳則是重視獨立個體的媽媽，妳的小小瘋狂科學家會因為妳受到激勵與鼓舞。

獅子座和雙子座都喜愛發展具創意的個人風格，你們的購物之旅將變得有趣且充滿想像，但請控管好妳的穿衣風格！如果妳穿圓形金屬片的衣服與高跟鞋去女兒的高中，她可能會在妳發她之前就偷偷溜走！

不合部分

妳的星座由太陽守護，但有時妳會忘記自己並不是宇宙的中心；雙子座由富有表達能力的水星守護，他需要對方不斷的回饋與認可。雖然你們都相當健談，但到底誰要閉嘴、誰要負責聽呢？有時你們可能會落得彼此互罵的結果，為了誰要爭上風而搞得筋疲力盡！

雙子座專注力短暫，喜愛不斷改變。妳夢想為孩子精心設計的目標與計畫，如後院電影院工作坊或木偶製作示範等活動，最後可能會因為這坐不住的孩子而徒勞無功。另外也不要期待雙子座會乖乖坐著看迪士尼冰上世界，只因為那是妳小時候喜愛的活動。善變的雙子座每天都在改變對別人的忠誠度；星期一小蘇西是他最好的朋友，星期三變成敵人，到了星期五他又想邀請蘇西參加睡衣派對。這些可能就足以讓妳暈頭轉向，但妳也不要過度介入。不然，就在孩子已經忘了這件事後，妳還在耿耿於懷。

獅子座媽媽 ♌ & 巨蟹座孩子 ♋

合拍部分

去吧，就去做妳想做的事。巨蟹座是星盤上的寶寶，是媽媽疼愛的男孩與女孩，他會渴望妳積極加入他的生活。家長會會長？童子軍領導人？班級助手？全部報名參加！害羞又怕受傷害的孩子，需要能保護他的母獅子（就是妳），只是注意不要太過寵愛，不然他可能無法離開對妳的依賴。妳打造出來的溫暖家庭，對於需要回到家中感到安穩、受到關愛的巨蟹座孩子來說能覺得安心。

巨蟹座沉默寡言，但妳勇於表達的個性，能幫助孩子培養出性格認同，因此就算妳在孩子旁表現自我情感（而且有時有點情緒化）也沒有關係。表達情緒能幫助這超級敏感的孩子安心地說出感受，接受自己變化多端的情緒起伏。妳會充滿愛地擦乾他的眼淚，然後稍微推孩子一把，幫助他培養勇氣。只要妳給他適當的支持與許多鼓勵，巨蟹座也能變得所向無敵！

不合部分

太陽守護獅子座，月亮守護巨蟹座，基本上你們的差別可能就跟夜晚和白天一樣迥異。妳會在同一個舞台上競爭，也就是白天，確保巨蟹座孩子有足夠的空間能發光。另外也因為妳大膽的個性，可能輕易地就壓低他的士氣。不過不要只是因為巨蟹座比較安靜，就認為他已經滿足，小巨蟹可會對此埋怨在心，有可能內心的怒火已經在慢慢累積，等待適當的時機用他猛烈的蟹腳還妳一擊。請適時地用「你現在感覺如何呢，寶貝？」來確認他的心情，並確保妳真的有在聽他的回答！

不要誤以為妳能將這有自我見解的孩子變成摯友。為了安全感，他需要一位堅強、有自信的媽媽。巨蟹座通常不太與人深交，妳必須降低誇張的表達方式來取得孩子的信任，這也容易讓孩子產生自覺。當妳達成第一個標準時，可能會開派對大肆宣揚，但小巨蟹就沒這麼渴望將這些趣聞昭告天下了，噓！

獅子座媽媽♌＆獅子座孩子♌

合拍部分

母獅子與她的小獅子——多麼迷人的景象啊！妳的縮小版繼承妳戲劇化的天賦，變化多端的秀就此展開。妳的玩樂時間結合各種天馬行空的想法，讓每次活動都盛況空前；幫助小獅子參加戲劇表演、換裝上達人秀，或讓他指揮自己的馬戲團，雖然他還只是個小學生（家裡的寵物狗不會介意換裝變成老虎吧），再戴上羽毛圍巾與大尺寸的帽子！

對獅子座媽媽與女兒來說，人生就是一場服裝派對。當心，這些逛街行程在她青少年時會讓妳所費不貲；男孩會是媽媽忠誠且有保護欲的小獅子，這可讓妳心花怒放。妳可以製作一張好孩子表格，用閃亮金星星當作獎勵。就像妳一樣，小獅子也需要讚賞與獎勵來振奮自己，妳知道什麼事會讓孩子開心，而且未來你們會有個互相讚美的美好關係。

不合部分

是誰坐在家中的王位？如果你給孩子太多空間，這位蠻橫、洋洋得意的孩子可會變成一位暴君。請謹慎使用犒賞機制，他才不會每次稍微幫忙就期待獲得獎勵。另外妳也要小心公開誇獎的行為，畢竟獅子座掌管自我，如果讓這隻小獅子無意間聽到太多對他的讚美，可會使他變得驕傲自滿。妳可能需要稍微挫挫他的傲氣——即使這不容易也不有趣。

小獅子跟妳一樣對人生有很多慾望，如果妳因為他充滿渴望的眼神而答應他的請求，可會增加家中的開銷預算。因此請學習設定界線（尤其談到花費支出時），這會是妳最大的挑戰。請教導小獅子正確的金錢觀，妳自己也要以身作則，延續他的滿足感才會幫助塑造性格。

獅子座媽媽 ♌ & 處女座孩子 ♍

合拍部分

高貴的獅子座是天生的幫忙者，處女座則象徵供給者，時常在親愛的彼此旁邊對你們而言相當自然。這對甜美的母子檔對家庭相當忠誠，獅子座媽媽扮演管理者的角色，處女座則是生產者——簡直是對超級完美的組合！一起煮晚餐、布置房子和做木工，對這對喜歡動手的星座來說，所有任務都變得有趣，也會產出精緻的成果。處女座孩子具有家長的特質，如果他有年幼手足，妳等於擁有一個現成的保母。和他一起尋找答案也會充滿樂趣，剛好也有個好藉口來趟教育性的戶外郊遊。獅子座和處女座都有蒐集的癖好，雖然妳的品味比謙虛的孩子浮誇些，不過尋寶會是個愉快的相處經驗（如果有任何人能在一堆垃圾裡找到彩色玻璃，那個人會是處女座）。趕緊前往戶外跳蚤市場、特賣會或是寄售選物店，盡情尋寶！

不合部分

獅子座永保青春，妳是個永遠與內在五歲孩子維持良好關係的媽媽；體內住個老靈魂的處女座則是個緊張、渴望紀律的人。如果妳對孩子的事不夠謹慎，那麼這樣的關係會使你們產生令人失望的角色轉換。獅子座喜歡誇張的開場，但處女座卻討厭這樣的行為，對妳戲劇化的表現感到丟臉。當嚴厲的處女座對妳的行為投以異樣眼光時，妳的臉皮可能要變得厚一些。此外，處女座也容易焦慮，妳會為此擔心，特別是妳在無意間聽到孩子的嘆息聲時，還會耗費力氣處理其他瑣事。若這個敏銳的孩子偵察到妳的煩惱時，會豎起耳朵進入調停者模式。當妳身在處女座聽得到聲音的範圍時，請降低情緒音量，更好的辦法是不要讓孩子默默介入妳的問題——請讓他好好享受童年！

獅子座媽媽♌ & 天秤座孩子♎

合拍部分

向代表物質主義的獅子座媽媽和天秤座孩子打聲招呼。你們是對有創意、流行的迷人組合，就像瑪丹娜和羅德絲。確實以星座學來看，這兩個星座會一起開啟流行產業；美學領域是你們最為合拍的部分，你們會一起盯著美麗物品，創造出許多東西。

音樂是你們共同的喜好，將聲音調到最大吧！時髦的社交高手獅子座媽媽和天秤座孩子能待在屋內好幾個小時，整天穿著正式服裝四處徘徊。脾氣溫和的孩子會是容易相處的陪伴者，能在玩樂時間隨時與其他孩子打成一片。即使相對安靜的天秤座會避開沙堆，但他通常有耐性且獨立自主，完全不需要妳擔心。在妳忙於與他人交流時，孩子可能會稍微走神，開始做白日夢、念他自己的書或耐心地玩著電動。

禮物也是你們喜歡的共通語言；妳會給小天秤禮物，幾個月前開始計畫生日派對，真的很難不寵他！

不合部分

獅子座是火象星座，熱情、奔放，天秤座則是如風般的風象星座，可見孩子的性格比妳冷靜許多。妳熱情的特質，對溫柔的孩子來說有點過頭，特別是如果妳興致一來、越講越大聲時。活躍的獅子座媽媽總停不下腳步，慵懶的天秤座則喜歡享受自己的美好舊時光；若逼迫孩子，可是會破壞他微妙的平衡。啊！雖然生活對獅子座媽媽來說是場服裝派對，但虛榮心應該不是妳想讓小天秤培養的價值觀。幫助他培養品味是件好事（他也許不需要太多協助），請小心不要太過強調外在。天秤座對視覺有點著迷，特別是他會在意鏡中裡的自己。請教導孩子美麗有很多種形式，不是只有一種定義，記得鼓勵他在每個人、每件事中找到美的一面。

獅子座媽媽♌&天蠍座孩子♏

合拍部分

你們是對令人驚豔的母子檔，天蠍座孩子的性格跟妳一樣魅力十足，人們會打從心底對你們感到好奇。獅子座媽媽本來就是眾人皆知的表演者，天蠍座則以成熟的神祕感迷倒眾生。趕緊安排一個藝術教室和音樂工作室！小天蠍就像媽媽一樣天生充滿創意，你們的隨興演奏，伴隨著妳的歌聲和天蠍座的吉他將會變成一場即興表演，或是妳彈吉他、孩子唱歌也行。忠誠度是你們高度重視的特質。妳會很高興看到小天蠍在某些層面上發展出跟妳類似的榮譽守則。此外，你們都有點占有欲；小天蠍會時常在妳身旁，妳也會伴隨在他左右，出現在他的朗誦會、游泳課和學校戲劇表演的場合，給予敏感天蠍座需要感覺被愛的鼓勵和自信。

不合部分

獅子座媽媽，請取消伴舞！妳的性格如同拉斯維加斯賭場般浮誇，會讓神祕的天蠍座不寒而慄，尤其是妳跟他分享太多應該埋藏在家族墓穴裡的故事；妳可不想讓孩子覺得丟臉，或是但願不要發生這樣的事——背叛！這會使小天蠍快速累積對妳的怨恨。在他拒妳於千里之外時，同樣敏感的獅子座也需要培養一些挫折忍受力，請趕緊增強厚臉皮的能力。

妳作為家長的任務就是管教孩子，有時候這代表得扮黑臉。當天蠍座抗拒時，妳必須立場堅定，隨時占上風，不然這小小操控者會要妳扮演上述提到彈吉他的角色——他完全知道如何激怒妳。哎呀！雖然妳是個毫不保留的人，但天蠍座卻需要保有祕密，所以偷看他的日記絕對是禁忌，絕對不行。天蠍座男孩對媽媽很忠誠，但妳也不要因此利用這點，不然他可能會永遠無法離開鳥巢。

獅子座媽媽 ♌ & 射手座孩子 ♐

合拍部分

獅子座媽媽和射手座孩子是隨時玩樂的母子檔，你們是單純、未經世故的冒險家，熱情探索世界的每個角落，就帶著射手座寶寶的護照上路囉！妳襁褓中或坐著嬰兒車的旅行伴侶喜歡像妳一樣四處奔波。「再多一點！再多一點！」是你們共享的咒語。射手座孩子如同妳也喜歡冒險、做大夢，或將他創業想法變成生意。對於這樣有冒險心的孩子，需要有位給予支持的媽媽，他可能在國中還沒畢業前，就擁有自己的網路商店或部落格。你們對生活都非常積極，會一起參與有趣的課程和工作坊。

請給我兩張去百老匯的票！你們這對戲劇化的母子，小射手會傳承妳古怪的幽默感，妳則會附和小射手的笑話，巧妙加入一些妳的妙語如珠。說不定你們的膽識會吸引真人電視實境秀的拍攝，誰知道呢？你們將是最歡樂與狂野的一對！

不合部分

獅子座媽媽需要他人的讚賞和奉承，但小射手無法說謊，所以請放棄將孩子變成妳個人啦啦隊隊長的想法；相反地，妳說不定隨時有位小小人生教練，提供妳真實的回饋及一劑嚴厲的愛。請趕緊跟上潮流，獅子座！射手座會指出任何不酷或不流行的選擇——當然妳也不會經常做出像這樣的錯誤。嗯，獅子座媽媽，妳會因為孩子的指正成為更好的人，但妳會希望他能更圓融地對待他人，請盡可能地教導他這些特質。

射手座雖然有冒險精神，但可沒這麼渴望跟隨其他人的行程。請事前讓他同意妳的行程，以免發生情緒崩潰的情形。隨時帶著書本、蠟筆、運動器材和 iPad，否則，當妳忙著自己的事沒有好好照料他、讓他無事可做時，就得承受這孩子的一些脾氣。

獅子座媽媽 ♌ & 摩羯座孩子 ♑

合拍部分

哈囉，最強的母子組合。野心是獅子座女性與生俱來的特質，重視地位的摩羯座也同樣是心懷成就，〇〇（請填入組織名稱）董事長是你們常有的頭銜。不論你們做什麼都會盡最大的努力，從麻袋競走比賽到某天可能一起成立的家族事業，你們都是令人敬畏的雙人組合。

小摩羯跟妳有類似的榮譽守則。妳欣賞孩子對手足、親人與遊戲場朋友的忠誠。談到喜愛的人，你們會永遠捍衛彼此。傳統的摩羯座孩子對其父母會展現不可思議的忠誠度，也喜愛家庭的習俗，這對於討厭放手的媽媽來說，一定會喜歡為孩子慶祝每個場合，你們簡直是天生一對。

不合部分

獅子座媽媽的任何時間都能玩樂，你喜歡抱持輕鬆態度，邊工作邊吹著口哨，但冷靜的摩羯座孩子則是更認真對待，沒達到標準前，會一再仔細檢查他的畫作，甚至會直接撕掉。妳對此感到憂心，希望小摩羯能稍微放鬆！好勝的摩羯座可能比起附和妳，對有趣的事會更有想法，所以不要將妳的遊戲強行加諸在他身上。如果他想傾心練習籃球跳投，不想參加妳的野餐，就讓他去吧！如果有人拒絕他的需求時，沒有人會像摩羯座這般憤怒。獅子座媽媽溫暖又喜愛交際，對世界展開雙臂；不過摩羯座拘謹，有時候可能更接近於勢利。請不要逼迫他去做不想做的事，如果摩羯座不想跟妳瑜伽夥伴的孩子一起玩，就無法改變他的想法。摩羯座容易憂心，請注意不要在他聽得到的範圍內抱怨，如果他聽到妳過得不順遂或某人傷了妳的心，他會想保護妳，表現出比他應有年紀還更成熟的模樣。

獅子座媽媽♌ & 水瓶座孩子♒

合拍部分

雖然獅子座和水瓶座是對宮星座，卻可以完美地互補。奇特的水瓶座孩子欣賞妳瘋狂的想法，分享妳有點愚蠢但有趣的幽默感；反之，妳對小水瓶看待世界不合常理的觀點感到敬畏，妳肯定能從這想法創新的孩子身上學習到很多東西！獨創性是你們的招牌，從無厘頭的穿搭選擇到奪走眾人目光的想法；妳不會在意小水瓶想穿戴彩虹圖案的保暖襪及獨角獸帽子去參加學校的音樂會，畢竟壓抑自我表現不是妳的教育風格！

作為社交高手的你們喜愛四處飛舞、和陌生人攀談，水瓶座孩子的朋友數量可能比妳還多。因為你們都喜愛派對，這讓你們有更多的理由能慶祝；一起在萬聖節換裝派對上集思廣益，烤個巨大蛋糕！

不合部分

感情豐富的獅子座媽媽，對冷酷又超然的水瓶座孩子有點專橫。當小水瓶擦掉妳的吻或不想要額外摟抱時，請不要太放在心上。既然妳生出來的孩子就是如此無拘無束，就給他更多的私人空間，讓他思考與成長。

獅子座是老師的寵兒，但叛逆的水瓶座會是班上的小丑，孩子拒絕遵守規則的態度會激怒他人，甚至讓妳丟臉。比起孩子，妳更易怒，但若激怒水瓶座會使他的脾氣變得相當暴躁，大力甩門、還會大聲吼叫；冷靜和暫停休息，對你們來說都很需要。獅子座是顆獨自發光的星星，但水瓶座是團隊的一員，這位持平等主義的孩子，會因妳不斷希望他成為最好而感到失望。就讓他教導妳團隊合作的藝術吧，獅子座媽媽。

獅子座媽媽 ♌ & 雙魚座孩子 ♓

合拍部分

你們這對受到神仙祝福的組合，獅子座媽媽和雙魚座孩子之間有股令人著迷的能量。請幫孩子安排美勞、手指畫、樂器及魔法城堡遊樂間。小雙魚跟妳一樣，充滿夢想並擁有天馬行空的藝術天分，也不要忘了舞蹈課！你們能輕盈地移動腳步，在家裡盡情搖滾或享受在公園舉辦的音樂會。敏感的雙魚座在這世界裡感覺很脆弱，保護欲強烈的獅子座媽媽則會為孩子創造一個安全的避風港。小雙魚喜愛收到禮物、受到寵愛，慷慨的獅子座媽媽會情不自禁地不斷給予；而妳也會收到整片用蠟筆作畫獻給「我的媽媽」的藝術展示。

獅子座和雙魚座都是喜歡取悅他人，並需要得到肯定的人。幸運的是，你們之間會對彼此互相讚美，在妳還沒開口前，這孩子就已經先說：「媽媽妳好漂亮」！

不合部分

獅子座媽媽充滿自信、負責任，這樣的性格會使雙魚座孩子變得更被動，或是反而帶出他跋扈的特質。等等，到底誰才媽媽啊？獅子座容易小題大作（至少聲音很大聲），請小心不要在眾人前奪走雙魚座的風采。這隻小魚需要很多鼓勵以培養出自己的力量。獅子座總是樂觀、積極，雙魚座則時常憂心忡忡，這孩子的恐懼與焦慮可能會箝制妳的自由靈魂。就在妳已經換好衣服，準備離開參加家族聚會時，這隻魚還在堅持要穿上她的扣帶漆皮皮鞋。此時請盡快安排一位優秀的保母。

即使你們之間充滿愛意，但這會讓妳掉入互相依賴的田地。因此請給予孩子一些個人空間（可提醒他如果要跟妳做一樣的事也沒關係），而不是永遠都在對彼此發牢騷或自尋煩惱。

處女座

VIRGO

處女座媽媽♍ & 牡羊座孩子♈

合拍部分

難以取悅的牡羊座孩子和處女座媽媽一樣難搞，雖然要滿足孩子的品味會讓妳有點不太高興，不過妳會因為他擁有自我意識而感到驕傲。你們都是思想家，牡羊座掌管大腦，處女座由代表智力的水星掌管，妳可以給孩子妳小時候也喜歡的書本、填字遊戲及益智遊戲。處女座媽媽喜歡疼愛她的孩子，作為星盤中寶寶象徵的牡羊座，很享受妳給他的所有關注……但是要注意不要寵愛過頭，不然會使他喘不過氣。

牡羊座男孩通常是個思想家（女孩對這方面通常較沒耐心），他會是妳許多DIY任務的完美小幫手；牡羊座女孩則是認真工作的大膽商人，她會讓有商業頭腦的處女座媽媽努力跟上自己的步伐。你們會齊心完成一些任務，從中獲得樂趣，所以請媽媽安排能共同合作的活動，如完成一幅巨大拼圖、為臥室牆壁作畫或是照顧蔬菜園圃。你們的任務會持續好幾天，請隨時保持作戰狀態，享受在兼具智力與體力的挑戰，盡情地遊戲吧！

不合部分

動作迅速的牡羊座靠衝動行事，請嘗試說服孩子遵守妳固定的例行常規與時間表吧！為了維持妳的理智，媽媽需要稍微鬆綁限制。大膽的牡羊座會以為自己是世界極限運動的選手，把樓梯間欄杆當成單槓、從工具間屋頂跳下來，或是騎著高速越野摩托車在陡坡上飛上飛下。孩子的古怪行徑可會讓焦慮的處女座媽媽忐忑不安！牡羊座的專注力很短暫，整間房子裡會留下他做到一半的東西和遊戲，忘記收拾搞得一團亂，這可會激怒愛乾淨的處女座媽媽！請在孩子還小時就唱「打掃歌」訓練他，並給予金星星表揚他收拾整齊。雖然妳享受滿足孩子，但若太過寵愛會使小羊變成寵過頭的搗蛋鬼。請稍微收斂，讓孩子為了得到特別獎勵而自己完成任務。

處女座媽媽♍ & 金牛座孩子♉

合拍部分

你們是土象星座的靈魂伴侶，小金牛與妳的個性相當接近，會在清楚的時間表與例行常規環境下努力成長——這對做事井然有序的處女座媽媽來說簡直就是天使！家庭傳統對你們來說也很重要；金牛座會仔細聆聽妳分享小時候的故事，努力吸收妳從曾祖母那代傳承下來的紅醬祕密配方——知道這些習俗能活用在小金牛身上，讓人感到美好。

準備一間用來創作的房間，並備好工具箱。金牛座孩子跟妳一樣喜愛居家和機械方面的活動，從編織、彈吉他到為整個房子裝設喇叭系統。此外，因為你們都是土象星座，也適合在花園種植植物，將妳對新鮮、自種食物的喜愛傳承下去。挑剔的處女座對視覺相當敏銳；雖然小金牛的品味可能比妳的極簡風格更精緻，不過他的審美觀與妳相去不遠。你們都喜歡乾淨、自然、帶有新鮮味道的物品，購買優良（有機／天然）物品來布置，也是你們會一起分享的事物。一起到手工藝品店或農場市集旅行嗎？

不合部分

喜愛被寵愛的金牛座由耽溺的金星掌管，處女座媽媽則是注重養生的人，妳會特意維持無糖、無麩質、無乳製品等的飲食方式。妳喜歡在孩子的午餐盒裡裝入羽衣甘藍脆片取代M&M餅乾（無論小孩能否接受），或是在妳說出蔬菜含有維他命C之前，快速將餅乾丟到垃圾桶；逼迫孩子遵守嚴格的飲食習慣將是場硬戰。

處女座喜歡服務，悠哉的金牛座則喜歡被服務（也就是不勞而獲）。如果妳持續用心靈雞湯的養育方式，可能會使小金牛變成一個懶鬼。金牛座喜歡的東西都要最好的，但習慣節儉的處女座母親，知道如何結合昂貴與低價的物品變成一個完美的複製品。當妳和這隻雄心勃勃、即將進入青春期的小牛一起逛街時，可會不禁感到震撼，因為他可能要求比妳衣櫃裡都還昂貴的衣服。

小金牛需要很多時間休息、午覺、對著雲朵發呆。妳得減少為他排得滿滿、充滿文藝氣息薰陶的活動，不然可是會被這悠哉的靈魂搞得心浮氣躁。

處女座媽媽♍&雙子座孩子♊

合拍部分

處女座和雙子座都是由擅表達、聰明的水星掌管，小雙子和妳一樣都充滿好奇心！你們都對小事著迷，喜歡從一些旁門左道獲得消息，再分享給其他人，有時你們也會以為自己無所不知——有其母必有其子。妳喜歡和孩子一起破解謎題、玩益智遊戲，帶小雙子參加天文館、知名歷史人物之家導覽等寓教於樂的活動。和他一起，對話會變得生動且充滿刺激。

你們都很健談，喜愛分享八卦消息，但要注意的是，妳的冷嘲熱諷可能會在最不得體的時機吐露出來，此時真的會非常丟臉！但妳就是無法停止對雙子座厚臉皮的評論咯咯地笑，這孩子就像妳能看到事情的所有面向。喔，請多加注意你們的言行舉止！

不合部分

處女座媽媽是個照顧者，她無法看到一個受傷靈魂還不去幫他擦眼淚，給他一些鼓勵言語；停不下來的雙子座討厭背負其他人的問題。妳需要教導他要有同理心，同樣地，妳覺得雙子座是否也有理呢？承受整個世界的負擔在肩上其實沒有必要，連孩子都知道這個道理。

處女座生活規律，需要例行常規讓生活感到踏實、有重心，但反覆無常的雙子座孩子渴望變化，「媽媽，為什麼我們又要去那個公園／餐廳／朋友家呢？」，小雙子會抱怨的。雙子座出生後，妳的例行公事可能只會維持五分鐘，妳也會變成無法經常固定做某件事的人。安全是焦慮的處女座媽媽第一考量，但大膽的小雙子卻不斷追逐危險，妳的心絕對會跟著這孩子變得忐忑不安！妳作為一個完美主義者，有時看到雙子座生活上的一些草率行為，也使妳備感掙扎。孩子只是對事情很快失去興趣，但他能重新振作、尋找新目標——只要雙子座發現一些感興趣的事，會跟妳一樣認真鑽研細節的！

處女座媽媽♍ & 巨蟹座孩子♋

合拍部分

多麼甜美的畫面！喜歡照顧人的處女座媽媽與感情豐富的巨蟹座孩子，是如此溫暖又舒服的組合。對你們來說，家是心之所嚮，和孩子在一起時家裡會充滿幸福的氛圍：假日烤餅乾、裝飾餅乾、為家人準備特別的週日晚餐，你們都喜歡寵愛自己的至親至愛。

小巨蟹像媽媽一樣對人很挑剔，只有真正的朋友才能進入他的祕密領域，你們會讓自己的小團體關係緊密；孩子也會像妳呵護他一樣喜歡保護他人（唇！）這有愛心的孩子會為妳泡茶，在妳對世界感到失望時，會幫妳擦乾眼淚。巨蟹座孩子喜歡親力親為的媽媽。去吧，盡情參與孩子的人生——妳的小巨蟹不會有任何意見！

不合部分

是舒服相處還是過度依賴？同身為容易焦慮、擔心的你們，會引發彼此最糟糕的特質：處女座媽媽變成頤指氣使的多事者，小巨蟹則表現得像個無助的寶寶。處女座媽媽，請先退一步冷靜一下，妳可以鼓勵謹慎的巨蟹座多做些冒險（吞口水），捍衛自己的權益，而不是讓他躲在妳背後受到保護。

感情豐富的巨蟹座喜歡抓住某個東西，渴望建立熟悉的感覺，即使是重新調整家具位置，都會破壞他的安全感；極簡主義的處女座媽媽則傾心於整理。撬開孩子珍貴物品，可能會默默醞釀囤積強迫症，請讓小巨蟹公開展示他的收藏品，而不是打包他「沒有用到」的娃娃，也不要在孩子去學校時自以為出於善意幫他清理物品。

處女座象徵批評，妳會不禁去指出需要改進的部分。哎呀，妳那些自以為「有幫助的提醒」會傷害巨蟹座孩子最脆弱的部分，況且他通常是藉由正面強化的方式才會學到更多。

處女座媽媽♍＆獅子座孩子♌

合拍部分

好萊塢，我們來了！獅子座是個超級巨星，處女座則是眾所皆知的星媽。如果妳的孩子展現出童星的天賦（小獅子常有的表現），妳會讓他參加模範老師的課程、加入競爭激烈的巡迴演出，馬上參加角色試鏡。媽媽會全心全意表達支持，不過妳需要控制獅子座的自我膨脹，教導他謙虛的力量。在其他狀況下，小獅子會扮演指導者，處女座媽媽則是生產者；從精心的盛裝遊行到當地自產的有機草莓檸檬汁攤，妳會帶著積極進取孩子的想法前進到下一個階段。多麼棒的團隊合作！

你們都是喜歡讚美的乖寶寶，彼此之間會互相稱讚，維持良好的互動關係。小獅子是個快樂的小幫手，而且還有點愛管閒事。當妳趕去幫助遇到困難的朋友、鄰居、親戚還有跟陌生人時，這慷慨的孩子會跟在妳左右，或送上一張用蠟筆寫的「早日康復」卡片，心已融化！

不合部分

健談的母子，妳以為妳已經很多話了……直到這聒噪的孩子出現在妳眼前；獅子座不僅喋喋不休，他也會在他長篇大論時要求旁邊有個仔細聆聽的聽眾。處女座媽媽想要的安靜、沉思時間恐怕得來不易。請在家中安排一個安靜的區域，孩子如果小聲說話就獎勵他（妳可能打算服用很多的止痛藥，或喝任何妳想喝的酒。）

戲劇化獅子座的創意與浮誇，會讓象徵謙虛的處女座媽媽不寒而慄。請教導小獅子符合社交的禮儀，但請不要粉碎孩子的想像力。沒有人可以像他那樣發脾氣，他會在等待結帳、做教堂禮拜以及妳拜訪朋友時突然暴走，然後妳這位力求完美主義的處女座媽媽可能會嚴厲管教，卻發現場面變得更尷尬了。請不要過度苛求自己——孩子出現的爆哭與胡亂拳打腳踢並不能代表妳在這個部分的失敗。

處女座媽媽♍&處女座孩子♍

合拍部分

這是妳夢寐以求的快樂小幫手！這孩子喜歡坐在妳旁邊，跟妳一起種植物、拆解和清理古董衣櫃、替車子換油、隨心所欲地做些手工藝。處女座對枝微末節感到好奇，就像媽媽喜歡蒐集有趣事情一樣。敬效率！妳對孩子管得很嚴，在處女座的莊園裡有明確的規則和條理，妳的絕佳伴侶會在這井然有序的環境裡努力茁壯，甚至還會扮演管理手足的角色（請小心，即使妳在旁邊默默覺得孩子可愛，也不要給他過多的權力，以免使他變得專橫）。處女座孩子挑剔、難搞，像妳一樣擁有敏銳品味，幸好妳知道直接以客製化滿足需求有多重要，妳不會像其他媽媽一樣，在孩子提出特別要求時讓他覺得為難。

小處女是個敏銳的觀察者，尤其在談到人（包括同學和同儕）的時候，妳可能會對孩子如此有洞見的言論感到驚訝。不過有個警告提醒：八卦會是處女座的陷阱，妳自己可能對他人就有點嚴厲了，請減少妳的批評，這樣孩子才不會成長為不知道如何包容他人的人。

不合部分

不斷挑毛病！妳的挑剔會激怒其他人。到底誰是小孩？誰是家長？小處女開始指著妳碎念時，甚至會複述妳跟他說過的建議；或妳會注意到年輕處女座對著同學嘮叨，或試著將家庭規則強行施壓在同學身上——孩子反射出的樣子完全取決妳。媽媽，妳是否有點太嚴厲了呢？如果孩子對妳選擇的口味有意見時，事情可能會演變成一場無可預料的惡夢。每晚為妳挑剔的食客煮其他晚餐？誰有時間做！

另外，妳可能也會看到妳完美主義的傾向反映在孩子身上。請注意不要在孩子面前說出一些自我貶低的言論，我想妳最不想見到的，應該是看到孩子因為認為自己不夠棒，而不斷批評自己，或是親手毀掉自己珍貴的手作美勞。

處女座媽媽♍＆天秤座孩子♎

合拍部分

處女座是星盤上的批評者，天秤座則是代表衡量的星座，即使你們很多時候是以完全不同的角度做出評斷，但孩子跟妳一樣都講究細節。天秤座會看到光明的一面，妳則是分析、解決問題的人。妳會發現孩子的觀點令人耳目一新（如果妳不是有點樂天的人，可能不會發現）；妳也會灌輸常識給愛幻想的天秤座孩子。你們都是文化愛好者，妳會將對藝術、音樂與電影的知識傳承給也欣賞獨立音樂瑰寶的孩子。事實上，你們都有才能，準確地嗅出目前什麼最前衛，能在世界開始流行前就抓住潮流。

年輕天秤座如同處女座媽媽對顏色和細節很敏銳。讓孩子積極參與討論家裡的裝潢，也許還能幫妳挑選衣服，妳會對這孩子與生俱來的風格感到驚艷；溫和的天秤座也喜愛妳打造出來寧靜且布置合宜的窩。你們都是注重飲食的人（有許多天秤座在青少年時就成為素食者），晚餐時做一些未加工的食材和蔬菜果昔吧！

不合部分

分析癱瘓警戒！太在意細節會使這對母子變得過度極端：看著彼此穿什麼衣服而瞎忙、堅持小天秤用更整齊的筆跡重寫報告，或為了一些芝麻蒜皮小事開始辯論，這些可會導致你們產生爭執或拖延了時間表。在某些點上，你們可能要聰明的接受「互相寬容」的道理，而不是不斷抱怨。雖然妳害怕孩子會做出錯誤的選擇，不過不切實際的天秤座，可能會在痛苦中學習到一些事情。有時就讓老師糾正他的錯誤，並不是所有事情都要媽媽來教！

由享樂的金星掌管的天秤座，其品味通常都偏向昂貴；妳不會看到妳不喜歡的便宜架子（妳喜歡精緻的物品），而妳則需要盡力教導孩子正確的金錢觀。悠哉的天秤座有自己的時間，不要逼迫他或安排太多行程，他需要時間放空和做夢。這個時間妳能自己做些手工藝，這樣就不會在等待天秤座進入狀況前，踱步踱到地板都被妳踏出洞來。

處女座媽媽♍ & 天蠍座孩子♏

合拍部分

與妳志同道合的天蠍座孩子，感覺就像是妳最好的晚輩朋友，你們用類似的濾鏡觀看世界——抱持好奇但謹慎對待可能會發生的問題。你們這對活躍二人組會控制損失、降低損害，看顧在家中其他成員，確保大家都安全無恙。即使天蠍座是家裡最年幼的孩子，也會保護其他手足，妳知道會有另一雙眼睛替妳看管所有的事，呼，真令人放鬆。

小天蠍是個調查者，妳是終極的研發者——而且你們都沉迷於蒐集。帶著小天蠍前往販賣古董區，教導他分辨夏克式家具、法國床墊及其他有價值的收藏家作品。這孩子會試著從大海撈針裡培養出興趣，這個興趣也能讓孩子保持活躍及遠離麻煩。

即使你們嚴肅、緊張與善於分析，但你們在彼此的陪伴下會感到自在，儘管只是安靜地坐在一起看書、投入一些活動或是解決填字遊戲。哈囉，就放心沉浸在自然舒適的空間裡。

不合部分

孤僻的天蠍座需要很多個人時間與空間，直升機媽媽處女座有時則相對吵雜。對妳來說像是關門、鎖上抽屜等尊重孩子的需求會讓妳感到棘手，妳甚至不該想著偷看青春期天蠍座的日記（好，我們知道妳已經偷看其中一頁），除非妳想永遠破壞彼此之間的信任。

許多時候妳必須仰賴對孩子的信任，因為妳根本沒有方法讓這煩躁的孩子完全擺脫困境，妳出於本能的幫助對他來說等同於吹毛求疵，而且若是妳越過批評的界線，就要特別小心了，天蠍座的毒刺可比妳的嘴還銳利。小天蠍會針對妳的缺點用酸言酸語、讓人難受的真相來挫傷妳的士氣。啊！謙虛的處女座媽媽可能需要幾個擁抱才能從中恢復。因為天蠍座象徵「性」，這孩子對於身體毫不害臊，他會在年紀輕輕時就追問妳性方面的事，擁有小冊子和這本《寶寶是如何產生》（How Babies Are Made）的書，能幫助妳傳遞相關知識給孩子，而且比起他從一些遊樂場胡亂說話的人那裡聽來，更應該要從妳這邊獲得資訊。

處女座媽媽 ♍ & 射手座孩子 ♐

合拍部分

求知若渴的射手座孩子與博學的處女座媽媽喜歡一起學習，整個世界都是你們的學習場所！年輕的射手座喜愛跟著妳一起研讀學問，從法文對話課、陶器課（還有燒窯）到團體薩滿鼓課程。雖然土象處女座媽媽比她狂野的人馬座孩子還難搞，但戶外課也是能一起分享熱情不錯的途徑。請先忘掉在公園的清新野餐，在妳將無麩質的食物擺出來前，這孩子已經搞得一身泥、傷痕累累，將周遭弄得一團亂。請多帶些紙巾，並順其自然吧！

作為班上活寶的射手座，絕對會用荒謬但聰明的笑話幫助妳減緩壓力，克服妳嚴格的生活模式。孩子會與妳分享對語言的喜愛，妳會被他的俏皮話、有趣機智的家庭用語、為寵物重新取名逗得呵呵笑；以及將來某一天與妳享受書籍交換的樂趣，妳的世界會因為這孩子變得開闊，而且多了許多樂趣。

不合部分

小射手和處女座媽媽一樣喜歡雞婆地提供建議，但當這些說教的言論放在彼此身上時就要特別小心了。年輕射手座可能會擅自幫妳決定穿搭風格、選擇與誰當朋友，這會給妳不太舒服，有以其人之道還治其人之身的感覺。這孩子絕對會教導妳如何寬容他人：妳的批評越少，他就越不會這樣反擊。凡事未經大腦過濾的射手座有時候會因為「禍從口出」而吃虧，這對會在私下討論某人缺失但喜歡在大眾前更新細節、有禮貌的處女座媽媽來說感到相當難堪。請小心妳愛說八卦的習慣，處女座媽媽！妳那不修飾的言語，孩子可是會一字一句如實地跟錯誤的人複述：「嗯，我媽說我不應該留下來吃晚餐，因為妳媽不知道怎麼洗碗」。哎呀！

狂野的射手座孩子由擴張的木星掌管，限制與界限並不在他的字典裡。妳死板的規則每一次都會受到挑戰，尤其是關於食物份量的部分，因為射手座擁有比一般人還大的食慾。為了減少一些家庭戰爭，這方面妳必須稍微讓步。

處女座媽媽♍ & 摩羯座孩子♑

合拍部分

妳是不是這個鎮上感到最自豪的媽媽？品行端正、努力認真的摩羯座孩子繼承妳的光環，乖巧的女孩或男孩會達成許多標準、獲得金星星、遵守清楚的規則，他就是在這樣的環境下成長，對媽媽來說簡直就像在天堂！在高成就者摩羯座舉起獎盃和獎牌時，妳會驕傲地誇耀他各種頭銜及不斷累積的榮譽榜：班級班長、足球隊隊長、德文俱樂部領導人。標準太高？請先做好確認。小摩羯是注重地位的完美主義者，他會像妳一樣以追上隔壁炫富鄰居為目標，有時妳對於孩子的野心也會表現出不甘示弱的態度。妳可能需要提醒他不要這麼好競爭，也不要對自己太嚴苛。從許多層面來看，這孩子只是反映出妳最驕傲與最激烈性質的一面。

不合部分

有位垂頭喪氣的人在這個房子裡？容易悲觀的處女座媽媽與摩羯座孩子會讓自己陷入難以掌控的狀況。你們都會降低事情所造成的損失，要想出事情無法成功或不應該這樣進行的理由並不困難。此外，妳可能會不經意地潑孩子冷水，反之亦然。處女座媽媽對自己和其他批評帶著開放心態，小摩羯天生就對自己嚴格。他可能接下某件事後，就朝著恐怖的方向前進，變成在遊樂場上對其他孩子頤指氣使的上位者，或是為自己設定太高的標準。此時提供一個訣竅：在這小孩面前為自己和其他人說些好話。

種瓜得瓜，種豆得豆。處女座是代表服務的星座，妳總在緊要關頭幫助鄰居、朋友或是親戚；摩羯座代表野心，妳會發現他是個「我要成為最好」的孩子，為了滿足妳的欲望，變得有競爭心態或追逐私利。此時，請教導孩子幫助他人的重要性會是個聰明的主意。

處女座媽媽 ♍ & 水瓶座孩子 ♒

合拍部分

照顧人、有社會責任的處女座是擁有服務特質的星座，水瓶座是星盤上的博愛家。你們這對樂善好施的母子檔，很適合參加家族義工旅行、義賣活動及其他需要親自實行的社區改善計畫。小水瓶理性、系統化的特質深得有邏輯的處女座媽媽的喜愛，這也是為什麼孩子跟妳一樣喜歡學習探究原因與做法。

此外，你們同時都擁有新時代人類的特質，這無拘無束的孩子會很開心陪著妳上西塔琴課、裸食甜點製作及捕夢網編織工作坊。處女座是個忙碌的媽媽，剛好對活力十足的水瓶座來說相當完美。孩子也喜歡投入某個喜好，分享關於那些喜好鮮為人知的瑣事，這會變成你們共同的祕密話題。兩個星座都對動物有很深的愛意，要讓家裡變成動物園也不是件難事。

不合部分

樸實的處女座媽媽會讓雙腳踏實地踩在地上，但不切實際的水瓶座孩子不知不覺就進入他的幻想世界，孩子的異想天開可能有點超過妳的理解範圍，尤其是他開始談些像是外星人、太空旅行和獨角獸探訪的主題時，你們根本處在不同的時空。務實的處女座一心想的是如何讓現在變得更好，但妳也習慣戀棧過去；注重未來的水瓶座為明天而活，因此他會分心忘記妳現在為他做的所有小事。請教導他專注於在當下，告知他表達感謝是很重要的一課。

敏感的處女座媽媽有點小心眼，妳會為每件小事變得心煩意亂；沒有偏見的水瓶座喜歡克服難關，從容應對。溫和的孩子可能會為了滿足妳變得有點太過超然，妳應該鼓勵他好好與自己的情緒相處；反之，這孩子也會吐露出一些智慧箴言，教導妳如何停止為瑣事心煩。

處女座媽媽 ♍ & 雙魚座孩子 ♓

合拍部分

雙魚座是妳的對宮星座，因此孩子會是妳很棒的互補的老師（反之亦然）。你們都善良、慷慨：處女座無私奉獻，雙魚座則是犧牲的星座。妳會開心地看到小魚在遊樂場上表現他樂於助人的一面，然後在孩子有點專橫、搖晃著手指指責其他孩子時，也會有點默默地感到高興。

雙魚座會很開心妳對他的過度寵愛，凡事親力親為的養育方式對孩子的靈魂有如雞湯般滋潤。雙魚座天生身體就較敏感，妳需要處理各種像嬰兒的過敏與感染方面的問題。重視健康的處女座媽媽會將這件事看得比任何事都重要，妳會在市區裡尋找各種自然治療的方式，讓小雙魚能處在良好的健康狀況。雙魚座熱愛藝術，妳本身也是個文化愛好者，而且都喜歡跳舞。要不來場親子芭蕾行程呢？

不合部分

處女座媽媽喜歡計畫並堅持下去，愛做夢的雙魚座則會不斷轉換方向，在完成任務與堅持進度間感到掙扎，真令人挫折！妳務實的建議會傷了這容易自我破壞的敏感靈魂，比起嚴苛的懲罰，更應該使用正面態度強化，這對建立孩子自信是最好的方式，給孩子餅乾讓他跟上妳的步伐！

妳對於誰能進入自己世界非常挑剔，而小雙魚與妳認為不入流的人做朋友的習慣（而且還邀他過夜……噁！）將挑戰妳的極限。難以捉摸的雙魚座總有祕密，妳對孩子內心的想法完全沒頭緒，這可會打亂什麼都要知道的處女座的內心。此外，你們也都會用情緒操控他人，使對方感到強烈的愧疚，所以請小心。

天秤座

LIBRA

天秤座媽媽 ♎ & 牡羊座孩子 ♈

合拍部分

有些媽媽可能會被有膽量又自我表達強烈的小牡羊搞得偏離正軌，不過隨和的天秤座媽媽，對於養育這頭羊完全沒有問題。妳享受培養出孩子的獨立自主，同樣也支持他對藝術的喜愛。率直又一心一意的小羊遇事果斷，他會讓妳知道喜好，這對於容易搖擺不定、陷入分析癱瘓的天秤座媽媽來說是最好的解藥。反之，妳會幫助孩子減少一些壞習慣和無禮的行為，教導激烈的牡羊座與人為善，並使用一些外交交涉手腕。

你們都有屬於自己的偏好，因此都帶點自傲的氣質。嘿，即使這代表你們總是擁有一些特殊要求，但其實你們只是喜歡事情按照固定的方式進行。幸運的是，人們都不太會對你們說不。

不合部分

我們就不能好好相處嗎？和諧的天秤座是星盤上的和平主義者，由火星守護的牡羊座則是宇宙裡的戰士，孩子的激進與火力會破壞妳大部分的平衡。即使妳平常不是一個會失去冷靜的人，但這孩子還是有可能使妳抓狂。頑強且獨立的牡羊座需要空間培養他獨立的身分認同，即使是最聽話的牡羊座有時也會變成害群之馬，特別是妳硬是逼迫他合作時，或太過沉迷你們的相似性時，就會更覺得如此。天秤座討厭被催促，動作敏捷又易怒的牡羊座則是用瘋狂的步調移動——令人崩潰！請不要再想用妳過度裝飾的外出服套在孩子身上，調皮又愛亂動的小牡羊很快就會將衣服扯掉弄髒。

天秤座媽媽 ♎ & 金牛座孩子 ♉

合拍部分

小金牛就像天秤座媽媽一樣，都是由創意十足、樂觀的金星守護，孩子傳承妳對於美好及美麗事物的喜愛，為妳的小牛套上精緻服裝、製作美味的寶寶副食品，還有讓家裡充滿優美旋律、精美藝術品及細緻氣味，會讓金牛座置身於天堂，妳也會培養出一位富有教養，迷你版的自己！從容悠哉的步調是你們都喜歡的生活型態。

先不要管星期天的晚餐，穿著睡衣悠哉閒晃，在廚房裡製作一份特別的香蕉榛果可麗餅。音樂也能陶冶你們的身心；當妳心情有點失衡或小金牛開始生氣時，請打開音樂一起跳個舞吧！和諧的金星完全掌控這兩個星座！和戀家的小金牛在一起，妳會感受更多家庭生活的幸福；反之，有文化氣質的天秤座媽媽則會讓固執的小牛打開心房，接受世界更多不同的面向。

不合部分

天秤座有文化氣質且文明，金牛座則在性急與粗暴的邊緣徘徊，這說話大聲、固執己見的孩子，有時會搞砸妳禮儀小姐的名聲，他會對人（包含妳）用就事論事的方式做出評論，使妳覺得丟臉。只能祝福妳能盡量讓金牛座降低音量。

準時出門對你們來說是不太常見的景象。小金牛會花三十分鐘沖澡、在鏡子面前裝扮、或在準備出門前才想換衣服（是不是聽起來有點耳熟？），請在早上時預留一些額外時間，不然你們可能會永遠遲到。

堅持己見的金牛座會抑制有耐心的天秤座媽媽。若他自己有想法時，要寵壞這個不輕易認輸的孩子其實很容易。因此教育他的第一個規則就是，直接向孩子說「不」，並設定金牛座能記住與遵守的規則。

天秤座媽媽 ♎ & 雙子座孩子 ♊

合拍部分

你們是風象星座的靈魂伴侶，都喜愛乘著風，輕鬆感受每天驚奇的事物。小雙子跟妳一樣對所有新鮮事感到好奇，對你們來說，生活就像是一個巨大的探險任務。推著輕型嬰兒車出門吧！對比起長時間窩在家裡，你們更喜歡說走就走，善於社交的你們無論到哪都能交到朋友。雙子座會開心地加入別人的玩樂時間，與其他孩子相處融洽，妳能盡情地與朋友閒聊。你們能透過分享妳小時候的書籍，或帶著小雙子前往能學習新知的有趣場所來產生知性上的連結。雙子座代表雙胞胎，天秤座掌管夥伴關係：你們都喜歡隨時身邊有彼此的陪伴，感覺就像跟最好的朋友相處一樣。

不合部分

因為天秤座媽媽不斷搖擺不定的心情與雙子座反覆無常的興致，使你們無法提前做出計畫，假如要搞清楚對方要去哪、吃什麼、與誰玩樂時，就會把彼此搞瘋。雙子座冷靜、有邏輯，妳一些充滿幻想的想法對孩子來說有點不切實際。當小雙子斷然推開妳的擁抱或拒絕妳柔性的舉動時，感情豐富的天秤座媽媽可能因而感到受傷。

另外，也不要期待雙子座會在意妳的禮儀規則與過多的社會規範！這個孩子喜歡打破規則（或不屈服），有時會在強烈反抗及與麻煩者廝混的邊緣徘徊。和平主義者的天秤座媽媽雖然會一直用和諧的方式督促他，但雙子座卻總對唱反調感到興奮。妳這頑皮的孩子只是因為覺得好玩，就開始與家人起口角。唉呦！

天秤座媽媽 ♎ & 巨蟹座孩子 ♋

合拍部分

甜美、感性的天秤座媽媽和巨蟹座孩子能引出彼此最好的一面。你們都喜歡創造、反覆琢磨並一同緬懷美好回憶——這些記憶會在小幫手巨蟹座的投入下，用照片好好保存在相框內（也許是場「剪貼簿派對」？）。寵愛是天秤座媽媽世界裡重要的一部分，喜愛被寵愛的小巨蟹會很開心地加入自我寵溺的時刻。當你們悠哉地待在家裡時，這會是你們基本的家庭幸福。

飲食在你們內心占據一個特別的位置，妳很樂意教導孩子所有的家族食譜，甚至在其中一人開始重視身體健康時，將自己的自然長壽飲食加入食譜中。巨蟹座會尊敬他的母親，妳也很喜歡討好這行為端正的孩子，小巨蟹也會盡情地關心妳——你們就是彼此的心靈雞湯。

不合部分

天秤座媽媽其實是個派對動物，能很快獲得別人的支持與認同；與他人關係緊密的巨蟹座孩子僅與幾個人相處，和特定的朋友形成一個緊密的交友圈。妳黏人的孩子會抑制妳的社交方式，占據妳的時間及注意。即使妳需要稍微將孩子從保護傘下推開，但也不要忘了給予他關心，在妳被一大堆朋友圍繞時，也不要忘了給孩子特別的關注。

感情豐富又直言不諱的天秤座媽媽喜歡不拘小節，不過不太吐露心思的巨蟹座則是對自己的事守口如瓶，不願透露。因此當妳像個驕傲的母親在吹噓自己時，會不小心透露孩子的私事——造成巨蟹座甩門和冷漠對待妳的下場。孩子憂鬱的情緒會成為一片遮蔽陽光的烏雲，籠罩在妳陽光般的樂觀上，雖然妳習慣以正面角度看待事物，但請不要忽視巨蟹座任何一點情緒上的波動，微小的情緒對他來說就會產生很大的影響，即使妳根本不知道理由為何。

天秤座媽媽 ♎ & 獅子座孩子 ♌

合拍部分

鑽石是天秤座媽媽最好的朋友，小獅子也喜歡生活充滿耀眼的奢華感。妳將優雅的感受力傳承給這孩子，使妳在鎮上驕傲地推著嬰兒車時，總能引起他人的注目。你們有一些喜愛的事能一起分享：穿上明亮有型的衣服、享受豐盛且美味的食物、跳著活潑的舞蹈，每天給自己一些特別的款待。你們都具音樂與戲劇方面的天分，說不定有天會一起組團，或在不分年齡的戲劇試鏡中表演。

你們都是心胸寬大的樂觀主義者，當妳喜愛某些人時會他做任何事，送禮物就是表達愛意的一種方式；請準備好空出一面牆，以便讓妳放上小獅子贈送的部落圖畫及其他小飾品。警告：要寵壞他很容易，所以請確保小獅子知道有些獎賞是需要付出代價的。

不合部分

「鏡子啊，鏡子……」虛榮心是天秤座媽媽和獅子座孩子共同的缺點，請記住教導孩子內在的重要性。即使獅子座是由光芒四射的太陽掌管，但他可能會忘記自己並非宇宙的中心，請在適當的時機才給予獎勵，不然會養成獅子座最糟糕的特質：膨脹的自我。火象星座的獅子座會變得狂野、大吼大叫及傲慢，這些舉止會使得溫和的天秤座媽媽無法招架。雖然妳討厭衝突，但妳可能得退一步好好管教他，以免他的權力凌駕於妳。哎呀，「不行」是獅子座討厭的字，但妳需要時常讓他聽到。

獅子座需要長時間的全神專注，但天秤座則是人群海浪的專家，可以一個換一個，在跳到下一個話題前先稍微閒聊。因此，請不要在一對一的時間裡將孩子的需求輕描淡寫地略過，年輕的獅子座可會藉由發脾氣來搏取注意，而且通常都會很激烈。

天秤座媽媽 ♎ & 處女座孩子 ♍

合拍部分

細節，細節！天秤座媽媽和處女座孩子都專注於小事，即使會拖慢所有人也無妨。因為你們都知道這其中的錯綜複雜，才是讓事情從好變得更好的關鍵！處女座愛好批評，天秤座則會做出評斷，因此你們都有特別講究的品味；在處女座進入青春期前，你們可能都對彼此變得有些尖酸苛薄，小心時尚警察的出現！

謙遜的處女座拘謹且合宜，喜歡學習規矩與禮儀，簡直就是妳的縮小版，讓妳在大眾面前成為一位驕傲的媽媽；處女座喜歡幫忙，提供孩子一些待辦清單的線索，讓他協助妳。此外，處女座很擅長記住妳總是輕鬆帶過的事情，而且完全不需要給他任何提醒！你們都是視覺動物，喜愛將周圍裝飾得很漂亮且美觀。

不合部分

想像力十足的天秤座媽媽，會對自己的創意表達變得得意忘形，讓所有事情偏離理智。因此，拘謹的處女座孩子，遇到這個時候，難免感到有點羞愧或想稍微避開妳，妳的一些表現有時對這務實孩子來說超過了能接受範圍，而妳的樂觀主義對於看待人生相對悲觀的處女座來說，又會產生矛盾。孩子的神經質確實相當考驗妳的耐性——為什麼他就不能解開心房呢？當妳的天秤開始失衡時，會陷入戲劇化的情緒漩渦中，此時處女座則會進入處理事情的角色，嘗試想幫助妳，不過這卻使孩子內心變得更焦躁。即使妳成熟的孩子像一位超齡的摯友安撫妳的心，不過也請試著在他面前表現出冷靜的樣子，不然孩子的內心會在進入成年期之前承擔過多的責任。

天秤座媽媽 ♎ & 天秤座孩子 ♎

合拍部分

多麼充滿愛意的組合！由金星掌管的天秤座媽媽善於與孩子分享彼此的情感。趕緊打電話預約孩童設計師，安排好照相棚，上相的你們會讓相機的鏡頭緊緊跟隨，對於街上行人的注目禮也不須感到太驚訝。妳的迷你版跟妳一樣喜愛美麗與和諧的氛圍，無論男生女生，小天秤都會是妳年輕的逛街夥伴。這孩子會快樂地跟在你身旁參加戶外音樂節、時裝秀及文藝活動。

派對一整天！善於社交的孩子跟妳一樣喜愛人群，帶著小天秤到各個地方，你們會和各自的朋友相談甚歡。當你們都處在平衡狀態時，會是在幸福的氛圍中，圍繞在平靜且舒適的環境裡，這讓你們感到放鬆，並在沒有干擾或要求下做著自己的事。

不合部分

天秤座對品味極端挑剔，當妳和孩子對不同的觀點、固執己見時會發生什麼事呢？雖然你們的星座討厭衝突，但還是會產生嚴重的僵局。即使都是陽光的樂觀主義者，不過你們的天秤也會往反方向搖擺，使情緒變得憂鬱，這種情況特別會發生在天秤座肚子餓或疲累時；孩子會顯現出當妳想按照自己方式、想怎樣就怎樣時，是多麼強迫地要求他人的模樣。

你們都過度強調外表，也許是因為你們看起來都很棒。請不要忘記強化妳與孩子之間智力方面的連結；你們都是深度思考者，年輕的天秤座看妳以前讀過的書，妳也會與他分享心得。另外也請多花點時間與他一起待在家裡，不要因為你們都是社交高手，就代表年輕小天秤不需要規則與例行常規來獲得安全感。

天秤座媽媽 ♎ & 天蠍座孩子 ♏

合拍部分

天秤座媽媽與天蠍座孩子之間的關係有點強烈，妳們之間有種業力的連結，他會緊緊地待在妳身邊，就像妳待在旁邊一樣。你們一起在學校賣公益餅乾、進行募款活動時總能吸引更多目光，妳親切的性格加上孩子無可抵擋的魅力，讓你們創下募款金額紀錄，也許某天會一起開創事業也說不定！

悠哉的天秤座媽媽，不會那麼輕易就受到天蠍座強烈情緒與反應所影響。這孩子會糾結在某個情緒上，不是過於激動，就是墨守成規，此時妳沒有偏見的觀點就能派上用場，幫助他迅速擺脫糾結情緒，並以不同觀點看待事物；反之，嚴肅的天蠍座則幫助妳不要只看事情表面，妳會變成更具深度思考的人，這都要歸功於孩子帶給妳深刻的影響。

不合部分

天秤座媽媽是天生的和平主義者，比起對任何人生氣發火，寧願含著橄欖枝，但妳的後代天蠍座孩子可不是如此，這孩子會記仇……記一輩子！請提早教導他原諒的美德及他放手的力量。

善於社交的天秤座媽媽是舞台上的女王——只要妳一踏出家門，就受到萬眾矚目，對妳來說，每個人都是朋友。哎呀，妳如此外向的性格恐怕會引起天蠍座的嫉妒，而且如果讓他覺得自己與妳的眾多朋友裡，只排在次要位置的話，占有欲強的孩子可是會用刺耳的評論或兇惡脾氣提出抗議。

天秤座媽媽和天蠍座孩子都會陷入憂鬱、消極的情緒，差別就在於你們情緒上的起伏；妳的情緒風暴比孩子還快散去，但要了解天蠍座孩子對人生黑暗面的執著，對妳而言會滿棘手的，甚至讓妳懷疑到底為什麼會生出情緒激烈的孩子！

天秤座媽媽 ♎ & 射手座孩子 ♐

合拍部分

讓陽光撒進來！積極正面的射手孩子，承襲妳對人生享樂的原則及充滿活力的觀點，你們不會長時間陷入失望的情緒中，開朗的孩子會用揶揄的笑話和超齡的建議，提供妳精神上的支柱。你們是隨興、隨遇而安的母子檔，會在後車廂放著輕型嬰兒車到處閒晃，一趟小型超市的小旅行就能變成兩個探險家全天的行程。

請盡快申請圖館借書證！年輕的小射手跟妳一樣渴望藉由閱讀在廣闊世界裡學習，書籍會是你們的連結。另外，你們也是很棒的旅行夥伴，無論是家族鐵道旅程還是飛到國外家鄉進行尋根之旅。在許多方面，小射手是妳的孩子也是妳最好的朋友。

不合部分

愛搗蛋的射手座孩子對於挑剔的天秤座媽媽來說有點麻煩，妳可能得將一些漂亮的東西（尤其是白色的）收起來。狂野的射手座總帶著一身髒汙回到家裡，妳雖然舉止優雅，但小射手卻是笨手笨腳；請將那些珍貴的傳家之寶放到高處！和這孩子一起時，請忘掉精緻的孩童服裝，就在妳有正當機會展現花錢的本領前，布料可能已經有些破損了。溫和的天秤座媽媽是天生的外交官，妳總在開口前先思考，但孩子可不一定！魯莽、坦率的射手座常會說錯話，妳可能會多次被這孩子不得體的言語搞得羞愧。射手座孩子的感情不像妳這麼豐沛，請將感性的卡片時間留給其他孩子，並向小射手表現出妳多麼欣賞他的幽默感。

天秤座媽媽 ♎ & 摩羯座孩子 ♑

合拍部分

品行端正、有野心的摩羯座孩子是很多媽媽的夢想，尤其對注重禮儀的天秤座媽媽來說更是如此。你們喜歡在大眾下受人矚目，他也知道如何保持體面。請盡快加入鄉村俱樂部的會員，你們都有點精英傾向；小摩羯會想和來自好人家的好孩子相處，而且不想將妳為他換上的珍貴白色網球服弄髒。你們絕對是完美的母子檔！

摩羯座就跟妳一樣，忠誠、傳統、喜歡花時間跟家人一起。妳可以和孩子相處得很好，你們都喜歡享受沉靜、放鬆的氛圍。此外，你們都有點完美主義的特質：天秤座媽媽喜歡做事條理分明，小摩羯則會維持高標準和工作道德。妳會因孩子的決心受到啟發，從摩羯座積極行為中學習如何堅持目標；妳也會幫助陰鬱孩子打起精神，學習如何不帶自我批評的心態突破重圍。

不合部分

你們有點角色互換的感覺。樂天特質的天秤座媽媽，比起世俗特質的摩羯座孩子更懂得玩樂與享受，這嚴肅的孩子則相對悲觀，這讓妳覺得彷彿被潑冷水一般。當摩羯座開始進行某件事時，如計畫、作業、遊戲等，他喜歡堅持到底；妳則比較喜歡待在家裡，等著年輕的小摩羯完成任務。

摩羯座會在有條理、傳統的環境中努力成長，這孩子喜歡規則，隨興的天秤座媽媽對於建立規則不那麼擅長，可能連規定的睡覺時間都記不起來。妳的孩子渴望的是擁有一位致力於傳統的母親，而不是酷炫媽咪。專注於前方的摩羯座對規劃自身未來有強烈的需求，因此活在當下的天秤座媽媽要為孩子成為更好的計畫者！妳老是回答「也許」這種不確定的態度，會引起孩子的不安，摩羯座需要從妳那裡得到明確的答案，而且這孩子也不喜歡即興或驚喜。

天秤座媽媽 ♎ & 水瓶座孩子 ♒

合拍部分

天秤座和水瓶座都是風象星座，你們的生活就像一道清涼的微風拂過。這個悠哉的孩子承襲妳對即興與冒險的喜愛，完全不需要對郊遊有任何計畫，只要讓孩子坐上車，隨時出發！此外，這個敏銳的孩子也遺傳妳聰敏的好奇心，你們會將小旅行變成整天行程，前往互動式博物館、專門店來趟城市探索之旅，或是兜風到歷史悠久、古色古香的小鎮。當然，除了飽含文化素養的行程外，你們也會一早起來精神飽滿、毫不猶豫地直接前往遊樂園或動物園度過一天。

人道主義的水瓶座及愛與和平的天秤座媽媽，都對弱者充滿同情，一起做志工也是讓彼此產生羈絆的不錯方式。此外，你們都是動物愛好者，這孩子可能會出於道德理由，年紀輕輕就變成素食者。小水瓶就像妳一樣對組織人群展現出天賦，你們一起時會讓家庭生動活潑，藉由安排有趣的事和遊戲來建立團隊精神。

不合部分

雖然你們都擅長社交，不過天秤座比較屬於單打獨鬥的類型，小水瓶則是十二星座裡具有團隊精神的人。在妳渴望與孩子建立連結時，時常會被小水瓶的隨從打擾——「媽媽，布倫登、史考特和約拿也可以和我們一起嗎？」，哎，孩子啊。妳可能得清楚表達立場，不然比起做個盡責的媽媽，最後更像個接駁巴士的司機。

由金星司掌的天秤座媽媽，是個感情豐富的黏人精；水瓶座則由智慧的天王星掌管，孩子可能會躲開妳的熱情親吻和經常性的擁抱。他可不是任何人的換裝玩偶或是抱抱熊，這一點可能會稍微傷了妳的心。不過請不要太在意！妳還是能透過書籍和分享想法，與孩子產生美好連結，妳會對有品質的對話感到驚艷。當然，妳得犧牲一些溫暖的擁抱，但小水瓶未來有天會把妳當做他最好的朋友。

天秤座媽媽 ♎ & 雙魚座孩子 ♓

合拍部分

創意是天秤座媽媽和雙魚座孩子與生俱來的天賦，你們會一起產生的傑作有手指畫、樂器表演、插畫書及華麗的摺邊床罩，這摺邊會為妳的生活帶來刺激，在寵愛自己這方面，你們毫無極限（請將餅乾罐放在小雙魚碰不到的位置，還有，妳也是！）。愛做夢的雙魚座跟妳一樣擁有無限的想像力，你們的生活就像一場施了魔法的旅程。嘿，天秤座媽媽，妳是否還相信著美人魚與小精靈的故事？妳能從夢幻的小雙魚身上重拾對魔法的想像！

你們盡情擁抱，並在美麗馬克杯裡裝滿法式熱可可——你們不僅非常感性，也很喜歡藉由安撫的儀式寵溺自己，妳能和喜愛依偎在旁的小不點享受幸福時刻。

不合部分

妳對想像通常有清晰的畫面，但雙魚座對現實經常表現出不切實際的態度，這會是你們另一個議題。妳可能會對孩子想像出來的朋友、神祕圖畫或相信房間有鬼的想法看得過於嚴重，媽媽，因為這孩子擁有與生俱來優異的感知能力及某些層面上的預知夢，請先試著不要做出評論。

小雙魚是天生的照顧者，當妳生活失衡時，他很快就會來安慰妳，但這時請小心，這容易情感轉移的小傢伙還只是個孩子！不要太常將雙魚座變成安撫者的角色，或者沒有讓他獲得適當的安全感。此外，小雙魚就像妳一樣容易忽視時間的流逝，在正常的時間表裡，可能不會感受到吃飯與睡覺時間；請為自己設定提醒鬧鐘，讓孩子的生活步入正軌，這也會幫助妳的生活過得踏實。你們都是對情緒敏感的人，但水象星座的小雙魚會變成過度沉思者；然而從更黑暗的情緒中給予孩子支持，反而使妳陽光的一面蒙上陰影。因此，即使妳渴望長時間的陪伴，但當小魚陷入這些煩悶心情時，給他獨處的時間及空間！

天蠍座

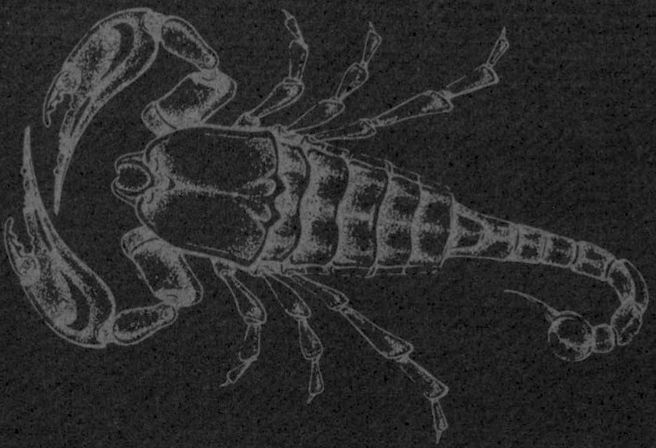

SCORPIO

天蠍座媽媽 ♏ & 牡羊座孩子 ♈

合拍部分

熱情、力量十足且由火星掌管的牡羊座跟妳的性格如出一轍，具主導地位的冥王星掌管天蠍座，將行星戰士火星當作共同主導人，妳本能上就清楚知道年輕牡羊座的競爭心態與銳不可擋的驅動力，無論作為足球隊隊長、樂隊指揮或孩子人氣王，牡羊座孩子通常會在團體中獨占鰲頭。凡事親力親為的天蠍座對這位神童而言，簡直是完美的經紀人，妳會帶著小牡羊在每個比賽、試鏡與表演中努力往上爬。

狂野的牡羊座孩子可能難以馴服，不過好在天蠍座虎媽完全能勝任這份工作。在妳精明的管教風格下，能確保孩子維持謙虛的態度，提醒他世界不是只圍繞著他打轉。雖然牡羊座孩子散發自信，但他仍是星盤上的寶寶，妳直覺的母性能在此派上用場，能清楚察覺到何時應該稍微推他一把，何時需要將孩子緊抱。

不合部分

牡羊座由侵略性的火星掌管，天蠍座媽媽和牡羊座孩子間會有個好鬥的關連性；你們都性急、直言不諱，有時在爆出傷人言論後又感到後悔；牡羊座通常會不經大腦直接脫口而出，天蠍座媽媽則在感覺到被拒絕或不被認可時去刺傷他人。你們的脾氣可能都來得突然，尤其在叛逆小羊違背妳或直接忽略妳的規則時。要知道性格猛烈的孩子不會輕易受到妳的掌控，特別是妳未予他在舒適圈以外的世界探索的權利。

小羊基本上很獨立，這個部分可能會讓天蠍座媽媽感到不安。妳需要他人的關注，而且容易焦慮，比起分心的牡羊座能給予的，妳更需要的是對可愛媽媽的地位認同。請不要將自我價值放在想獲得孩子的掌聲上，不然最後妳可能會完全失去母親該有的掌控權。

天蠍座媽媽♏&金牛座孩子♉

合拍部分

天蠍座和金牛座是對宮星座，心情好時，你們彼此會維持完美平衡。特質務實的孩子很好理解，沒有任何祕密，這對多疑性格的天蠍座媽媽來說感到鬆口氣。要與孩子培養開放的對話形式並不困難，因為他會把妳當作摯友看待。

金牛座就像妳一樣務實，但也喜歡有品質的生活。你們會一起寵愛自己：來場冰淇淋聖代派對！可靠的孩子會是忙碌天蠍座媽媽的快樂幫手。你們都具創意力且重視細節，妳能讓小金牛在派對時幫妳布置場地，或為背景音樂製作播放清單。雖然耽溺奢華的小牛喜歡各種精緻物品，但你們都很節儉。小金牛會將銅板存在小豬撲滿裡，等待特賣會時再伺機而動，就跟他媽媽一樣！對你們來說物質能撫慰身心，但當你們一起待在家時也會感到相當幸福。

不合部分

太固執了？當你們堅持某件事時，無論是固執己見的金牛座孩子，還是意志堅定的天蠍座媽媽都不會輕易退讓。你們對事情的思考模式都傾向非黑即白，因此當你們產生衝突時，可能不容易找到妥協之處。當然妳能展現出媽媽的角色來壓制孩子，而且妳可能必須經常這麼做，但最後還是會聽從小金牛的想法。這務實的孩子通常會有值得思考的想法，即使需要花他一點時間才有辦法用言語表達。記住金牛座掌管喉部，請鼓勵小金牛為自己的意見發聲，這對建立自信相當重要。

作為固定星座的一員，你們都不喜歡變化，不過當遇到生活中需要轉變時，你們會進入一個切換模式。金牛座掌管物質世界，與物品有所連結，因此當妳企圖丟掉孩子的舊玩偶或娃娃時，請小心處理。不要只是因為他幾個月沒玩，就認為他已經是不再需要安全毯了。充好電的小牛遇到天蠍座的毒刺時，你們的爭吵可能會變得難以忍受。此時妳需要給自己喘息的空間，才不會因而失去理智！

天蠍座媽媽♏＆雙子座孩子♊

合拍部分

這對好奇、愛問的母子檔就像福爾摩斯遇到南茜茱兒；小雙子跟妳一樣，被生活裡的有趣謎團深深吸引，你們對於解開謎題也相當迷戀，也喜愛解謎遊戲。任何過於直接的事物會讓你們感到厭煩，你們寧願去釐清繁複的密碼或靠著一系列的線索找出解答。試試看智力測驗和策略性遊戲，這會是你們最喜歡產生連結的方式。

小雙子跟妳一樣是狂熱的文化愛好者，你們會分享對電影特別的喜好，執著於細節也是共同特質。不過，你們可能因為對家事過分要求，進而逼迫家中其他成員也要遵守，因為無論是妳或孩子，都要事情達到所謂的標準才會滿意。

不合部分

天蠍座媽媽專心一致，當妳想完成某個目標時，未達成前妳都不會偏離正軌；難以預測的雙子座則是星盤上專注力最短暫的一個，總將事情做一半，半途而廢，在過程中會讓妳無法忍受。

對天蠍座媽媽來說，忠誠和信任比一切都重要，但要將這些信念灌輸在善變的小雙子身上，只能祝妳好運。雙子座以雙面性格聞名，如果妳的孩子不是徹底地愛說八卦，那他最好的朋友至少每天平均會換三次。孩子反覆無常的社交方式讓妳感到掙扎，特別是因為妳可不會隨意給出最好朋友的稱號。

對天蠍座媽媽來說沉默是金，妳需要退回到安靜的洞穴裡沉思，但雙子座的喋喋不休會打斷妳思考的時間，妳可能必須離開家中尋求片刻安寧！

天蠍座媽媽♏ & 巨蟹座孩子♋

合拍部分

小巨蟹是妳水象星座的靈魂夥伴，你們是對甜美的完美組合，孩子跟妳一樣直覺性強且不輕易妥協。妳替他建立一個舒適的泡泡世界，他能在裡面和妳一起快樂相處，模仿妳每個動作，對你們以家庭為重的傳統靈魂來說，家中的幸福感不會倏忽即逝，溫暖的家會成為重視隱私的水象星座深切渴望的祕密淨土。感謝妳的幸運星星：小巨蟹座理解舒適、寧靜所帶來的意義，提供妳許多沉思的時間，讓妳得以沉澱與充電。

孩子的社交風格與妳類似，你們都不輕易相信他人，通常只和特定的人有親密的連結。小巨蟹就像妳，對朋友的無意之舉會十分敏感，妳也了解孩子對反應上的高標準，但請小心不要讓孩子養成受害者心態，你們都得學習如何不把事情牢牢放在心上的重要性！

不合部分

這對母子檔的關係可能發展到有點親近過頭了，因為你們太喜歡彼此的陪伴，容易將他人排除在外，包括其他的家庭成員，以致於可能會對你們產生嫉妒之心。談到交友，你們都容易起疑心，不過請小心不要形成「全世界都是我的敵人」的被害心態。如果妳讓生活變得太狹隘，孩子可能會永遠無法離開鳥巢（妳也許認為這是好事，不過到了孩子上幼稚園的第一天時，就會發現根本不然）。

年輕的巨蟹座多愁善感，但妳也有自己的陰暗面，這些情緒風暴會使你們變得低落，讓彼此都覺得被潑冷水。小巨蟹有時很聽話、天真且想要被保護，不過妳內在狂野的一面，或許會因為小巨蟹說教式的批評受到限制。妳想成為很酷的媽媽，但孩子卻渴望妳成為喜劇《天才小麻煩》（Leave It to Beaver）裡的瓊・克莉佛（June Cleaver），這位五〇年代溫柔又嚴格的完美母親形象，可是會限制妳的管教風格。

天蠍座媽媽♏ & 獅子座孩子♌

合拍部分

童星與舞台媽媽的宇宙組合，小獅子在舞台上發光發熱時，妳會在幕後使勁角力與拉攏關係，幫助天才神童獲得更高的位置；應該沒有其他人比妳更支持這位天賦異稟的孩子的野心，即使有時妳確實想主控全場。有些孩子可能會因為受到過多矚目而感到喘不過氣，不過年輕獅子座會沉醉在妳不斷的關心下；妳不介意讓孩子變成自己宇宙的中心，自信十足的獅子座也認為如此受人尊重的位置，是他與生俱來的權利。獅子座天生的競爭心態予與讓自己成為最好的驅動力特質，也反映出妳對人生的態度。家中的壁爐架上會擺滿你們一起獲得的獎狀與獎盃。你們都具有迷人的性格與引人關注的特質，在一起時會吸引很多關注。即使妳非常保護隱私，但你們的生活實境秀應該會相當吸引人。

不合部分

誰是家裡的老大？你們之間會有幾個主要的權力爭奪。如果說妳過於熱衷吹捧、誇耀孩子，這位迷你小王子可能會忘記妳才是家中的掌權者；若妳太常對他說，他比其他孩子厲害，這會讓獅子座的自我過度膨漲，請務必小心。我想妳可不願姑息養奸，導致自己吃到苦頭（即使妳相信會成真），不然或許會接到從學校打來的抱怨電話，說孩子無法和其他同學分享或好好遊戲。

驕傲又自大的獅子座孩子不擅於保守祕密，關於這點會讓妳感到相當心寒。妳得好好監視他是否將妳與他分享的資訊透露出去，不然妳會發現一些不可告人的醜事被他公諸於世。性格強烈又獨立的叢林貓需要很多吶喊的空間，請試著讓孩子就近管理。否則年輕獅子座會鬧出一場史詩般的反抗戰爭，更糟的狀況是直接在公眾場合大吵大鬧——對妳這麼習慣保守祕密的星座而言，這是最糟糕的惡夢了。

天蠍座媽媽♏ & 處女座孩子♍

合拍部分

處女座孩子是天蠍座媽媽志同道合的夥伴與舒適搭檔。年輕處女座幾乎跟妳一樣，常以嚴肅態度面對人生，而且在處理複雜謎團或難以理解的事時，會表現得更緊張。焦慮的孩子需要更多的肯定以獲得安全感，直覺性強的天蠍座媽媽知道如何安撫他，為他的人生扮演穩定且給予支持的存在。令人驚喜的是，他也欣賞妳親力親為的媽咪風格！

你們都有些神經質，會因周遭環境的個別細微差異與變化做出調整。談到品味，處女座孩子跟妳一樣挑剔，無論是一起悠閒逛街、購買設計時裝或在網路大海裡尋找精緻古董，你們都是絕佳的購物夥伴。

樂天助人的處女座是個努力工作的孩子，讓他跟在妳旁邊貼身工作，他會對妳不懈的幹勁表達欽佩與敬重，妳能教導這位過度謹慎的孩子如何在生活中承擔相對健康、可控管的風險。

不合部分

處女座是代表評論家的星座，天蠍座則注重細節——你們在一起會變得非常挑剔，需要每件事物都依照自己的習慣做出客製化的調整。不過媽媽請小心，妳可能因此培養出一位苛刻嚴厲的主角，這會讓孩子上學後不太受歡迎——美術老師並不想在第一次水彩課為孩子直接用手調顏料。

此外，妳會在孩子身上看到自己愛控制的習性——讓妳大開眼界。年輕的處女座某天開始命令妳，或對妳的決定表達意見時，絕對是以超齡的態度對他人品頭論足。性感的天蠍座媽媽通常對外表相當有自信，但不要因為看著自己的投射，就無意間脫口說出自我評斷的言論。小處女傾向完美主義，特別對身體形象更是如此，他也會從妳身上學習；請教導孩子「愛自己」是妳給他最棒的禮物。你們在一起時會使八卦變得更加劇烈，媽媽，請隨時檢查那些冷嘲熱諷是否正確，不然會帶出處女座孩子刻薄的一面。

天蠍座媽媽♏ & 天秤座孩子♎

合拍部分

天秤座和天蠍座都擁有重視夥伴關係的星座特徵；小天秤跟妳一樣喜歡加入一對一的互動。你們在星盤上是隔壁鄰居，有一些相同之處，而且妳會發現在開啟話匣子後，孩子與生俱來的口才能力開始發揮作用。

無憂無慮的天秤座將變化帶入妳的生活，孩子知道如何以正面角度看待事物，而且不會為了雞皮蒜皮的小事心煩意亂；而妳能幫助反覆無常的風象星座培養出更多的持久力。小天秤討厭做決定，但妳在人生舞台上腳踏實地的態度，會為他樹立很棒的典範，有妳這個重視人生目標的媽媽在角落為他加油，對他來說，能幫助他在選擇和堅持自己所選的事物時，不容易受到情感的折磨。你們都喜愛音樂與藝術，娃娃車裡的小天秤會成為逛博物館與欣賞交響樂的好夥伴，就去參觀畢卡索和二十人爵士交響樂吧！

不合部分

孩子是否真的如此天真？年輕天秤座單純、好奇的眼神會讓精明的天蠍座媽媽起雞皮疙瘩，就在他以玫瑰色眼鏡看待世界時，妳可是帶著間諜望遠鏡躲在暗處伺機而動。妳可能會變成直升機媽媽，總擔心這「過度信任他人」的孩子。天秤座的口號是「你需要的就是愛」，但對天蠍座媽媽來說，需要感受情感完整且強烈的面向，妳多愁善感的特質，對愉悅的天秤座靈魂來說過於沉重，可能會使孩子從家庭結構中脫離。提供妳聰明人一定懂的道理：把情緒留在自己的房間，當妳陷入負面的情緒時，請趕緊轉移目標。

雖然你們對細節很講究，尤其是事物的表面，不過不太負責的天秤座，常會將事情做到一半，留下尚未完成的事物；請教導他，在開始一項重大的挑戰時要有始有終。

天蠍座媽媽♏ & 天蠍座孩子♏

合拍部分

天蠍座媽媽與孩子的關係相當緊密，要切斷與孩子間的連結，無論是字面上或實際上都不會是很快的過程——你們對於密切關係也相當滿意。你們都渴望親密感及強烈的情感，加上直覺性，就好像能讀懂彼此內心想法一樣。充滿靈性的孩子，會承襲妳對神祕學與身心靈的喜好，一起探索人生的神祕面向對你們很重要。

你們都喜歡精心安排的計畫，無論是為一場華麗慶祝會精心打扮、或為鄰居孩子策畫尋找復活節彩蛋的活動，都會讓你們沉浸在細節之中。

小天蠍是渴望權力的孩子，不過只要妳引導他從這樣的傾向轉為更謙虛的態度，將會培養出一位很棒的領導者。你們也是魅力的化身，若一起出現在公眾場合中，你們的魅力會不由自主地吸引他人目光，不過大部分的人（不會太多）對於靠近你們這對冷酷貓咪組合，還是有所畏懼。

不合部分

過於矜持？雖然你們都能適應不開口的氣氛與隱晦的暗號，但究竟發生什麼事呢？你們這兩位戰略師之間各種嘔嘴、惱怒及被動式攻擊的舉止，說實話，彼此的互動沒必要搞得這麼複雜！請逼迫自己以開放態度對話，對年輕天蠍座給予清楚的要求，不要因為孩子能讀取妳的心思，就認為他每次都知道該怎麼做。

妳想起自身孩童時期吸引危險和製造麻煩的體質，而且也可能從孩子身上看到妳以前的影子，但是，這樣就代表妳能在孩子上學時偷看他的日記或窺視他的房間嗎？喔，不，千萬不要這麼做，媽媽，請不要忘記自己有多重視個人隱私。如果妳懷疑小天蠍正朝著難以捉摸的道路，妳能試著與他進行親密對話，確保為他創造安全的空間，並在沒有責罵的情況下，讓他吐露細節。這跟妳與忠誠的朋友分享祕密時並無太大的差別。妳會聽到小天蠍滔滔不絕、充滿信念地訴說，妳就是他最適合的引導者，能理解孩子嚮往黑暗面的誘惑，不過同時也能引領他往完全相反的道路前進。

天蠍座媽媽♏ & 射手座孩子♐

合拍部分

靈敏的天蠍座媽媽與充滿哲學的射手座孩子，你們都對人生的神祕領域感興趣。雖然妳比孩子更像個偵探，不過充滿好奇心的小射手，也喜歡探索隱密的珍奇新事物，生活對你們來說就像一場永無止盡的尋寶之旅。此外，你們也喜歡達成宏大的目標，心胸開闊的小射手跟妳一樣是個夢想家，伴隨著妳處理細節的強項，妳能幫助積極進取的孩子美夢成真。雖然你們是相鄰星座，不過基本上會以不同的角度看世界，能為彼此達成有效的互補。謹慎小心的天蠍座媽媽教導躁進的射手座孩子欲速則不達的道理；而小小樂觀主義者會幫助妳脫離無助、執著的執念，提醒妳雨後必定會出現彩虹。

不合部分

擅長策畫的天蠍座媽媽，將人生看作是一場巨大的棋賽，妳很少會未經全盤思考就貿然行進，性急的射手座孩子則是初生之犢不怕虎，就在妳看到年輕射手跨越禮節和常理的界線時，經常引發出如何控制孩子的課題，這個孩子對生活魯莽的態度絕對會讓妳焦慮不安。獨立的射手座似乎每次都在違抗妳、公然忽視妳的規則，尤其在妳限制他的冒險精神或用任何方法想剪掉他的翅膀時。

天蠍座媽媽不容易相信他人，若有任何人要進入妳的生活圈，勢必得經歷像黑手黨等級的忠誠度測試，然而秉持公平公正的小射手，則把生活裡各行各業的人當作朋友——是的，即使對方是妳不太滿意的孩子。也因為受到射手孩子的影響，請妳試著稍微放寬標準，或許能放寬妳的心胸。

天蠍座媽媽♏ & 摩羯座孩子♑

合拍部分

當小摩羯降臨到妳的子宮時，夢寐以求想建立的王國終於正式成真。兩個星盤上最有權力、野心特質的星座，妳的小小大人物就跟媽媽一樣夢想名聲與財富。妳會感覺在培養一位皇室或世界領袖，而且確實有可能是這樣。摩羯座孩子天生帶有貴族氣息，妳喜歡看著他在所做的一切中爬到頂峰。請為奢侈品保留預算！孩子傳承自妳對精緻物品的喜愛，特別是那些能襯托出地位的東西。小摩羯就像妳，對身邊相處的人相當挑剔。家庭對你們來說代表全世界，當親人聚集、需要將家事處理得有條有理時，小摩羯會是妳得意的副手。

不合部分

堅持己見的摩羯座有點目中無人，雖然妳樂意授權給孩子，但妳可不想他奪走妳在家中的王位。請清楚表達出誰是家裡的負責人。如果妳有其他孩子，並時常將管教手足的工作交給他的話，摩羯座孩子恐怕會變成一位小小獨裁者。

天蠍座和摩羯座都會受到生活陰暗面的吸引：嫉妒、執著及權力的爭奪。倘若孩子暴露在這樣的環境時，請務必格外注意。即使妳未看到明顯的跡象，但妳應該不想看到孩子受到負面的影響。天蠍座媽媽行事隱匿，摩羯座孩子同樣也相當封閉；請確保和孩子在一起時多聊些好事，這樣能讓完美主義的摩羯座學習到，就算卸下面具與展現脆弱，也是很安全的。

天蠍座媽媽♏ & 水瓶座孩子♒

合拍部分

請遞上鼠尾草和冥想坐墊；你們將打造一個新世紀遊牧民族的生活形式。水瓶座雖然比直覺性強的天蠍座媽媽更理性思考，不過孩子很樂意陪伴妳一起追尋可吸引妳內在層面自由奔放的事物，一起前往沒有年齡限制的民族音樂祭典？

你們都是能跳脫框架、富創意的夢想家，說不定也能熱衷於科學之中。好奇的水瓶座對研讀人類並將資料彙整成報告相當有熱情，妳本身也像個偵探，會欣賞孩子聰明的洞見。你們面對壓力時都能表現出冷靜的態度，或許能一起享受極限運動或需要冒險的活動。心情相對輕鬆的水瓶座，不像妳容易把事情往心裡去，因此妳能從他身上學習到不為小事心煩的態度。

不合部分

熱情的天蠍座是象徵連結的星座，因此妳對孩子的愛意相當強烈，希望與他維持親密關係。冷靜鎮定的水瓶座則相對超然，這孩子會想從媽媽身邊獨立，希望能不受束縛自由徜徉。就在水瓶座將妳的關心推開時，恐怕會因此傷了妳的心，並且帶出妳冷酷的一面；此外，如果妳將孩子對個人空間的要求想得太嚴重，妳的冷冽情緒瞬間會讓周圍不寒而慄。

此外，你們的社交方式也是主要的衝突原因。天蠍座媽媽會對陌生人（即使是已經認識對方超過十年）起疑心，不過外向的水瓶座在生活裡沒有人是陌生人。有時可能會出現一些焦慮時刻，就在妳看到孩子與班上任何一位麻煩者交朋友，或在超市排隊結帳時與看起來可疑的人攀談。這……！你們都會隱藏情緒，然後突然爆發出來，因此當天蠍座的毒刺跑出來，或者水瓶座突然吃錯藥時，你們的爭吵將演變成一發不可收拾的狀態。請試著避免對天性愛反抗的水瓶座說些妳之後會感到後悔的話。

天蠍座媽媽♏&雙魚座孩子♓

合拍部分

愛做夢的雙魚座對天蠍座媽媽來說是個舒適的存在。你們的直覺性強，彼此有深沉的根源，事實上，妳會感覺早在三輩子前就認識這個孩子，就像彼此擁有心電感應般。這個與世超脫的孩子能幫助妳擺脫執念、提醒妳放鬆、發掘每個美麗瞬間。

打包好野餐物品，帶著妳的小美人魚去海灘吧！作為水象星座的夥伴，接近水能撫慰你們的心靈——

帶著純潔的祝福。此外，只要醫生允許孩子能進入游泳池，就可開始游泳課程。你們都喜愛音樂和藝術，神祕世界也同時向你們招手。雙魚座很樂意陪著妳追求像水晶療癒、夢幻舞蹈、塔羅牌工作坊等神祕學的事物。有預知能力的雙魚座，可能會承襲妳對神祕力量的追求，娃娃車上的小小奇蹟帶來特殊的見解，讓妳驚奇連連！

不合部分

當妳在執行某項任務時，幾乎不會停下腳步——哎呀，有些甚至會讓妳沉迷。漂泊的雙魚座則會中途改變方向，失去重心並時常半途而廢。逼迫這孩子專心致志可能會徒勞無功，但妳能確保小雙魚學習自己善後——玩具和美勞用品散落一地的房子，可不是妳夢想中的布置風格。

天蠍座和雙魚座都會吸引擁有陰暗性格的人，妳會看到自己不甚完美的傾向投射在孩子身上——教導他謹慎選擇交往對象會是個聰明的主意。雖然雙魚座以被動為名，但在孩子樂意遵守妳的規則且沒有任何抗拒時，也不要急於表揚自己做得有多好。因為小雙魚有隱瞞事情的傾向，最好在發現他在妳背後反抗前，為他打造一個安全空間，讓他打開心房。

射手座

SAGITTARIUS

射手座媽媽♐ & 牡羊座孩子♈

合拍部分

你們作為火象星座的夥伴，簡直就像對志同道合的母子檔；小牡羊反映妳放手一搏的性格，你們欣賞彼此之間產生的火花、驅動力與行動力。一起來場戶外旅行！要你們坐在椅子上超過十分鐘根本天方夜譚。儘管他對目的地的選擇比起妳的自由靈魂還難搞，而且等他準備好探索其他地方前，可能得重複回到幾個他喜歡的地方，不過他還是會和妳一起冒險。

妳的創業精神也會反映在小牡羊身上，事實上，這孩子可能比妳更有動力達成目標；當妳的後代擁有團隊隊長、學生會主席、單簧管首席、同儕團體諮商領導人的頭銜時，可會讓妳洋洋得意。創業家的基因也會承襲給他，你們通常能將驚人想法轉換成賺錢管道，孩子對傳統烘培義賣以不同方式呈現則會讓妳對他心生敬畏。我想應該沒有任何家長比射手座媽媽更支持這足智多謀的孩子。

不合部分

作為星盤上第一個星座的牡羊座雖然適合開啟事物，但卻對完成興趣缺缺。當妳看到屋子裡散落了做到一半的東西、乾掉顏料（小牡羊分心忘記蓋上蓋子）、待完成的飛機模型半成品等都可能讓妳動怒。請鼓勵小牡羊做事有始有終，告訴他完成後能獲得的獎勵。

食物可能會是產生爭執的問題。美食家射手座擁有精力充沛的食慾與嚐鮮精神，然而牡羊座挑嘴，每樣東西都會要求客製化處理，妳需要準備第二份備用餐點來滿足他的味蕾。絕對不要逼迫他嘗試妳的燉牛肋骨，或是用慢燉鍋煮食物時，要孩子等待計時器響起，當牡羊座肚子餓時，必須馬上吃到食物！

你們這對母子的能量有時可能有點太旺盛了。你們都喜歡做最好的自己，但牡羊座真的有點太……愛競爭了，如果又遇到孩子想往不同方向前進，此時在坐立不安的小牡羊後方追趕，會讓妳筋疲力盡，加上妳若是對他說不，他會變得頤指氣使、讓人傷神、還大發脾氣。此時妳習慣討好人的天性可能會產生副作用，使妳失去原有的優勢。

射手座媽媽♐ & 金牛座孩子♉

合拍部分

寵溺的射手座媽媽在金牛座寶寶身上遇到他愛好美食的對手——藉由戶外美食嘉年華來場餅乾烘培馬拉松活動。廚房裡的創作會成為你們固定的經典活動，但在體重不斷增加或是蛀牙之前也請稍微控制一下。

樸實的金牛座跟妳一樣是個自然愛好者，他喜歡陪著妳參與許多戶外郊遊——只要不是太艱難的活動。請帶著小金牛參加相對輕鬆的登山、愜意的腳踏車之旅或在公園野餐，園藝也是培養母子關係不錯的方式。小金牛通常喜愛花朵和菜園，事實上孩子可能比妳更記得何時要為植物澆水。

當你們相信某件事時都會投注熱情（金牛座是掌管道德與價值的星座），有時還會看到孩子因為妳同樣熱情的精神而被激勵。坦率與過於直白是你們共有的特質，小金牛會如實告知他所看到的一切，因此妳在表達意見時也不會覺得綁手綁腳。

不合部分

射手座是具實驗精神的火象星座，金牛座則是代表傳統的土象星座；即使兩個星座都關心信念與信仰，但小金牛會發展出與妳完全不同的價值觀與優先順序。當妳在焚燒鼠尾草及在山頂冥想時，小金牛則會以傳統的祈禱和慶祝進行。比起妳的世俗與奇特，金牛座相對保守、封閉。妳這另類的射手座媽媽要讓孩子感到尷尬應該不是難事……妳是否曾在孩子的樂團獨奏會上穿著鑲金邊的長裙？端莊的白色襯衣可能會一直待在妳的衣櫃裡，直到孩子央求妳與他在一起時穿上，好好扮演一位正常的母親角色吧！

金牛座是星盤上的計畫者，在他設定好計畫表與例行規則後會努力達成；然而重複性的工作不是妳的強項，畢竟射手座依靠感覺行事，而不是哪些令人窒息的行程表，不過妳必須發展出紀律以提供孩子渴望的架構與穩定。缺乏耐心的射手座媽媽，總以迅雷不及掩耳的速度進行，但金牛座是個井然有序的慢郎中——等待孩子準備上學的過程，可能會讓妳無聊到絕望，請確保前一晚先幫他準備好更換衣物。

射手座媽媽 ♐ & 雙子座孩子 ♊

合拍部分

雙子座和射手座是對宮星座，在許多方面上，這孩子會是妳完美的互補。你們都是自由的靈魂，充滿好奇心、冒險心且愛玩樂；帶上妳的嬰兒揹巾與輕型嬰兒車整裝出發！妳會帶著雙子座四處飛行，孩子也樂意陪著妳在城鎮中開啟異想天開和臨時起意的旅行。隨著孩子的成長，他會變成妳冒險之旅的最佳玩伴，親子道路之旅會是你們津津樂道的回憶。你們會駛離高速公路去採草莓、漫遊在鄉村市集、騎馬或在巨大電影院看著3D電影。充滿好奇心的雙子座喜歡生活裡能提供的一切，而且很少拒絕妳大膽的想法。

碎嘴的孩子會滔滔不絕地講話，妳在他身上看到自己健談的特質，彼此間也會有生動的對話閒聊。你們都喜愛學習，請騰出空間放書架！好學的雙子座就像媽媽一樣是個愛書者，但是你們只看了一頁的書往往會比看完的書來得多。手工工作坊和ＤＩＹ課程能讓你們歡笑好幾個小時，拿出你們的紙漿藝術品或繪布顏料。當然，在完成作品前就失去動力也沒關係，因為你們很快會將注意力放在另一個有趣的事物上。

不合部分

你們都無法靜下心且缺乏耐性，但雙子座的注意力比妳短暫，跟著孩子行動可會讓妳昏頭轉向！妳喜歡從各種角度分析事物，但雙子座卻會中途改變主題，前一秒你們在為雙子座的生日晚餐設計菜單，下一秒妳會聽到他說想要有個獨角獸的願望並談起遊樂園裡聽到的謠言。多話的雙子座有時會搞到妳發瘋，比起妳這性格獨立的星座所能給予的，他需要更多的互動和認同。請盡快找位同儕陪他玩、與他產生共鳴，而不是想嘗試填補最好朋友的角色。

雙子座頑皮又愛反抗，請給他好好上一課，射手媽媽，孩子需要透過逆境學習事物。射手座是真相追求者，對妳來說，灌輸孩子誠實與正直的觀念相當重要；然而雙子座就像個狡猾的業務員，習慣編造故事、瞎說或許下無法遵守的承諾，請防患未然，及早制止這樣的習慣。不過要注意，指責小雙子會是個雙面刃——雙子座在做決定前，會聰明地考量到不同的面向，妳無法阻止他進行利弊分析及用言語表達想法，即使妳比較希望他將這些專長用在自己身上。

射手座媽媽♐&巨蟹座孩子♋

合拍部分

你們都是直覺性強，對於促成人們產生動機的部分感到有興趣；即使小巨蟹是比較害羞的觀察家，不過你們都不畏懼對大眾提出超過二十個問題，同時也會分析人們的行為，而且還有點八卦——你們共同的特性。

巨蟹座司掌腸胃，射手座則由饗宴之神木星掌管，你們的連結會是烘培（沒錯，就是字面上的意思），把家族食譜拿出來，一起做些暖心食物。巨蟹座樸實的一面會引發妳愛家的特質，妳從沒想過自己竟然會成為穿上圍裙的媽媽，對廚房用具投入熱情。此外，妳也會有個搭檔協助布置家裡，特別是有關任何DIY的項目，更好的是巨蟹座充滿耐心及持久力，妳能和這個小幫手一起完成窗簾的編織或修整古董服飾。

好學的巨蟹座跟妳一樣充滿求知欲，請不要省略孩子的睡前故事時間。你們也會在車裡聽很多有聲書，這對小巨蟹來說不僅是個好的消遣，同時也能啟發他的想法。

不合部分

當神經大條的星座（射手座）養育一位敏感到旁人都有點畏懼的孩子（巨蟹座）時，會發生什麼事？射手座媽媽的坦率會使多愁善感的小巨蟹感到受傷，即使他只是想幫忙妳！當妳和這孩子在一起，要小心翼翼地與他相處。

巨蟹座依賴性強，需要媽媽很多的照顧與關懷，要讓孩子斷奶會是個浩大工程，妳可能也需要在他開始上幼稚園前幾天，跟著他在教室裡待上好幾個小時才行。巨蟹座是個愛家的人，這點會讓射手座窒息到想大叫，但最後妳會花更長的時間待在家裡，才能提供孩子足夠的安全感。請確保家中有夠多的玩具和娛樂選項，這對小巨蟹和妳都有益處。若在巨蟹座十幾歲，他的蟹腳與射手的弓箭相牴觸時，你們之間的爭吵將變得一發不可收拾。此外，孩子的念舊情懷也讓妳惱怒。當巨蟹座哼著披頭四的《昨天》（Yesterday），妳寧可呼叫小孤兒安妮（Little Orphan Annie）唱著《明天》（Tomorrow）。更糟的是，這孩子不會原諒或忘記妳犯下的錯誤，哈囉，永無止盡的內疚感。

射手座媽媽♐ & 獅子座孩子♌

合拍部分

射手座和獅子座都是火象星座，創意力與冒險精神讓你們閃閃發光；小獅子承襲妳對享受生活的本性，對你們這兩個耀眼的人來說，生活就像一場盛大的慶祝會。你們都不喜歡被限制，想體驗世界能給予的所有事物。妳也不需要放棄社交生活，因為外向的獅子座能輕易和朋友的孩子打成一片（而且還有點愛指揮），讓妳有時間四處閒聊，享受大人時光。此外，雖然你們都不喜歡離開派對，但請設定好該出門的鬧鐘提醒，以免成為不準時的母子檔。

熱心的獅子座是個忠誠的孩子，他享受與博學的射手座媽媽學習，因此妳能灌輸他深不見底的智慧。如果妳是個創業家，會有個聰明孩子在妳左右，小獅子可能會繼承家族事業，或在高中畢業前與妳一起投資某個冒險事業。伴隨著獅子座對流行的天賦，也可能成為妳的造型師。哈囉，城裡打扮最流行的媽媽！

不合部分

妳大膽、熱情的個性會讓你們的關係產生競爭課題。你們都擁有強烈的想法，而且獅子座會在事情不順心時大鬧脾氣。作為一個多變特質的星座，妳可能需要屈服、認錯，以度過這些麻煩時刻。但是，射手座媽媽，妳不該這麼做！因為這樣可能會培養出一位暴君！渴望讚美的獅子座需要很多關注，他喜愛跟妳玩又長又複雜的心理戰，對於缺乏耐性的射手座媽媽來說，會在十五分鐘內對這愚蠢行為失去興趣。雖然妳讚賞孩子的創造力與創意性，但妳可能也會感覺自己像是個疲憊的訓獸師。我們不能中場休息嗎？拜託！接著妳可能發現孩子滑稽的炫耀行為，他確實會這麼做，不要忘記，這星座是由太陽掌管——畢竟這是宇宙的中心。此外，當獅子座女兒宣布說想嘗試當啦啦隊隊長或進入選美比賽時，妳內心的女性主義會對此猶豫，但此時絕對需要敞開胸懷。即使獅子座如此狂妄自大，雖然妳想勸告他謙虛，但請小心不要用妳的坦率與不加思索的反應來打擊他的信心。

射手座媽媽 ♐ & 處女座孩子 ♍

合拍部分

在許多層面，善於哲學思考的射手座媽媽，與善於分析的處女座孩子，簡直如出一轍。兩個星座天生就對人們的行為動機感興趣——而且你們對自己相信的事物都帶有說教的意味。如果孩子開始教導、責罵妳時，不要感到意外，妳會發現這老靈魂的智慧確實讓人耳目一新。孩子也享受妳的「老生常談」，讓妳放心灌輸大量的智慧給這求知若渴的孩子。

媽媽和孩子都是愛書者。處女座非常喜愛睡前故事時間，建議妳每晚念些史詩般的故事寓言；前往天文館、科學中心和溫室，寓教於樂的學習能讓孩子感到興奮。此外，你們都喜愛動物，家裡可能會有很多寵物。射手座媽媽是自然愛好者，同樣愛好自然的處女座也喜愛戶外活動，裝上腳踏車的椅子，來場腳踏車風景之旅，也請準備好野餐物品，因為你們都熱愛美食。種植可食用的植物也是培養親子關係的好方式。

處女座忠誠、樂於協助，比起妳更重視細節。打掃時間一到，會幫忙清掃踢腳板、整理調味料的架子，處理所有妳沒耐心處理、重複性高的事物。

不合部分

熱愛系統化的處女座倚靠規則存活，射手座媽媽則喜愛隨興而至——最後……這孩子會逼迫妳好好安排自己的人生，嘿，其實也許對妳是件好事。

處女座對批評很敏感，對自己又是相當嚴厲的完美主義者，妳自認對他「有幫助的提醒」，可能會直指他的要害。因此在妳指出他的錯誤前，請先等一下，也許他已經開始苛責自己的錯誤，此時比起建議，他更需要的是鼓勵和肯定。雖然妳盡情享受生命的態度能接納謙虛的處女座，哎呀，妳也需要調整自己低俗且不太適當的玩笑。這孩子比妳內向，對相處的對象也相對挑剔；事實上，媽媽，妳反而會變成被這愛批評的孩子評論的對象。雖然你們都過度分析事物，但處女座又更容易擔憂，孩子可能會表現出妳無法理解的緊張與恐懼。此時，若告訴他努力克服只會讓事情變得更糟，反而要幫助他根據恐懼找到對應的機制，即使妳不了解他的恐懼為何。

射手座媽媽♐ & 天秤座孩子♎

合拍部分

你們是對輕鬆愉快、相處如微風的母子檔，也是喜愛四處散布花粉的社交高手。小天秤對射手座媽媽來說是絕佳的活動夥伴，伴隨著他好溝通且隨興的態度，這孩子會對妳奇特、天外飛來一筆的舉動表達認同。天秤座一輩子忠於父母，他會真誠地傾聽妳的故事（無論多長），多話的射手座媽媽有很多東西能分享，擁有一位如此熱忱的聽眾非常討人喜歡。天秤座其實也很健談；隨著孩子的成長，你們會開始享受彼此的對話，大多時候都是正向且歡樂的情況。即使你們抱持不同的態度，但還是能達到互補作用。

悠哉的天秤座通常需要一個推力，而妳能讓這孩子專注、往前邁進。此外，小天秤也能幫助妳放慢腳步，仔細欣賞周圍事物。妳等不及與娃娃車上的享樂靈魂一起享受人生，請再給我更多的巧克力！

不合部分

天秤座很會虛度時間，像是個擁有少女心且挑剔的小公主，將美好時間拿來洗淨自己、挑選外出服、在每個早上精心打扮，喔，對了，孩子也喜歡睡美容覺，馬不停蹄的射手座媽媽為了等孩子準備出門，等到地毯都踏出個洞了（也許已經完成半天工作）。

當妳有想法時，會像電影《魔鬼暴警》（Action Jackson）般迅速展開啟動模式；但天秤座則永遠在猶豫，妳已經習慣聽他說了許多天馬行空的想法，但從來沒實現過。此外，也不要逼迫天秤座對每個創意想法都採取行動。這孩子可能比較像夢想家，而非實幹家，但這並不代表他找不到成功的道路，說不定在未來他還能教妳「聰明工作，而非努力工作」的道理。

射手座媽媽不夠精練、控制自己或打扮不合時宜，這些都會輕易讓高雅的天秤座感到丟臉。天秤座這個禮儀端正的軍官，會糾正缺乏文化素養的射手座餐桌禮儀，帶妳去賣專業女裝的百貨公司（但妳比較想逛休閒衣服區），或嘗試在家裡灌輸「不能把腳放在桌子上」的規則，這些舉動可是會激怒妳的。

射手座媽媽♐＆天蠍座孩子♏

合拍部分

天蠍座是星盤上的學者，發自內心對一切事物感到好奇，小天蠍對生活裡的各種神祕感興趣，這使妳為了尋找更多解答而進行自我追尋。即使孩子比妳嚴肅、緊張，但他會承襲妳對生活的熱情。

射手座媽媽是個獵人，天蠍座孩子則喜愛尋找藏匿的寶物——來場尋找稀有寶物的遊戲！古董玻璃瓶瓶蓋到罕見的棒球卡，你們會興奮地分享彼此的發現，一起享受挖掘寶藏的過程。你們都機敏、聰明；天蠍座會將他的東西保存起來，等待適當時機再分享他的戰績，讓人印象深刻；幸運的射手座媽媽知道如何專注在任何一個機會，再藉機提出大膽要求。妳會帶給這內斂孩子一些大膽的能量，而孩子則會教導妳珍惜自己所擁有的（而不是不斷索求！）與投資一些經得起時間考驗的物品。

不合部分

射手座媽媽坦率、不經修飾的生活方式，與敏感天蠍座想保有私生活的想法會相互抵觸。妳以為在分享有趣故事，但孩子卻覺得隱私被揭露、感到被背叛。妳對孩子的事過於暢所欲言，甚至還充滿驕傲、滔滔不絕地說著，這些都會破壞彼此的信任。

精明的小天蠍會觀察妳的動作，很快學習到哪些事會踩到妳的地雷，以及如何讓妳對他毫無節制的要求頻頻點頭——請不要陷入這精明孩子的遊戲裡！「因為我說了算」這理由就足以對孩子發號施令，而且如果妳想在孩子面前占上風，這可能也是最安全、可靠的做法。天蠍座為固定星座，不喜歡改變，需要重複性與生活常規，讓生活感到安心且腳踏實地，這對於每天生活像雜耍表演的妳來說會是場災難，至少在前幾年來說是如此，為了給予孩子安全感，比起關心，妳得做更多「抹肥皂、起泡」的動作然後不斷重複。

天蠍座有時多愁善感、陰沉憂鬱。雖然妳可能嘗試幫助孩子，但妳的樂觀可能並不能影響他的情緒風暴，在他陷入這樣的情緒時，請學習讓天蠍座維持他本來的樣子，不用過於在意。

射手座媽媽♐ & 射手座孩子♐

合拍部分

哈囉，媽媽的縮小版，妳的「副本」承襲妳愛冒險與獨立精神，你們享受彼此的陪伴，但這孩子不會對妳過度依賴。你們能一起在同個房間和諧相處，各自分別工作和玩耍，而且不需要彼此過多的關注，真是貼心的孩子！這個好奇、愛看書的孩子享受長時間的睡前故事，等到孩子長大些，他也會跟在妳旁邊一起閱讀，之後就能帶著他直接申請一張圖書館證！妳也會讓他聽有聲書，不過他可能無法長時間坐著好好聽書。另外也能讓他組裝樂高積木、手工品或拼圖。談到成為絕佳的多工處理者，可說是有其母必有其子。

好動、喜愛戶外活動的你們享受在自然漫步、騎腳踏車和花藝。露營之旅也是很棒的選擇，帶上一些木頭和柴火，火象星座的你們喜歡用營火烹飪。此外，你們都喜愛探索和學習，四處旅行也會是愉快的行程。小射手可能承襲妳的創業家精神，妳會很開心鼓勵他踏上這條道路。

不合部分

注意脾氣！你們彼此都容易被激怒，並以易怒的脾氣出名。這孩子完全知道如何踩到妳的地雷，尤其在他開始想解釋自己的觀點時，不由自主對妳大小聲。此時，妳也不再對他和藹可親，於是戰火就會蔓延到其他家人身上。這無所不知的孩子跟妳一樣愛說教，他從年輕時就會開始告訴妳該做些什麼；妳有向他請求建議嗎？完全沒有！麻煩的就是這坦率的孩子會指出比真相還更多的暗示；他肯定會反映出妳原有的面貌，逼迫妳處理自身的缺陷。嘿，說不定妳最後還因此進步了，即使妳當下很想將這個小瘋子關在他的房間。

你們都不喜歡常規，但射手座孩子還是需要從父母身上學習一些日常生活的規則；請嘗試至少每天在相同時間做一件事，像是做作業、吃晚餐、睡覺，這樣能幫助孩子感到安心且有安全感。

射手座媽媽 ♐ & 摩羯座孩子 ♑

合拍部分

即使你們是鄰近星座，但基本上沒有太多相似之處，而且也不太合拍。但積極進取的射手座媽媽與小摩羯都有相當程度的野心，都是以目標為導向的成就者，即使可能用不同的方式獲得——射手座媽媽有實驗精神，願意冒險；小摩羯則是循規蹈矩，會成為一位優秀學生、團隊隊長和班長以及獲得優秀的頭銜。

冷靜的摩羯座比妳更嚴肅對待生活，但其實這孩子具有諷刺他人的幽默感，你們都能看見生命的神聖幽默，藉由機智挖苦和有趣的發現讓彼此開懷大笑。小摩羯也像個優秀的小軍官，儘管妳對於成為遵守紀律者不是很感興趣，但妳能看到孩子有多麼規矩，並因此而感到欣慰；這孩子喜愛遵守規則，所以請確保妳有為他設定一些規則。此外，戶外活動也是相處融洽的好方式；土象摩羯座是大自然愛好者，跟妳一樣享受成為一位活躍、好動的人——先來場家族足球賽如何？

不合部分

請舉白旗、接受自己成為不太願意成為的傳統媽媽。摩羯座渴望條理架構與例行常規，他會挑戰妳提供一些五〇年代的家庭價值，但這些都不是妳擅長的部分。妳會發現年輕摩羯座需要嚴格計畫每件事到令人筋疲力盡(而且還有點無聊)；因此，妳的孩子希望妳能按照規則走。堅持己見的摩羯座孩子會讓妳臣服於他固執的一面，當他決定達成某個目標時，有耐心且循規蹈矩的摩羯座，將會完成他的目標，請不要影響他。對妳來說，若遲遲無法得到結果會讓妳失去耐心、改變方向，但請小心不要因為妳自己坐立不安就干擾他。

責任心強的摩羯座是個忠於朋友的人，他會堅守一個排他且緊密的小圈子。請不要因為妳想和其他媽媽交際，就嘗試拖著孩子也轉換玩伴。孩子喜歡維持長時間的友誼關係，妳會在孩子成長的過程中，也同時看著他的朋友一起長大。

射手座媽媽♐ & 水瓶座孩子♒

合拍部分

兩個獨立的理想主義者，水瓶座孩子會是妳的心靈伴侶。思想自由的他會用超齡的評斷、脫俗穿搭（澎澎短裙搭配雪褲，不行嗎？）、還有無法預測的心情，搞得妳頭昏目眩；但妳就是那個最完美的媽媽，去教導如此獨一無二的孩子，畢竟妳本身就是個變化多端的母親。

射手座媽媽的朋友來自各行各業，妳就像個國際外交大使；人道主義者水瓶座孩子承襲自妳多采多姿的大愛，想為所有人讓這世界變成更好的地方。一起做志工會是你們不錯的連結，特別是志工之旅帶有旅行的成分。

你們都擁有奇特的幽默感——是一對經典的喜劇母子檔。喜愛社交的水瓶座在友誼方面會有些超越想像的行為，因為他和大部分的人都能相處融洽，因此妳根本不需要減少妳的社交生活。

不合部分

火象星座射手座既溫暖又有熱情，風象星座水瓶座則是冷靜、如微風般的存在，因此妳充沛的能量對這個悠哉的孩子來說有點過頭了，他可能會拒絕妳過於熱情的擁抱，就在小水瓶沉默或對妳自以為有趣的想法興趣缺缺時，妳的心會因而感到受傷。直率的射手座急於做出評斷，對每個人和每件事都有意見，而一視同仁的水瓶座習慣在事情確認之前，對每個人抱持中立態度——這孩子絕對會教導妳學習試著接受他人的「缺陷」。

你們內心都渴望自由，但這有條理的孩子如果需要感受安全感的話，又該如何做呢？雖然水瓶座可能拒絕在特定的時間回家，或遵守關燈時間，但妳還是需要教導這小小叛逆者遵循一定的規則。水瓶座是象徵反叛的星座，有時會在無法預期的情況下出現抵制的行為。此時千萬記住妳是他的媽媽，不是最好的朋友——這可是你們這對彼此關愛的母子檔很容易忘記的事。

射手座媽媽 ♐ & 雙魚座孩子 ♓

合拍部分

對射手座媽媽和雙魚座孩子來說，生活就像一場夢。你們都由代表豐盛與擴張的木星掌管（雙魚座同時由海王星共同掌管），這能引出你們充滿驚喜的希望、對生活樂趣的體驗。魔幻的雙魚座喚醒妳的無限可能及妳曾擁有的童心；你們會因為出於有趣一起熬夜看流星、在客廳牆上作畫，還有戴著羽毛圍巾和寬簷大圓帽在街上閒晃。

靈性與形上學的主題會吸引你們。讓小雙魚跟著妳一起參與瑜伽課或佛教念誦課程，另外妳可能還有一副塔羅牌或神諭卡，能一起學習解讀——說不定這孩子會是個預言家！射手座和雙魚座都是性質善變的星座，能隨著來自不同文化與階層的人們相處融洽，就像隻變色龍。此外，你們都不喜歡受到箝制，在你們樂於分享的生活裡，總有一群不斷輪替的人們。雙魚座柔軟的面向會對射手座產生影響，妳的小雙魚能幫助妳學習冷靜；需要關心的雙魚座有時則需要妳提供心靈雞湯，給予他撫慰的力量。

不合部分

射手座媽媽獨立、積極主動；雙魚座依賴性強、悲觀，還有點受害者心態，孩子自認「我好可憐」的心態可會挑戰妳的脾氣，為什麼他就是無法克服呢？警告：妳可能也有點太神經大條了，對孩子的需求缺乏同理心。在妳想給孩子來場（不太受歡迎）的訓話前，請先確保已經了解孩子的需求。

即使小雙魚在成長時承襲了妳自由的靈魂，不過他的過敏、感染、腸絞痛的發作，會干擾妳預期至少在前幾年可以放任式的育兒計畫。射手座媽媽習慣取悅他人，妳的情緒容易受到這精明孩子操弄。雙魚座完全知道妳的地雷為何，會讓妳感到內疚，在他青少年時，他會以帶刺的情緒性字眼直接擊中妳的要害。當雙魚座孩子不喜歡妳設下的規則時，妳很難承受他的情緒風暴及甩門動作。射手媽媽，即使妳感覺心在淌血，也請保持鎮定。這也是為什麼在妳將富有同情心的雙魚座變成摯友時要特別注意。即使這擁有老成靈魂的孩子了解妳最深層的感受，但若是妳和孩子成為最好的朋友，可能等同把控制權交給他，務必切記彼此的界線！

摩羯座

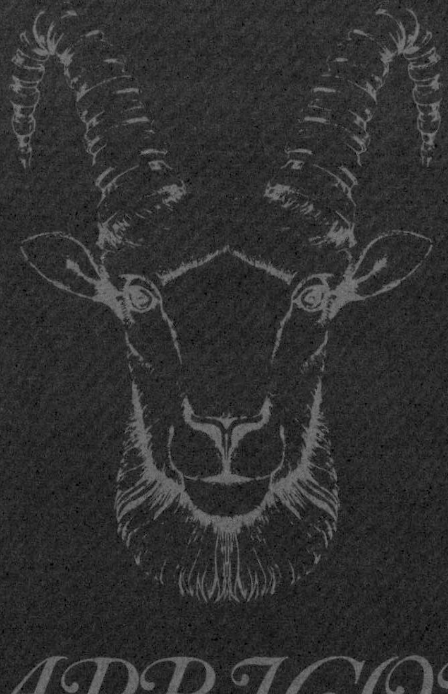

CAPRICORN

摩羯座媽媽 ♑ & 牡羊座孩子 ♈

合拍部分

牡羊座是十二星座裡的寶寶，摩羯座是象徵提供者的星座。妳就像這火球寶寶的堅固土壤，在不眠不休歷經許多冒險與一時興起後，提供一處安穩的中途休息站。牡羊座惡名昭彰的耍脾氣會在這對母子組合裡更常發生，不過有耐心的摩羯座媽媽能提供小牡羊許多「做自己」的空間。

你們都是喜歡擔負責任的強大領導者。哈囉，傑出的孩子！牡羊座會拾起妳曾擁有的頭銜與獎勵，靠著他自己的力量在各領域中奪取好成績。確實，大家都知道你們都喜歡贏，並表現出最好的一面，隨著小牡羊因為其壯舉獲得大眾肯定時，妳也能感到相當自滿。摩羯座和牡羊座都以其傑出的運動能力出名，拿起滑雪板征服高手等級的斜坡吧！

不合部分

總是表現適宜的摩羯座媽媽謹守規則，不過象徵反叛的牡羊座相信規則是用來打破的……再根據需求全盤改造；對於彼此都認為自己天生具統治者天賦的你們來說，將會出現許多權力上的爭執。因此，與其對小牡羊施加嚴厲的規則，不如讓他一起參與創造規則，這麼做的話，他可能就能達到自我管理。

傳統的摩羯座媽媽會因為年輕牡羊座的狂野與戲劇性表現而感到丟臉。若是將這孩子送到原始學校的話，只能祝妳好運，因為一天結束後，妳別期待他會乾乾淨淨地回到家中，衣服上肯定有些撕裂或髒汙。工作狂的摩羯座會為了取得偉大目標而專心致志，以致於忘記給予小牡羊在成長時所需要的關注；請在孩子成長的過程中給予鼓勵，而不是只在乎成果。

摩羯座媽媽 ♑ & 金牛座孩子 ♉

合拍部分

這孩子與妳一見如故，身為土象星座夥伴的他，能開心投入妳秩序良好的世界；規則和架構能讓你們感到安心。此外對妳來說，家庭傳統比什麼都重要，妳可能會是家族裡的女王，妳珍視的祖先遺產會透過小金牛持續代代相傳。靈巧的金牛座也很樂意成為妳的小幫手，協助妳布置精細的餐桌設置、房屋裝潢及禮物包裝。

妳的孩子繼承妳具有一般常識的天賦。當你們遇到任務需要完成時，都會帶著務實的態度認真工作。雖然你們受到責任驅使，但也享受奢華的生活；小金牛喜愛精緻的物品，摩羯座則對身分象徵的物品感興趣——用高檔品牌為小金牛著裝，再用妳的高級轎車載著他去私立菁英學校；談到與他人競爭行頭，這孩子對此完全不會有任何異議！目標導向的摩羯座媽媽會幫助悠哉小牛跟上腳步，年輕的金牛座則會教導妳放慢腳步，品味生活事物——聞聞看這朵玫瑰花香不香！

不合部分

摩羯座由嚴苛、樸實的土星掌管，金牛座由頹廢、浪漫的金星守護；這享樂主義的孩子會挑戰妳對生活嚴肅的態度，引誘妳沉溺其中，而非對任何享樂抱持節制，想將甜點從孩子的便當盒拿出來，那麼只能祝妳好運，或許妳該考慮稍微放鬆對孩子的限制。

金牛座感情豐沛，不害怕變得有點多愁善感，他會為了重要日子寫首帶有敬意的歌曲或長篇信件（在母親節時大聲念給妳聽），但對謙虛的摩羯座媽媽來說這有點難以承受。你們的性情也不太一樣；金牛座精神飽滿的個性容易被激怒，而且聲音很大聲，但大吵大鬧可不是妳喜愛的事，妳隨時都能保持輕聲細語的個性，會為了壓抑小金牛的狂野天性而感到苦惱。兩個星座都以固執聞名，當妳開始和小孩產生爭論時，雙方都不會退讓。

摩羯座媽媽♑＆雙子座孩子♊

合拍部分

你們都富進取心，擁有許多遠大理想。小雙子承襲妳對成功的動力——當妳經過幾年努力工作和精進而取得成就時，小雙子可能一開始就能獲得巨大成功。如何培育孩子積極進取的能量，魔羯媽媽，妳致力成功的心態，就是給他最好的禮物。除了野心之外，你們的星座沒有太多相同之處，但確實能從彼此身上學到很多東西。

有毅力的摩羯座媽媽教導善變的雙子座如何堅守崗位，堅持某事直到最後；愛玩、古怪的雙子座讓妳放鬆、大笑，透過他許多非比尋常的想法進行實驗。年輕雙子座總做些讓人搞不懂的事，如果他能回到由摩羯座媽媽所提供穩定且理智的家，對他而言是有幫助的，對內心居無定所的孩子來說，妳絕對是他的靠山。

不合部分

摩羯座媽媽喜歡選好固定方向，不會在行經過程中任意更改行進路線，然而雙子座孩子的足跡則遍布整個地圖——這孩子對不斷變化的需求會讓妳精疲力盡；同時，當妳又要去相同的地方（表示：妳最喜歡去的）時，小雙子可會摸著他的頭髮表現出焦慮的樣子。

摩羯座媽媽擁有百分之百的正直，妳的話語非常可靠，坦率直接，看什麼、說什麼。不過善於討好他人的雙子座則信口開河，無法遵守承諾——即使他的用意是好的，但總過度承諾他人。此外，當孩子雙面人特性出現時，妳也會感到尷尬。雙子座就是無法停止討論八卦，這樣的特質只會引來更多的批評。足智多謀的雙子座是個謀劃者，妳得隨時保持警戒，不然會被這聰明孩子玩弄在股掌之間。

摩羯座媽媽 ♑ & 巨蟹座孩子 ♋

合拍部分

啊，家庭的幸福！這個舒適、可愛的巨蟹座孩子喜愛家裡安全的港口。由於妳提供的規則與安全網，讓這拘謹的孩子在家中像盛開的花朵。溫暖、充滿愛心的巨蟹座會是妳靈魂的慰藉，暖化了堅硬的稜角，讓妳展開笑顏、放鬆及給妳許多擁抱。

巨蟹座是星盤上的母性，摩羯座則是父性星座——家庭對你們來說扮演相當重要的角色。這孩子會高興地捍衛傳統，幫著妳照料其他家人，看管其他手足。傳統，傳統，傳統！從週日晚餐、電影夜到假日布置計畫，巨蟹座和妳一樣渴望各種儀式。至於社交方面，你們的想法一致，傾向擁有幾位特定的朋友維持緊密的友誼關係。

不合部分

特質敏感的巨蟹座需要很多情緒出口與緊密關係，即使妳在孩子人生裡扮演堅固力量的存在，但妳能給予的耐心，頂多就是討論他心情上的煩惱。注意，不要只是因為妳無法理解為什麼有些事對他如此重要，就錯誤地認為那些問題對孩子影響不大。這孩子的孤單絕望感對妳來說總像個謎，但一個（長時間）安心的擁抱對穩定孩子內心有很大的幫助。

巨蟹座孩子需要任何能作為珍貴情感慰藉形式的安全毯，不過極簡主義摩羯座媽媽可能會在家裡計畫打造成北歐風格的現代展示間，即使如此，也請讓小巨蟹在冰箱上貼些照片和生日卡，在餐桌坐椅上放填充玩偶、在起居室放些他喜愛的毛毯，或者至少讓孩子能自由布置他自己的空間，讓他打造能給予自己安全感的小區域。

喜愛緊密關係的巨蟹座，需要他人的關切並依賴他人。雖然妳渴望教導他獨立自主，不過要讓這隻雛鳥飛出鳥巢並不容易。

摩羯座媽媽 ♑ & 獅子座孩子 ♌

合拍部分

妳的家裡會多出許多獎盃和冠軍獎牌！野心十足的小獅子想跟上媽媽成功步伐，妳會盡可能為這孩子設立高標準。重視成就的小不點喜愛妳為他設定的挑戰，特別是如果妳一路上都過關斬將，沒有任何東西比正面強化更能激勵獅子座。你們都是強大的領導者，就在妳看著小獅子負責學校團體重要角色、以及舉起妳曾經獲得過的獎盃時，妳內心會充滿自豪，絕對是妳將愛好競爭的特質傳承給這孩子！獅子座和摩羯座都想表現出最好的自己，擁有最好的一切。對外打扮得宜以吸引大眾目光，對你們來說是件大事，你們一定是鎮上最具侵略性的母子檔！

不合部分

謹慎的摩羯座媽媽天性悲觀，只看見玻璃杯少了一半的水（畢竟妳從不會被他人發現妳沒準備好的樣子），不過正向獅子座孩子的自信幾乎爆棚，通常都假定玻璃杯的水永遠都喝不完。因此，妳需要替這孩子指出一些殘酷生活的現實面，即使對孩子潑冷水是件痛苦的事。

特質是戲劇化的獅子座，愛現、顯眼、有時還有點自大，摩羯座大多內斂，要妳自吹自擂簡直要了妳的命，妳傾向於讓工作成果證明自己。請教導孩子謙虛，但也不要過於掩蓋他的光芒，獅子座的自信是他最好的力量，即使這對妳來說似乎有點言過其實。

摩羯座媽媽 ♑ & 處女座孩子 ♍

合拍部分

土象星座的靈魂伴侶，你們都是腳踏實地的規劃者，喜歡條理、穩定與例行常規。妳井然有序的生活方式對處女座來說完全不成問題，提供這焦慮孩子很好的基礎，讓他放鬆與茁壯成長。助人的處女座喜愛當妳的左右手，指派孩子任務並在他完成時給予獎勵，能促進孩子努力向上的天性。處女座喜愛獲得好成績，他也會因為有獎賞變得有動力。

雖然一些人可能會認為你們常常潑大家冷水，但其實你們是善於控制場面、將損傷降到最低。小處女承襲妳敏銳的特質，能在危機爆發前就評估可能的潛在因子。你們能一起保衛家中安危，緊盯是否有火爐沒關火、門是否關上及行為不端正的手足。

不合部分

你們都是極端的完美主義者，對自己相當嚴厲。為自己設定高標準當然沒問題，但要小心不要替處女座孩子設立過於崇高的標準，以致他無法達成。警告：若讓這孩子感到挫折，或許會讓小天使變成反抗者。妳可能本身是三鐵運動員／營運長／家長會會長，但要孩子跟上妳的步伐，對他並不公平。請確保處女座孩子了解到人生裡不是每件事都需要競爭，犯錯是沒有關係的。當妳處在悲觀情緒裡，你們彼此都會因為擔憂或煩惱而感到失落，陷入這樣的狀況時，請打開音樂跳個舞，或和孩子一起出發去遊樂園吧！你們有時候可能太深思竭慮了，喔，是對所有的事。

個性堅毅不拔的摩羯座媽媽在開始某件事時，就會迫使自己完成，然而特質善變的處女座會在任務完成前就失去動力或轉換方向，不過媽媽的溫柔鼓勵，在處女座孩子到達終點線之前，會產生很棒的作用。

摩羯座媽媽 ♑ & 天秤座孩子 ♎

合拍部分

內心已融化！天秤座孩子一降臨時，可愛的孩子已經軟化了嚴苛摩羯座媽媽的心。由金星掌管、散發出天使光芒單純的小可愛，完全知道如何觸動妳的心房。規則……什麼規則？妳條理分明的天性可能拋到九霄雲外，妳已經為這孩子著迷不已，媽媽舉雙手投降。這讓人沉醉的孩子提醒妳人生有很多樂趣，就算偶爾取消平日的限制、與孩子享用巧克力聖代，妳的世界也不會因此崩塌，是吧？此外，妳會教導天秤座孩子紀律與延遲享受的報酬，但請小心，要克制自己不要太寵著他，否則會讓妳有點棘手。

天秤座喜愛打扮，靠著他迷人的個性讓大眾驚艷。替孩子換上最好的衣服，帶著他參加各種享譽盛名的場合，小天秤會是妳彈藥庫裡最佳的破冰武器。當他走出來時，會讓那些妳平時相處煩悶的人不禁卸下心防，禮貌性地伸出手問：「你好嗎？」也太可愛了！讓對方震驚到啞口無言。

不合部分

不切實際的天秤座是個遠大的夢想家，時常放空，忘記每條規則和責任——包含妳用螢光筆標示的家事表。管控這位小可愛並不容易，但有其必要。哎呀，而且限制權益似乎是唯一能對天秤座造成衝擊的方式。

個人特質是感情用事的天秤座，對冷靜的摩羯座媽媽來說有點太情緒化，喔，妳不需要感傷時刻、不需要超過五分鐘的擁抱！沒錯，目標導向的摩羯座媽媽永遠將注意力放在眼前即將發生的事，活在當下的天秤座喜愛停下腳步，品味每朵玫瑰花的香味。妳希望孩子跟上妳的速度，隨時維持專注，不過請不要花時間嘗試將妳的道德觀強加在孩子身上，小天秤可能也會教導妳「聰明工作而非努力工作」的力量。

摩羯座媽媽 ♑ & 天蠍座孩子 ♏

合拍部分

小天蠍傳承妳有野心的面向——事實上你們就是對精力旺盛的母子檔！勝利對你們的星座來說是重要課題，你們都喜歡比賽與競爭。請用目標遠大的挑戰激勵妳的孩子，確保替天蠍座即將到手的勝利歡呼鼓舞。舉起獎牌（特別是能象徵地位的東西）會讓孩子跟妳一樣瞄準崇高目標。

作為固定星座的天蠍座需要許多安全感，他不喜歡變動，可靠的摩羯座媽媽知道如何提供天蠍座孩子能茁壯成長、井然有序又可預測的環境。你們對於朋友都非常挑剔，天蠍座不輕易相信任何人（聽起很耳熟？），孩子跟妳一樣，喜愛維持長時間的友誼。妳喜愛看著天蠍座和忠於他的夥伴一起成長，親密無間的模樣。

天蠍座孩子需要享有公平的隱私，冷靜的摩羯座媽媽也不會窺探孩子；你們就是對美妙且情投意合的母子檔。

不合部分

雖然妳的眼中只有獎賞，不過小天蠍天生的競爭心態可能相對會不擇手段；鼓勵妳的孩子擁有野心，但也確保讓他知道生命裡不是只有在比賽中獲勝而已。

無論是摩羯座媽媽還是天蠍座孩子都會耽溺在脆弱中，你們失落時，可能會讓自己陷入情緒裡或悄悄躲藏起來。此時請確保孩子有個理想的典範人物能讓他表達情緒，畢竟情緒需要出口，當天蠍座把自己關在房間裡太久時，請和他談談。你們都容易憂心忡忡，可能會拖著彼此陷入陰鬱情緒裡。這個富有同理心的孩子會注意到妳的心情，所以不要放任妳的情緒風暴太長時間。天蠍座需要專一、不分心的關注，不過這對努力工作的摩羯座媽媽來說，可能會因為太忙碌而無法給予。此時，請暫時手邊工作，讓天蠍座知道他是特別的。

摩羯座媽媽 ♑ & 射手座孩子 ♐

合拍部分

有進取心的小射手承襲妳野心十足的特質——跟妳一樣喜愛為了遠大目標努力奮鬥。年輕射手座可能在高中時就展開自己的事業，而且他很難找到比媽媽（營運長）更支持他的人了。

聰明的射手座孩子充滿機智笑話，幫助嚴肅的摩羯座媽媽放鬆心情；妳自己也具備帶有諷刺風格的幽默感，孩子的笑聲對妳的靈魂來說就像解藥。你們都很活躍，喜愛戶外，一起花時間到大自然探索、騎腳踏車、爬到山頂上野餐、騎馬或加入地區性社區支持農業農場，每週一起外出採摘新鮮當地作物，這些都能為你們創造相處的經驗。具實驗精神的射手座會發想出有創意的食譜，盡責的摩羯座媽媽則負責切菜、清洗及測量食材，確保不會有任何食物在鍋裡燒焦。

不合部分

摩羯座是星盤裡代表嚴厲的悲觀主義者，射手座則是單純的樂觀主義者——妳和妳的孩子對這世界有完全不一樣的觀點。請先忘掉妳謹慎行事的作風，愛冒險的射手座會用他大膽的冒險心讓妳心跳加速。若是妳不想讓小射手失去信心，請教導他三思而後行的重要性。

承認吧，摩羯座媽媽，妳喜歡孩子與來自「良好」家庭的孩子交流，不過抱持平等主義的小射手反對勢利的舉動，他會與來自各階層的孩子結交；請取消鄉村俱樂部會員，讓孩子跳進公立泳池裡！妳是習慣的生物，射手座則需要不斷的變化，而妳喜愛的傳統會被他帶來一些新的可能性，就請對過程稍微讓步吧，魔羯媽媽。

摩羯座媽媽 ♑ & 摩羯座孩子 ♑

合拍部分

誰要掌管家中事業？我要，我要！忠誠的小摩羯喜愛家族遺產，他會驕傲地扮演父母親的角色，就像妳追隨自己母親或父親前程似錦的腳步，小山羊可能很小就展現出與妳相同意願的特質。即使小摩羯注定走上完全不一樣的獨特道路，妳也會在他身上看出對目標專心一致的特質。給孩子崇高目標，他會像妳一樣努力達成，你們在任何層面上都是一對令人印象深刻的組合。

盡責的摩羯座繼承妳對傳統的喜愛，妳可以帶著妳的小明星伴侶一起熱情地出席假日聚餐，安排讓整個家族都能享受的遊戲。只是確保不要玩得太興奮了。

你們都善於競爭，喜愛做到盡善盡美。讓小摩羯參與一些妳喜愛的運動，如足球、滑雪和田徑。這負責任的孩子就跟妳一樣是天生的領導者，妳也會鼓勵他嘗試成為球隊隊長、班長或其他優秀的頭銜。

不合部分

你們這組完美主義的組合，都對自己持有高標準。當孩子撕掉他的畫作或把不到七十分的考卷藏起來時，妳是否看到了自己的影子？妳需要稍微控制追求勝利的想法，讓小摩羯學習犯錯是沒有關係的。另外，也請趕走妳難過的心情，不然妳可能會看到自己憂鬱、負面的部分，投射在孩子身上。

根據黃道帶顯示，摩羯座天生帶有老練靈魂的特質，而且會隨著時間越活越年輕。在你們這對組合上可能會產生奇怪的角色轉換，如小摩羯會責備妳表現太狂野或過於玩樂。你們都擁有堅強意志且固執己見；如果年輕摩羯座不同意妳的規則，你們會在主要權力爭奪上發生衝突，請暫時冷漠以對或冷戰，才不會讓戰火快速蔓延。

摩羯座媽媽 ♑ & 水瓶座孩子 ♒

合拍部分

摩羯座和水瓶座是星盤上「受歡迎的孩子」。水瓶座就像他媽媽一樣迷人、友善且討人喜愛，妳會帶著這慵懶的孩子到四處各地，就在妳參與連續整天的第三場志工委員會議時，妳相信他能和妳朋友的孩子打成一片，或者自己安靜地打電動自娛。

水瓶座就像妳一樣喜歡充滿野心的任務，妳雖然是個優秀的領導者，不過孩子更像個組織者。你們會一起為家族計畫組成很棒的搭檔，愉悅友善的水瓶座會召集其他親戚，讓任務感覺像玩樂般愉悅。你們都擅長需要耐力的長程運動，可以組成隊伍參與長距離自行車活動或運動競賽——尤其當這些比賽是為了募款舉辦，因為你們都喜歡回饋社會。

愛耍寶的水瓶座會用他滑稽舉止讓妳放鬆，妳則能在這神遊太空的孩子脫離宇宙軌道前，讓他保持穩定狀態。

不合部分

摩羯座媽媽是規則製造者，象徵反抗的水瓶座是星盤上的規則破壞者；不要期待將妳的傳統標準直接灌輸在孩子上，他會每次都來挑戰妳的傳統價值觀。請將陳舊的菜單丟掉，考慮用最新、最流行的食譜來製作假日餅乾。這孩子會幫助妳不斷進化，而不是沉溺在那些美好時光而無法前進。

利他主義的水瓶座喜愛幫助弱者，與來自不同階級和背景的人交朋友；重視知識教養的摩羯座媽媽可能需要解決內心鄙視他人的態度。

水瓶座總是興致沖沖地展開計畫，但很容易分心，事情做到一半（或另外開啟一個計畫）就中途而廢，這會讓頑強的摩羯座媽媽感到失望，因為妳相信事情最終能設法通過障礙抵達終點。你們都是冷靜且對事情相對冷漠的人，不過請不要忘了偶爾互相依偎或分享一些感性時刻。

摩羯座媽媽 ♑ & 雙魚座孩子 ♓

合拍部分

從許多方面來看，妳會感覺和小雙魚像是來自不同的星球，這也是你們這對母子檔美妙的地方。愛做夢的小雙魚擁有數不盡的想像，這個部分補足了妳就事論事、實用主義的面向。孩子會迫使妳從電腦螢幕抬起頭來，這樣就不會錯過美麗動人的日落（或整個春天）。

沉穩的摩羯座媽媽創造了紮實的土壤，替小雙魚找到他需要「著陸」的地方。是的，妳的孩子有時會將家規拋諸腦後，不過妳所設立的界線確實能幫助缺乏建構的孩子，學習每天在相同時間做相同的事。你們都享受舒適、安全的感覺，妳會和孩子分享許多居家幸福的甜美時光，他也會替妳的想法增添更多創意。

不合部分

雙魚座的特性是幻想與逃跑，這孩子居住在魔法王國裡，不過摩羯座媽媽則是嚮往讓雙腳著實地踩在土地上，年輕小魚的想法對妳而言有點太過美好了。雖然妳可能認為幫助小魚面對現實會有幫助，不過請小心不要摧毀他脆弱的夢想，就算他相信真的有美人魚又會帶來什麼傷害嗎？我們覺得沒有。

你們的星座都會受到自我懷疑而困擾，但是卻會以不同的方式回應：固執的摩羯座媽媽會不斷推進自我，而宛如逃脫藝術家的雙魚座則會退縮與躲藏。妳嚴厲的愛對小魚而言不會達到效果，甚至使他更洩氣。同時，妳也希望雙魚座停止變得如此多愁善感。雙魚座會以非傳統的方式打破規則，不過妳傾向按部就班地進行——當妳用任何類似傳統的東西形塑他時，雙魚會產生掙扎，所以請停止嘗試這樣的行為。

水瓶座

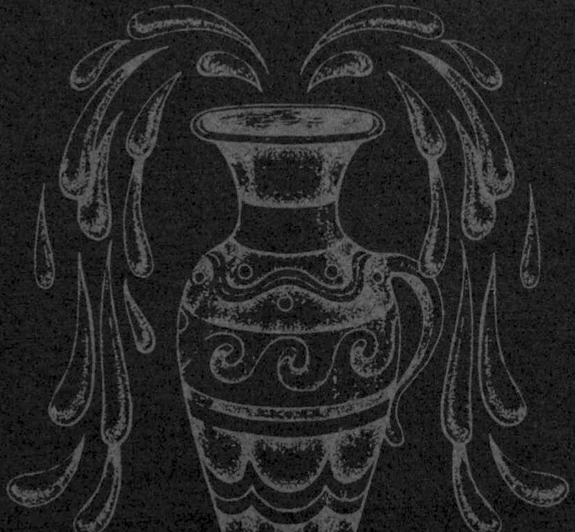

AQUARIUS

水瓶座媽媽♒&牡羊座孩子♈

合拍部分

牡羊座孩子活力充沛，這充滿能量的調皮鬼會讓妳捧腹大笑。妳喜歡與孩子一起跟其他家人開些愚蠢玩笑，家人可能看到、也可能沒看到你們身上的幽默感，哎呀。

小牡羊充滿原創想法，這也是妳非常重視的特質。妳鼓勵孩子擁有各種像瘋狂科學家的想法，你們甚至會組隊成為共同創造者。我們已經能預想到科學展示上的獎牌和親子檔一起登上TED演說的畫面了！在許多方面，小牡羊會是妳最好的朋友，因為你們都對未來和創新想法著迷。此外，妳在星盤上象徵團隊，妳能教導有時自我中心的牡羊座孩子學習與他人分享和玩樂。你們都具冒險心與大膽的特質，小牡羊喜愛跟妳一起坐在跑車裡兜風、參與高手專用的滑雪道及嘗試其他極限運動冒險。

不合部分

牡羊座對於人們的氛圍很敏感，會沒由來地僅和喜歡及特定的人相處。水瓶座媽媽則是個社交高手，樂意與大多數的人成為朋友。不要期待妳的小羊會給妳最近認識、帶來家裡作客的某某人一個擁抱（或甚至一個笑容）。妳夢想替小牡羊與妳朋友的孩子安排玩樂時間，可能都會被牡羊座難以取悅的社交能量破壞，對妳來說真的非常尷尬！水瓶座媽媽通常都表現出悠哉與冷靜的狀態，妳不知道如何處理牡羊座的情緒風暴，他的脾氣可是瞬息萬變。你們彼此都是冷漠以對的專家，可能之後會演變成一場冷戰。不過，小牡羊的暴怒脾氣會想讓妳想趕緊丟給超級保母處理！牡羊座孩子喜歡贏的感覺，變得極度愛好競爭；由於妳最後通常會對弱者感到抱歉，所以對妳來說，很難支持這頑固孩子追求最好的心態。

水瓶座媽媽 ♒ & 金牛座孩子 ♉

合拍部分

你們在許多方面簡直南轅北轍。心胸開放的水瓶座媽媽會幫助目光短淺的小金牛學習打破框架，也會培養年輕金牛座孩子表達創意——這是很棒的事，因為妳的孩子是由象徵美麗的金星掌管。水瓶座是理想的人道主義者，金牛座則是管理價值觀與道德的星座；妳的金牛座寶寶從小就會追問妳一些關於人生的大哉問，妳也喜愛參與這些對話，但要小心，孩子可能會因為妳的價值觀變成極右派的思想。

你們都對移動速度快的交通工具（通常是跑車）有熱情。如果妳有兒子，他會喜歡看著妳開著雙座跑車，用閃電般的方式停入學校停車場。小金牛比妳腳踏實地，能幫助妳放慢腳步，和愛家的小金牛在一起，讓妳感到更踏實、安穩，而且妳也承認改變步調對妳來說是件好事。

不合部分

你們的星座基本上完全是以不同的步調移動！溫和的小牛比起妳迅雷不及掩耳的速度，根本算是非常慵懶。水瓶座媽媽喜愛奇異、明亮且流行的衣服，還有惡搞小禮物和古怪小藝術品，但金牛座孩子非常保守與傳統，甚至在很小年紀時，他的品味就傾向歷久彌新、高品質的物品。就在妳忙著逛些最潮的復古衫時，青少年金牛座可能會快速瀏覽專業襯衫專區，或嘗試操控妳成為符合金牛座理想中「典型媽媽」的印象。

你們生氣時都會爆發出如閃電般的脾氣。金牛座會發怒（甚至破壞玩具），妳則會甩門，並告訴孩子：「跟你爸說！」妳與某位家人不合時，親戚可能都會避而走之。水瓶座掌管未來，妳是個會在家族慶典上做些無意義的事、為自己感到驕傲且帶反抗心的媽媽，而傳統的金牛座可能抱怨家裡缺乏往常習慣的料理，此時妳必須穿上圍裙，不定期煮出經典假日餐點來安撫他想跟其他孩子一樣的渴望（有些非傳統水瓶座媽媽可能會無法理解）。

水瓶座媽媽♒ & 雙子座孩子♊

合拍部分

水瓶座媽媽和雙子座孩子擁有相似的靈魂，你們都帶著玩樂的好奇心、開闊心胸及奇特幽默感度過人生，是每個人都喜愛的古怪母子小樂隊。雙子座不斷向妳提出「為什麼？媽媽？」的好奇提問，對妳而言一點都不覺得困擾，事實上，妳很享受和他一起探索答案，特別是如果還能帶著小雙子參與教育性質的戶外教學。你們都是科技迷：小雙子靈活的手指會快速掃過妳的 iPad，或在妳的手機上下載一些遊戲資訊。最好提供孩子其他適合的遊戲，不然妳的電子用品很快就不再是妳的。

多采多姿是妳生活的樂趣所在，和這孩子一起時絕不會有無聊的時候。你們都是社交高手，能快速與他人結交朋友。妳能帶著小雙子到任何地方，他很快就會成為派對的中心人物——基本上妳每小時就能從一個團體到另一個，幾乎不休息的雙子座孩子就是妳最好的夥伴！

不合部分

生性健談的雙子座需要不間斷的關注與認可，性急的水瓶座媽媽則需要一些沉靜時間沉澱心情；娛樂這坐立不安的雙子座孩子是份全職工作，在這樣的狀況下，希望小雙子身邊有個年齡相仿的手足或親近的玩伴，因為妳對於小雙子令人疲憊、索求關注的舉止沒什麼耐心，即使他很可愛。

年輕的雙子座善變，甚至愛說他人閒話。如果妳有女兒，可能在午餐鐘響前就得知她最好朋友已經換了三輪，不過抱持平等主義的水瓶座媽媽喜歡和每個人和睦相處，因此要教導善變雙子座包容心，對妳來說會是個令人挫折的訓練。

水瓶座媽媽與雙子座孩子間會突然出現一些競爭狀態。雖然這孩子喜歡妳，不過請小心不要奪走孩子的聚光燈，或是因為妳的笑話、故事和流行的服裝打扮而搶走他的風采。雙子座的注意力很短暫，即使是妳可能都難以跟上。當妳正在聽些街頭藝術的可憐故事時，雙子座會拉著妳的袖子，堅持說「該走了」，哎呦！

水瓶座媽媽♒&巨蟹座孩子♋

合拍部分

你們關愛他人靈魂的同情心會關注在不幸者身上，水瓶座媽媽與巨蟹座孩子都喜愛雪中送炭。母子檔義工任務從很早就會展開——這是你們象徵慷慨、善良的星座之間，產生連結的美好方式，這對社區裡受到壓迫與少數族群的人來說也很幸運。巨蟹座孩子就像妳一樣珍視友誼，將好朋友視為自己的親人，你們之間的差別，就在哪些朋友會成為貴賓名單——小巨蟹偏愛舒適、緊密的團員，妳在任何時刻都維持最少十位最好的朋友。此外，你們的心中都有孤僻傾向；巨蟹座孩子會逃到自己的房間，沉浸在書裡、和玩偶遊戲、畫畫、聽音樂，這讓妳有更多空間能放空，讀科幻小說、投入ＤＩＹ手工藝或打電話和朋友聊天。

你們都是動物愛好者，沒有任何一隻流浪動物會錯失你們關愛的眼神。家中可能像個動物收容所，但負責、照顧他人的巨蟹座是個優秀飼育員，他會記得餵養貓咪並為動物關上籠門。

不合部分

巨蟹座孩子不易相信他人，對陌生人也缺乏安全感，可是水瓶座媽媽覺得身邊從來沒有人算是陌生人，妳的朋友一個接著一個換，這會讓害羞、渴望熟悉感的孩子感到痛苦。如果妳想讓孩子放鬆，請忘掉妳隨時為他人敞開大門的習慣（或是搬到群體生活的環境）。巨蟹座通常挑剔且傳統，想想看清爽的白襯衫、花朵圖案的床套及下午茶瓷器組，即使摩登的水瓶座媽媽在她生命裡看起來像是道彩虹盛開一樣精彩。請放棄替孩子花很多時間挑選外出的衣服，因為巨蟹座孩子築巢本能會抑制妳說走就走的風格，還會干擾妳的裝潢計畫；另外也請放棄突然想替客廳漆上檸檬綠油漆及每週重新調整家具位置的想法，這些行為都會讓小巨蟹不太高興，因為他想要回到家中時有熟悉的感覺。

巨蟹座專橫、擁有母性特質，水瓶座則是永遠的反抗者；這孩子對妳瘋狂的玩樂舉止不僅無法接受，還可能會反過來管妳，簡直就像變成妳的媽媽。請讓孩子維持孩子的模樣，有時請將妳的滑稽舉止等到孩子不在時再表現出來。

水瓶座媽媽♒&獅子座孩子♌

合拍部分

身為對宮星座，你們是對活力十足的雙人組合。小獅子承襲妳具備創造與想像的火花，讓你們迸發出藝術創作。妳是重視獨特性的母親，這孩子絕對也是最獨一無二。

你們都為慶祝而生——沒有人像獅子座如此喜歡派對了，妳也是盛大狂歡會的女王，就為獅子座的生日晚會展開一場特別的基金募款（更不用說妳自己的生日派對了）！你們都是社交團體裡的領導者和組織者，當小獅子為尋寶遊戲、足球比賽及才藝表演召集朋友時，會讓妳與有榮焉。此外，你們是天生的表演者，就像一對歌舞表演的母子檔；當妳用精準的模仿與不落俗套的笑話娛樂大眾時，小獅子則像個首席女舞者跳起芭蕾舞，或當起吉他表演神童而大受歡迎——表演開幕啦！

不合部分

小獅子簡直是個戲精，這會干擾到悠哉水瓶座媽媽的生活。妳可能無法相信孩子對一些小事如此挑剔，占有欲強的小獅子想要妳所有的關注。對於得花更多精力在這孩子的需求上，讓妳感到掙扎，特別是還得同時應付一大群朋友的需求。為了給小獅子渴望的品質時間，妳的社交圈可能會頓時縮小。但請小心！由太陽掌管的孩子對於妳犧牲一切、讓他成為妳宇宙中心的做法，可是覺得十分自在。不過媽媽，妳也需要擁有自己的生活！

獅子座依靠稱讚與肯定茁壯成長，但超然的水瓶座媽媽可能無法給予獅子座渴望的誇張讚美。請不要怠於和孩子擊掌和給予閃亮金星星！不然獅子座可能會開始採取甩門、惱怒及模仿「妳」這個反抗者的角色特性來獲得一些關注。

水瓶座媽媽 ♒ & 處女座孩子 ♍

合拍部分

思考敏捷的你們是有天賦的組合，富創造力的處女座孩子承襲妳對世界的好奇心。你們對於使用說明書、交換書籍興致勃勃，會以敏銳、客觀的角度分析人類行為（「這就是為什麼小強尼一直拉我辮子的原因，媽媽！」）也許還會每年參加漫畫博覽會或文藝復興節。

水瓶座媽媽天生就是個人道主義者，處女座則是擁有服務特質的星座——共同負責社區服務計畫，會是你們產生連結不錯的方式，同時也能培養孩子的奉獻精神（或參與烘培特賣募款活動）。小處女會開心地跟著妳一起參與鼓圈音樂活動、水晶冥想工作坊、瑜伽課程。你們都是動物愛好者，對流浪動物有特別偏好，可能在妳還沒意識到之前，家裡的空房間早就讓給你們幾個月前認養的小貓咪或小狗。

不合部分

小處女對相處的人很挑剔，陌生人可能會讓他感到焦慮，然而妳擁有在沒有告知下突然出現的奇特塔羅卡友、在家庭烤肉聚會出現的雷鬼樂團貝斯手，這些可能都會讓拘謹的處女座孩子因此不安感到不自在。簡單來說，小處女相較於妳容易感到煩躁不安。哎呀，還有妳流行的酷炫媽媽服裝以及根本不會出現在大自然裡的染髮顏色，對他來說也都不太能夠欣賞。

若妳嘗試教導這孩子「包容心」可能會徒勞無功。處女座是個嚴厲的完美主義者，比起「何謂正確」，他對於「何謂錯誤」完全沒有任何討論空間。這孩子甚至會陷入討論同學八卦的陷阱。請盡可能糾正他這種行為，但妳要知道自己不可能永遠阻止他。處女座重視每個細節，這使得超然的水瓶座媽媽永遠無法理解孩子的想法，因此請不要指責孩子的過度反應，因為他真的非常敏感。

水瓶座媽媽♒ & 天秤座孩子♎

合拍部分

對你們兩個風象星座來說，生活就像一場不停歇的派對。妳愛好和平的孩子通常隨興、慵懶，他也會和妳朋友的孩子很快變熟，這會為你們帶來許多玩樂機會。你們都是好奇的文化藝術愛好者，妳喜愛為孩子介紹木偶戲藝術、芭蕾舞與鋼琴課及日本毛筆畫課程。尋找適合各種年齡的工作坊，這樣妳也能帶著妳的小畢卡索一起行動。

可愛的天秤座會引出水瓶座媽媽柔軟的一面，他會融化妳的心，為妳從玻璃瓶裡取出花朵，並為家裡帶來「我愛我媽媽」的蠟筆畫。一視同仁的天秤座和人道主義的水瓶座媽媽，都擁有強烈的正義感，你們是為社會公益挺身而出的可愛母子檔。你們之間也不缺少創意；天秤座和水瓶座都傾向生活在幻想世界裡，雖然妳屬於科幻世界，天秤座則偏向浪漫的童話故事，不過你們都對這世界每天製造的驚喜感到神奇！

不合部分

救救我……我需要空氣！對於獨立水瓶座媽媽的偏好來說，感情豐富的天秤座可能有點太過親暱了。雖然妳愛妳的孩子，但那些過於露骨的感情流露會讓妳覺得有點窒息；光是讓小天秤斷奶可能就需要花點時間適應，這會讓妳感到沮喪。你們都是偉大的夢想家，總是會把架構與條理拋諸腦後，小天秤會誘惑妳忘記他的上床時間，或說服妳在晚餐前吃片餅乾不是個壞主意。你們都得好好管束自己才行。

隨興的水瓶座媽媽會一邊喝著冰啤酒、一邊洗著熱水澡，將頭髮紮成馬尾，並準備好隨著睫毛膏載浮載沉。由金星掌管的天秤座又更虛榮，會花很長很長的時間泡澡、打扮及跟上最新的流行趨勢。雖然妳喜愛孩子發展自己的風格品味，不過妳希望天秤座能跟上妳的腳步，畢竟妳還有許多地方要去、許多人要見！

水瓶座媽媽 ♒ & 天蠍座孩子 ♏

合拍部分

天蠍座孩子承襲妳對生命難以言喻的奇異魅力，你們會一起仰望天空，尋找流星、幽浮與彩虹。小天蠍跟媽媽一樣是個耀眼、令人著迷的人，很少人會對你們說不，學校會因為你們所組成的募款活動創下新高紀錄而引以為傲，你們一起發揮創意發明的杯子蛋糕食譜也會成為一段佳話。

天蠍座和水瓶座都是固定星座，這孩子會引出妳更多傳統、紀律的面向，對此你們都很感激。對你們而言，私人時間與空間有其必要，年輕天蠍座會窩在自己的房間裡自娛自樂，也因而提供了妳極度渴望的個人時間。雖然比起天蠍座，妳更具有團隊精神，不過妳也具備競爭的特質，因此也會欣賞勤奮孩子的道德觀以及渴望勝利的精神。

不合部分

水瓶座媽媽對待每個人一視同仁，此時如果還有其他手足，可能會是個課題。天蠍座占有欲強，甚至會嫉妒，他想成為媽媽心中的唯一，需要毫無分心的關注。請創造和這孩子一對一的特別時間，但請設定界線，不然天蠍座會占據妳所有的時間。

天蠍座會對陌生人起疑心，這可能限制妳的社交風格。請不要再想著邀請一些剛認識的泛泛之交，不然孩子可會像個小小ＣＩＡ警探緊盯著對方上下檢視。不過妳也必須承認這孩子擁有敏銳的直覺；當天蠍座孩子警告妳某人不好時，也許妳應該聽進去。天蠍座對人生黑暗面的迷戀，可能會讓水瓶座媽媽的美好泡泡冷卻，還有這孩子的憂心特質與暴風雨般的情緒會使妳混亂，難道他不能趕緊振作起來嗎？（嘆氣）

水瓶座媽媽♒ & 射手座孩子♐

合拍部分

兩個自由靈魂的遊牧民族會一起睜大眼睛在這世界闖蕩，與來自各階層的人們成為朋友。你們都對行為古怪的人著迷，而且小射手的社交圈比起妳的更多元且多樣。當你們兩個愛開玩笑的人一起時，每晚都像喜劇電影情節。你們都是注重未來的人，總渴望接下來會發生什麼，而小射手會激發妳一些狂野想法，如將名字改成星星沃克斯．月亮雷、在新伯爾尼火人祭露營、在家中後院設立動物收容所。請在孩子還小時慎選可讓這小小模仿者接觸的事物，或跟他解釋有些事必須等到成年再做的重要性——我們就是在說妳右手臂上的整條刺青，不過對這個跟妳一樣喜愛打破規則的孩子來說，前衛或自由的生活風格會更容易掌握。

不合部分

年輕的射手座情感激烈、充滿熱情；水瓶座媽媽則是冷靜、超然且不帶情感。射手座孩子會用他不停歇的對話讓妳無法承受，並用他過剩的熱情讓妳感到精疲力盡。有時妳只希望他能停止說話，冷靜下來。

你們這對組合也會突然出現一些競爭意識，特別是因為你們都是天生的說故事者和表演者；請小心不要在孩子朋友前搶走他的風采，同樣妳也不要讓他變成一心一意渴望眾人目光的孩子，不然妳會發現自己在一旁默默不語還生著悶氣，稍微打斷他及教導小射手成為更好的聽眾是必須的。射手座孩子直率、不夠圓滑，即使妳沒要求他任何事，他也會積極參與話題，妳也可能會感覺被孩子批評或指責。等等……到底誰是家長？你們都非常善於社交，因此會將一對一的時間擱置在一旁。此時請稍微離開朋友身邊。休息一下，這樣才能騰出時間與孩子好好相處。

水瓶座媽媽 ♒ & 摩羯座孩子 ♑

合拍部分

野心十足的摩羯座孩子對有遠見的水瓶座媽媽而言是個完美拍檔：沒有任何事是你們無法一起完成的！小摩羯全力以赴的精神激發妳對生活的瘋狂想法，妳也會在他為了取得勝利時，鼓舞這位充滿進取心的孩子。

你們通常都相當有活力，可能會一起為小型馬拉松做家庭訓練，每年一起去滑雪及滑雪板旅行（兩個星座都喜歡爬山），還有享受其他活躍的戶外活動。

過多的情感流露不是妳擅長的事，對頭腦冷靜的摩羯座孩子來說，也不是他習慣的模式。老派摩羯座擁有超齡智慧，妳會以理性的方式與孩子對話，而他就像你的同伴一樣。妳的孩子喜愛建構、秩序與常規，這能幫助象徵反覆無常的水瓶座媽媽穩定並更腳踏實地；此外，妳狂野、充滿樂趣的想法，會提醒正經的孩子不要把生活看得過於嚴肅。

不合部分

摩羯座孩子喜愛傳統與老派的家庭價值觀——尤其是負責傳承家業的孩子。離經叛道的水瓶座媽媽喜愛做些徒勞無功的事，這讓小摩羯非常失望。雖然聖誕節時在考艾島露營對妳來說感覺不錯，然而現實是妳得在家圍著圍裙、一邊詛咒寒冷天氣、一邊與孩子烤著德國祖先留傳下來的番佛努斯香酥球聖誕食譜，再將包裝精緻的禮物完美地排在聖誕樹下。

摩羯座孩子喜愛競爭，喜歡被當作團體裡的資優生對待，不過妳敞開心胸接納所有人的交友風格，對這趨炎附勢的孩子來說，完全是錯誤的配置。請放棄進入華德福學校的幻想，並請為他申請私立的菁英學校或有聲望的課後活動。摩羯座喜歡按照規則走，當某人告訴他該怎麼做時會讓他感到安心；水瓶座是規則打破者，妳有時會看著觀念傳統的孩子埋頭苦思，心想怎麼會生出個性如此直腸子的孩子。

水瓶座媽媽 ♒ & 水瓶座孩子 ♒

合拍部分

兩位太空行員共同生活在同個屋簷下？真是一場冒險！小水瓶已經準備好跳上瘋狂的冒險之旅——無論是搭乘著冰箱盒飛船前往火星，或是開著頂級露營車花一年時間遊蕩整個國家。這個小水瓶跟妳一樣對生命裡的奇特事物著迷；打開輕型手推車，出發到《星際迷航》大會或實驗音樂祭典。與一個像是吉普賽人的水瓶座在一起，絕不會有無聊的時候——每個人每小時都得猜想你們現在人在何方。

年輕水瓶座天生承襲妳人道主義的精神，請盡早展開社區服務計畫。在孩子還在小時，可能就因出於善意使命而一起旅行到其他國家。水瓶座媽媽和小孩都對時髦事物感興趣：請在小水瓶占據妳的 iPad mini 和ＤＪ設備之前，為他準備大量的玩具或遊戲——當然，妳也不會介意和妳的小神童分享東西。

不合部分

兩位反抗者處在同個屋簷下？即將產生情緒風暴。大家都說水瓶座會像閃電般沒由來地發脾氣，這些風暴雷雨會經常出現在你們這對組合裡，尤其在妳試著想在這叛逆者身上強加規則和限制時。妳可能得調整自己瘋狂的行事風格，這樣在才不會被小水瓶指出妳對他的教養要求都是出於虛偽。

用容器裝滿色彩豐富的接髮、夾式耳環和暫時性紋身——這樣的方式，孩子也能打扮及模仿妳狂野的風格（在孩子年齡還小時，這些會比真的刺青和穿洞好）。如果小水瓶接收妳喜於討好他人的社交模式，妳的家可能最後會變成青年旅舍；如果妳並不想沒有計畫地接納孩子的朋友，就需要對他的玩樂時間做出更嚴格的規則。

水瓶座媽媽♒&雙魚座孩子♓

合拍部分

因為水瓶座媽媽和甜美的雙魚座孩子軟心腸的性格，都喜愛照顧弱者；你們是對療癒他人的母子檔，總熱情地幫助陌生人。此外，你們帶有遊牧民族的靈魂喜愛四處探索與遊蕩，一旦妳克服了孩子的脆弱，及難以取悅的嬰兒階段（雙魚座是個嬌弱寶寶），小雙魚會是妳很棒的旅遊玩伴。

小雙魚就像妳一樣擁有奇特的特質。妳欣賞孩子的想像力，及從他口中說出的一些無厘頭的事情，你們之間帶有新時代的氛圍，具實驗精神的孩子，會高興地陪著妳加入冥想課程及讀取神祕卡牌。

愛做夢的雙魚座會迷失在夢幻世界裡，古怪的水瓶座媽媽則容易放空，活在自己的世界裡——舒適的沉靜會輕鬆、自然地發生，你們就是喜愛有彼此的存在。

不合部分

小雙魚的情緒化比妳有過之而無不及！妳的孩子容易陷入沉思，不過妳可沒這麼多的容忍心包容這些耽溺情緒。雙魚座可能會對他自由隨興的水瓶座媽媽潑冷水，比如說，明明已經即將準時到達某個活動時，卻突然無預警地要妳停車並繞道別的地方。大致來說，孩子移動的速度比妳慢很多：水瓶座媽媽用摩托艇的速度前進時，孩子則是乘著他的無槳獨木舟，是不是很令人絕望？雙魚座需要很多的寵愛，甚至需要很緊密的關係，這對於「需要自己空間」的水瓶座媽媽來說很棘手；要讓這孩子斷奶並不容易，還有要讓他第一天獨自上幼稚園也是。水瓶座媽媽是個夢想家與實踐家，不過雙魚座可能會說出許多想法，但從沒打算付諸行動。請不要逼迫這孩子去符合妳充滿野心的步調，放輕鬆，水瓶座媽媽，小雙魚會找到自己的方向！

雙魚座

PISCES

雙魚座媽媽 ♓ & 牡羊座孩子 ♈

合拍部分

雖然作為星盤上的鄰近星座，雙魚座媽媽與牡羊座孩子僅有少許相似之處——不過這可能是這對母子組合神奇的地方。雙魚座媽媽如海浪拍打石頭的溫柔，會幫助暴躁的火象星座牡羊座冷卻下來，妳作為星盤上最具同情心的星座，對於牡羊座的不穩情緒、脾氣及容易受傷的心靈擁有更多的耐性。

妳欣賞創意力，小牡羊就具備了許多創意想法。哈囉，孩子的超級粉絲媽媽！妳會是牡羊座創新想法與努力維持明星光環的終極啦啦隊隊長。你們都有點頤指氣使——妳在某個程度上有點像母雞，牡羊座則像個獨裁軍官。儘管如此，妳還是很欣賞孩子不斷嶄露頭角的領導能力，並教導牡羊座學習以更溫和的方式掌管事物；反之，小小軍官會幫助妳強化自身力量，為妳建立一個連妳自己都想借助、無所畏懼且充滿自信的典範。

不合部分

由戰士行星火星掌管的牡羊座，是星盤上最有攻擊性的星座，由愛做夢的海王星司長雙魚座媽媽則以被動特質聞名。有時，妳可能會因為孩子的火力而無法招架，這可會打亂妳優雅的生活律動。

雙魚座媽媽對於犧牲課題並不陌生——對妳而言，設定界線讓妳感到掙扎，然而牡羊座天生對權利有感，總會說「我先來」。這孩子易於索求無度，而且事情如果不順他意，可會大發脾氣。年輕牡羊座能輕易壓制妳，讓妳為了不斷嘗試滿足他的需求感到筋疲力盡。此時，妳應該警告自己：沒有其他星座像牡羊座一樣，能引出妳殉道者的傾向，妳必須學習向他說「不」，這樣才不會打造出一個被寵慣的孩子。牡羊座獨立自主，但妳可能相對依賴；過於親暱的撫養方式會讓小牡羊感到束縛，因此當牡羊座就是想獨處時，妳可別露出一副可憐兮兮的樣子！

雙魚座媽媽 ♓ & 金牛座孩子 ♉

合拍部分

喜愛物質享受的雙魚座媽媽與金牛座孩子會一起悠哉生活；請盡快客製鬆軟的沙發，一起放鬆與依偎，各自沉浸在白日夢裡。妳可能也不會打擾孩子馬拉松式的睡眠時間，小金牛和妳一樣喜歡閉著眼睛沉浸在夢鄉。

金牛座和雙魚座都是兼具堅強與柔軟特質的有趣綜合體；就像妳能在短時間內從超級敏感變到相當遲鈍，年輕金牛座則能立刻從一隻溫順小牛變成暴怒公牛。只要妳不是他生氣的原因，妳就會欣賞孩子的這種特質。

真是個美好的生活！感官的金牛座就像媽媽一樣喜愛奢華、優質食物及被寵溺。你們兩個人很可能會從事一些高級的休閒娛樂（想想艾洛絲的頂級生活、精緻西點店面的奢華巧克力，甚至等到金牛座年紀大一點時一起做親子ＳＰＡ）。大部分來說你們是對夢幻組合——很高興遇到妳這位最好的小小朋友。

不合部分

意志堅定、固執的金牛座孩子想要現在一切就按照自己的方式！如此要求多又直接的能量，會箝制妳順其自然的生活方式。因為妳不善於拒絕，可能在許多情況下，會被天生愛命令人的金牛座牽著鼻子走，失去身為母親原有的支配權。

金牛座在建構、重複性常規下茁壯成長，日復一日做著相同的事？這對雙魚座來說感覺有點像在地獄。有時為金牛座打造固定的例行常規，會讓妳覺得被束縛，但從好的一面來看，這能幫助妳的生活變得相對有規律（承認吧！雙魚座，妳是需要些紀律的）。小金牛實事求是，傾向將事情畫分為非黑即白的狀態，但對於生活在夢幻世界的雙魚座媽媽來說，妳則不斷在灰色地帶探索。這個做自己的孩子會刺破妳的夢幻泡泡，拒絕加入妳對超自然的追求。當妳要參與每個月的塔羅牌解讀活動或現代舞課程時，就雇用個保母吧！

雙魚座媽媽♓＆雙子座孩子♊

合拍部分

讓我們迎接自由無拘的生活！你們是對不斷遊蕩的漫遊者，妳會很開心身邊有這位還在強褓的小嬰孩陪著妳四處旅行。作為雙胞胎形象的星座，雙子座對迷人的雙魚座媽媽來說，是個令人快樂且渴望的伴侶。讓小雙子接觸各種妳喜愛的生活驚喜（藝術、音樂、文學、靈性），這孩子跟他媽媽一樣，很快會成長為文化愛好者。電影與影集也是你們都喜愛的事物，帶著奶油爆米花和3D眼鏡一起享受吧！

由善於表達的水星掌管的雙子座擁有能言善道的天賦，充滿詩意的雙魚座媽媽同樣善於言辭；一旦小雙子會說話了，你們之間的對話會變得相當豐富且多采多姿。有耐心的雙魚座媽媽，不會介意這充滿好奇心孩子提出兩萬個問題，妳會以創意回答他的問題，只是如果妳不知道答案時，也不要想試著編造答案，實事求是的雙子座比起妳更注重現實，而且不喜歡被誤導。

不合部分

妳從不急迫渴望做出決定，也不會從這孩子得到任何幫助。小雙子想檢視每個選項，妳只是討厭做出承諾；選擇要去的遊樂園、為美術計畫選擇工具（色鉛筆還是水彩筆呢？），甚至為了多聽半首歌停在廣播電台，祝妳好運！你們這對母子檔帶有一種令人疲憊的特質，而且在某些片刻，你們多變的方式會把彼此逼到發瘋。

雙魚座媽媽憑直覺行事：妳不確定為什麼要這麼做，只是追隨內在的感受，不過小雙子是以邏輯為基礎瑣事愛好者。妳不會介意替孩子尋找一些有趣事蹟，但妳會對他不斷質問妳的動機而感到疲倦。活在當下的雙子座孩子，很高興跟隨妳沒有規律的生活方式，但這會是條險路。請提供孩子一致性的規則並確實遵守，否則他可能會在開始去學校（有規則的環境）後感到難以適應。

雙魚座媽媽 ♓ & 巨蟹座孩子 ♋

合拍部分

作為兩個情緒化的水象星座，你們會在彼此的陪伴下依偎在甜美的安全感裡。雙魚座和巨蟹座都渴望親密，但同時也能獨立自主。只要你們待在彼此身邊很近的距離，任何一切都會發生。烘培、布置、藝術創作——這對宇宙組合從不缺乏創意。當妳愛做夢的特質產生作用時，小巨蟹對「舒適寧靜」意義的理解能讓你們安靜地共處。同為音樂愛好者的你們，孩子會介紹妳一些新的音樂領域，妳則是替孩子的歌單裡增加古典爵士樂。可能會出現如下的場景：妳會是帶著小巨蟹參加他第一場現場表演的酷炫媽媽，自己也會隨著音樂盡情擺動。你們的家庭時間是個非常舒適的時光。即使妳陷入憂心忡忡的狀態，但這孩子會格外注意媽媽的心情，他幾乎沒有叛逆期，而且事實上，有時妳可能感覺自己比較像個孩子，小巨蟹則像個家長。

不合部分

太過親近到有點令人擔心？如果沒有將巨蟹座孩子稍微推離舒適圈，你們這樣的組合會變得有點彼此依賴，而且妳搞不好是那位在孩子第一天上幼稚園拚命緊黏著他的人。心情多變的巨蟹座，基本上需要在固定時間回到他的防空洞，這個舉動會讓敏感的雙魚座媽媽非常在意。請給孩子沉溺書中的空間，即使他正在組裝錯綜複雜的太空船模型，也不需要時時爭取妳的肯定。每個雙魚座體內都住著一位叛逆的搖滾巨星，不過在小巨蟹面前時請將這個人格隱藏起來，因為巨蟹座孩子可能會變得「像個母親」一樣關心妳，但請讓孩子維持他原有的樣子，而不是擔心他進入不成熟的家長心態，也請抑制自己向這老成靈魂孩子尋求建議的衝動。此外，你們兩個都很愛指揮他人，也容易把事情往心裡去，此時妳非常需要一些冷靜時刻，尤其是如果情緒（眼淚和所有激動反應）經常性地增加時。對了，你們可能也會小題大作。

雙魚座媽媽♓&獅子座孩子♌

合拍部分

對你們來說，生活即是藝術，天性愛做夢的雙魚座媽媽與天馬行空的獅子座孩子之間絕不缺乏創意與想像力。你們會住在童話故事世界裡，合作完成藝術創作、跳舞跳到腳痛，而且說不定還一起登上舞台表演（鏡頭會不斷追隨你們！）小獅子靠著自己的力量成為超級巨星，四處擔任起領導者的角色，獲得讚譽與獎勵。支持孩子的雙魚座媽媽會高興地擔任小天才的後援，甚至捧為偶像般崇拜，自己就是鎮上最令人驕傲的星媽。

妳也欣賞獅子座負責任的天性。嘿，至少這樣妳就不用做所有的決定！謙虛的雙魚座媽媽也會教導驕傲獅子座何為謙遜美德，自信的獅子座孩子則會為妳展現出鎮靜且自恃的範例。有一點毋庸置疑，那就是你們的星座雖然南轅北轍，但你們都能從彼此身上學習到許多事物。

不合部分

戲．劇．化！獅子座誇張的天性與妳極端敏感的性格，發生在你們之間的一個小狀況很容易就變成大問題。小獅子不是唯一一個會甩門與突然眼淚潰堤的人，我們可以說這就像是「崩潰的媽媽」？有時獅子座孩子的怒吼讓人生畏，就像他大得驚人的食慾一樣。因為妳對設定界線感到棘手，管教這頤指氣使的小王子會是妳人生最大的挑戰。當妳逼自己向獅子座說不時，大多時候會感到愧疚，不過若因此打造一位小小自大狂，妳可能也不會高興到哪去。請好好提振精神去承受讓獅子座失望後的崩潰情緒，因為場面可是會相當吵雜且戲劇化。

由太陽（宇宙的中心）掌管的獅子座性格自我中心，雙魚座則是象徵犧牲的星座，比起自己，妳會先考量他人的感受。雖然小獅子有時可能會讓妳感覺到不可思議的自私，不過孩子會直率地建議妳，開始學習如何更加維護自己的權益。

雙魚座媽媽 ♓ & 處女座孩子 ♍

合拍部分

保持熱心助人的心！富有同情心的雙魚座媽媽與博愛的處女座孩子，是對相當關愛他人的組合。小處女跟妳一樣，無法經過不幸的靈魂身旁卻不出手相救。當看到孩子如同小小泰瑞莎修女（也是處女座）在遊樂場幫助他人時，會讓妳感到溫馨。一起當志工是你們很棒的相處方式，你們也會很高興地互相寵愛對方。這孩子會感受到妳的每個情緒，感受到的程度多，當妳在這孩子身邊時，要稍微克制自己的情緒爆發。

處女座是妳的對宮星座，你們能為彼此維持最佳的平衡。雖然妳是依靠直覺，小處女則是對事實感到好奇，這孩子記得每條妳忘記（這些甚至一開始是妳制定）的規則。對於處女座感到不安與動不動就批評人的部分，妳則感到自在且抱持開放的態度。妳會幫助這天生批評家的孩子學習包容他人的不完美，以及對此稍微放鬆。在一些狀況下，你們這對組合有點角色翻轉的意味，像是雙魚座媽媽被嚴格小處女座孩子照顧的感覺。

不合部分

小心苛薄的處女座！處女座嚴格的觀察力會傷到敏感的雙魚座媽媽，但用冷漠的方式對待孩子，也會傷了孩子的心。你們是星盤上的對宮星座，也因為如此，你們之間的衝突會變得緊張且難堪。雙魚座媽媽是個情緒海綿，當妳吸收過多情緒時，淚水系統會無法停止下來。警告：妳戲劇化的崩潰會讓小處女徹底嚇呆，這孩子容易變得憂心忡忡，也會是調停者（不要意外，許多處女座最後會以心理治療師謀生），但妳真的想要孩子年紀輕輕就承擔如此重擔嗎？無論妳是原諒自己、到房間流淚、打給姊妹或看心理醫師，但請不要把孩子當作發洩對象。處女座會安慰妳，他似乎能理解妳的難處，但讓他承擔這些煩惱，對他來說並不公平。處女座需要組織與規則來讓他感到安全，妳則傾向隨興且順其自然。妳需要培養出紀律，使這孩子保持專注，妳甚至需要為此雇用一位時間管理教練來幫助妳。

雙魚座媽媽 ♓ & 天秤座孩子 ♎

合拍部分

呼叫安徒生！在天秤座與雙魚座這對組合裡帶有童話故事的特性。異想天開的孩子和妳一樣，透過充滿樂觀的想像觀看這世界。美麗的事物不斷觸動你們，激發你們的決心。你們會一起熬夜看流星，在天秤座十五歲生日時坐著馬車、用水彩畫畫、創作歌曲及盡情跳舞。

你們都有點物質主義，但當妳覺得某些東西在孩子身上看起來很棒時，何不展現一下？為孩子布置房間、挑選外出服（可能是妳的風格的縮小版）、安排下午茶派對——這些過程的細節都讓你們享受其中。

小天秤就像妳，是個令人喜愛的甜心，你們都能融化陌生人的心，他們會因為你們彼此愛慕的眼神而受到吸引。天秤座非常有可能承襲妳樂善好施的天性；讓他參與妳的社區服務團體及義工活動——這是與善良小天秤相處融洽的絕佳方式。

不合部分

當你們都帶著玫瑰色眼鏡看待世界時，雙魚座媽媽和天秤座孩子是世界上最快樂的一對，但當得面對生活現實時，妳可能感覺自己在引導天秤座的難過和失望情緒上有點準備不足。請避免如此就過度保護天秤座，而且這也許是個好機會，培養他更強大的危機處理能力。媽媽，沒必要為了一些小小考驗就緊張兮兮。

如果妳在生活裡過度注重物質，那麼被寵壞的天秤座恐會變成物質男孩或女孩，教導孩子正確的金錢觀顯得格外重要，就讓天秤座自己賺取那些高級的兒童福利，好嗎？優柔寡斷的天秤座會在短時間內利用他的權利改變心意，害怕承諾的雙魚座媽媽總喜歡衝向逃生艙口；你們會把彼此搞瘋（先不提那些指望你們的人）就像瘋子一樣，在最後一分鐘改變心意。請小心不要將妳神經質的特性（雙魚座陷阱）傳承給年輕天秤座。

雙魚座媽媽 ♓ & 天蠍座孩子 ♏

合拍部分

這是通靈熱線……還是妳家電話號碼？洞察力敏銳的天蠍座是妳的直覺好搭檔，這孩子跟妳一樣仰賴直覺行事。即使其他人沒有注意到當下氛圍、或因為情緒差突然需要離開，不過你們之間就是有種不可言喻的理解，能了解對方此時的心情。妳是能幫助天蠍座培養第六感的完美媽媽，天蠍座就像雙魚座一樣是個情緒多變的水象星座；情感世界是你們經常逗留的領域，而且當這孩子在施展魅力時，會跟妳一樣令人陶醉，他人對你們可說百依百順，或輕易地對你們展現信任——和小天蠍一起為假日公益活動募款，最後一定能刷新募款紀錄！

不合部分

天蠍座是表示力量與掌控的星座，因此妳必須隨時保持警覺，不然這孩子可會輕易地在妳的雙魚座城堡裡掌管一切，進而引發出妳屈服、犧牲性格的天性。如果驚覺自己正試圖追趕孩子激烈要求他人的奇怪念頭時，妳知道是改變路線的時候了，立刻行動！

特質是專注的天蠍座孩子，需要他人全神的關注，這孩子也會記住妳說的每件事，並期待妳能以相同的態度作出反饋，不過妳容易放空與漠不關心的天性，讓孩子不太能接受。提供聰明人一點就通的道理：提早處理天蠍座孩子對妳的期待，並教導他，有時媽媽的腦袋也需要休息！天蠍座孩子占有欲強、會嫉妒，這樣的特質會抑制妳自由奔放的生活形式。年輕天蠍座天生對陌生人多疑，偏愛與少數朋友與身邊親人維持緊密連結，妳對自己容易感到糾結，也會吸引到一些性格「有趣」的人；雙魚座，請對交友多準備一些過濾機制，這樣年輕天蠍座才能在與妳的朋友相處時感到安心。

雙魚座媽媽 ♓ & 射手座孩子 ♐

合拍部分

請給我們兩張前往奇幻之旅的門票！小射手由豪奢木星（與妳星座相同的共同掌管行星）掌管，喔，對了，這也是妳要前往的地方。一起旅行是你們培養感情很棒的方式，所以請盡快替寶寶辦理護照吧！愛冒險的小射手對於自由來去的雙魚座媽媽來說，是個理想的陪伴者。

你們都對人生的巨大問題抱持即興且好奇的態度，妳的靈性人生觀可能與年輕、充滿情感的射手座完美吻合。你們也都相當哲學，等孩子年紀大一點時，會一起分享許多書籍。活潑、喜愛戶外的射手座會讓妳受到大自然的啟發；打包野餐裝備，前往海邊——雙魚座最喜歡的地方，妳可以在陽光下享受樂趣，也能讓妳的小射手盡情嬉鬧與探索。射手座掌管臀部、雙魚座則掌管腳部，舞蹈會是你們親睦的另一個絕佳方式，把音樂調大，讓客廳變成各年齡都適合的酒吧！

不合部分

坦率又直白的射手座會如實說出他所看到的事物，雙魚座媽媽則對於傷害他人心情、審視自己及不計代價避免衝突等方面過度在意——雙魚座媽媽，請盡可能培養出厚臉皮的特質吧！小射手可能會直接用他的誠實之箭射向妳，讓妳受傷；不過妳可能會因為在表述自己的情緒與意見時過於模糊和不守信，讓孩子感到挫折。妳的孩子只是想知道妳的立場為何，這會迫使妳變得更果斷（也許不是件壞事，雙魚座媽媽？）

射手座是火象星座，雙魚座是水象星座；孩子激烈的脾氣與吵鬧，會讓妳敏感情緒無用武之地，而妳的煩躁與恐懼會熄滅小射手的盛怒。射手座基本上相對獨立，然而妳卻表現出依賴他人的樣子。請理解如何給妳家中這位年輕射手座更多的私人空間（而且不要把他的所做所為看得太過嚴重），這將是妳養育這個孩子最大的挑戰。

雙魚座媽媽♓&摩羯座孩子♑

合拍部分

這對母子檔會是認真工作、認真玩樂的組合。勤奮努力的摩羯座孩子絕不會有他不喜歡的事物……或根本沒有完成的事！善變的雙魚座媽媽，容易為了追求任何能隨心所欲及玩樂的機會而分心。在許多情況下，你們的角色會互換：負責任的摩羯座孩子會提醒雙魚座媽媽顧好爐火，而意志堅定的雙魚座媽媽則會確保她的孩子是否為了逃避責任而逃學。你們都喜愛生活裡的良好事物，對妳而言可能是美麗的東西，小摩羯則是從小小年紀開始就會意識到地位象徵積累的事物。雖然你們個性截然不同，但你們的星座卻容易溝通，有時候妳可能感覺比起母子，更像朋友的關係。事實上，因為妳富有同情心的特質，可能會是完美主義摩羯座的人生裡，最能放鬆打開心扉的人。性格傳統的摩羯座幫助特質浮動的雙魚座媽媽腳踏實地，受到這專心致志的孩子的影響下，妳可能比平常更能在家中、工作及家庭聚會待上更長的時間。反之，妳則幫助務實的摩羯座擁抱創意，並以運用想像力獲得好結果。

不合部分

水杯的水只剩下一半嗎？摩羯座和雙魚座都容易悲觀，而且你們陰鬱的特質是會傳染的。當妳多愁善感時，請將自己與孩子隔開，這樣他才不會感受到妳的憂鬱氣息。

土象星座摩羯座需要更多的規範，尤其是經濟方面。不過因為金錢會不經意地從雙魚座手上消失，這可能產生問題。妳沒有節制的花錢習慣，會讓妳發現可能無法支付孩子的運動服與比賽入場費用。不穩定的經濟狀況會引出摩羯座極度負責的本性，但同時也會激起孩子的擔憂與焦慮。請小心，如果讓他感受自己得承擔拯救家人的責任時，小摩羯可能會因此錯失他的童年。摩羯座相當傳統，想跟上五〇年代好爸爸和好媽媽的形象，而妳時常做些徒勞無功的事，會讓這孩子感到非常失望，哎呀，還有妳無拘無束、愛好藝術的面向，對他來說也有點無法招架。當妳以印花無肩束腰長袍，而非挺拔的西裝外套和牛仔褲，現身在孩子的學校場合時，可能會換來他滔滔不絕的責罵。有時請稍微控制一下妳的穿著，媽媽。

雙魚座媽媽 ♓ & 水瓶座孩子 ♒

合拍部分

小美人魚雙魚座與宇宙太空人水瓶座是對輕鬆又瘋狂的母子檔。妳欣賞他異於傳統的觀點，支持孩子瘋狂科學家的創新想法；水瓶座比起妳反傳統詩人的氛圍又更理性，但無論是誰，你們都喜歡打破框架。

請給我們兩件超人披風！水瓶座代表人道主義，雙魚座則掌管博愛領域；你們對於弱者不會坐視不理，都會去拯救、幫助對方並給予力量。妳會充滿驕傲地看著小水瓶，因為他在遊樂場時讓最弱勢的孩子一起加入玩耍。為了每個人（特別是那些權利被剝奪的人），讓這世界變成更美好的地方，這會是你們共同的任務。雖然這有邏輯性的孩子會隨時保持鎮定，但妳能幫助他挖掘情緒面向，讓他學習表達內心的想法；而成熟的水瓶座則能提醒妳，與其對每個輕視感到憤怒，不如試著讓事情不要影響自己。此外，伴隨這孩子古怪的幽默感，他的笑聲會變成定時的提醒，告訴妳這就是人生最好的解藥。

不合部分

多愁善感的雙魚座媽媽心地善良，有時會覺得孩子故意冷落妳，特別是當妳用愛意轟炸孩子的時候。如果妳想與孩子和睦相處，一手環抱孩子不是可行的好方法。請學習以朋友的方式與孩子對話，對這聰明的孩子來說，理性思考勝於一切……接著再給他親吻和擁抱吧！

有些雙魚座媽媽是比較冷漠的類型，比大部分的媽媽還少了些熱情。如果妳是這樣的類型，那麼請努力給孩子大量的關懷與呵護。水瓶座不太可能會為了疼愛而接近妳，因此如果妳不付出一些努力，彼此之間的關係會漸行漸遠甚至逐漸抽離。這喜愛處在樂觀與積極情緒的孩子能永遠抱持希望，但雙魚座媽媽情緒化的憂鬱心情會讓這孩子喘不過氣，使他想從妳身邊離開；請不要期待水瓶座會成為妳的頭號知己。即使妳對他超齡的洞見感到驚訝，但若讓小水瓶過度暴露在妳的情緒崩潰下，會使孩子關閉他的情緒開關，會展現出酷似機器人的傾向。

雙魚座媽媽 ♓ & 雙魚座孩子 ♓

合拍部分

對雙魚座媽媽與她的小美人魚或美男魚而言，生活是個令人心醉神迷的神奇世界。當然你們在一起時，可能無法時常認清事實，但卻能為這孩子帶來藝術上的天賦，無論他是透過舞蹈、詩集、音樂、繪畫或是製作出令人驚豔的樂高結構。妳不會批評雙魚座想像出來的朋友——嘿，妳自己小時候時也曾有過幾位。有時還有點神經質且敏感的你們，很容易憑著直覺感受彼此的情緒。

舒適泡泡圍繞在雙魚座媽媽與孩子周圍，和這可愛的小寶貝在一起時，家裡根本就像天堂。此外，你們也是四處漫遊的母子檔，一旦妳的敏感寶寶大到足以能固定在嬰兒車上時，你們會像一對遊牧民族，在這地球上四處探索。妳的小明星就跟妳一樣會關心他人，他會承襲妳關愛弱者的特質。當你們在城鎮裡四處旅行時，會時不時停下腳步幫助需要幫助的人，說不定某天可能會一起展開非營利組織。

不合部分

親近到有點令人擔心？雙魚座媽媽與孩子彼此因為互相摟抱、創造出「只有我們兩人世界」的氛圍而變得得意忘形，以致脫離現實狀態。和這小孩陷入互相依賴的律動並不罕見，為了保護孩子免於痛苦，妳會縱容他的壞習慣。總有一天這隻雛鳥必須離開家中，當他要獨立生存時，妳會感到特別艱難，因為妳很難相信這孩子羽翼是否已經長齊。這樣過度依賴的關係有好有壞：如果妳總是在孩子身邊強烈表達妳的情感，他可能就得花更多力氣承擔這些甜蜜的負荷。

有時你們可能會覺得因為另一方心照不宣的要求而受到控制——你們真的需要好好去了解對方；試著將妳的需求用言語表達，也鼓勵你的小雙魚做同樣的事。妳知道那些別人所說的臆斷是怎麼回事，媽媽，這樣的狀況在你們的組合裡會更致命。你們在同一個屋簷下時，陰鬱氛圍會變得更為沉重，此時請重複這個能挽救你們的咒語：「感受並非事實」。

致謝

非常感謝接下來所列的大家，因為你們讓這本書得以成真。

獻給強大的金牛座經紀人珍德爾（Yfat Reiss Gendell）及幹練的天蠍座公關萊格特（Carol Leggett），謝謝你們聽取我們的想法，給予智慧又美好的回饋。巨蟹座編輯凱莉（Carrie Thornton）提供一切的協助，從保母上的協助、友誼再到支持這本書。

獻給我們有耐心與提供支持的丈夫傑佛瑞（Jeffrey Sleebos）與柯利（Cory Verellen）；感謝你們（以及你們堅定不移的月亮金牛座）在我們打字到凌晨或在黎明前起床時，包容所有的一切好壞，以及你們只能在我們胡思亂想、分心的時候才能獲得短暫的關注。謝謝你們在旁幫忙沖咖啡、照顧臘腸狗、替冰箱補充食物並讓生活不斷運轉著，我們真的好愛你們。

星座風格（Astrostyle）團隊：蘿拉（Laura Bruzzese，獅子座）、蘇珊娜（Suzanne Guillette，水瓶座）、瑪麗莎（Melissa Gonzales，金牛座）還有我們的「星座怪咖」夥伴，與我們一起坐在咖啡廳、公園、花園、客廳、圖書館及高級餐廳裡高談論闊探討牡羊座媽媽、雙魚座孩子以及任何人。謝謝阿奇瑪（Akima Briggs／Iscis Malone，金牛座）慷慨地替這本書校對，還有沙第（Saadi Chowdhury，天蠍座）我們聰明的財務巫師兼爹地——謝謝你教導我們時間與金錢的神聖。

獻給幫助撫養歐菲娜孩子村落的大家，因為你們，這些篇章才得以完成：蒂娜（Tina Guarasci）、奈阿克幼兒園（Nursery School of the Nyacks）、珍妮佛（Jennifer Marks）與艾瑪尼

（Imani Boswell）、里歐拉（Leora Edut）與溫蒂（Wendy Valentine），謝謝你們作為媽媽代理人。

所有好成果都需要一點點魔法。謝謝靈性姊妹迪娜（Dina Manzo）、米雪兒（Michelle Seelinger）、泰莉（Terri Cole）、潘姆（Pam Colacine）、凱特（Kat Tepelyan）、路加（Luke McKibben）以及凱妮（Kenny Arena）和我們一起做新月許願與滿月許願——從紐約東村的火爐到內達華沙漠的包車休旅車。獻給我們「花的力量」專家凱莉（Kerri Aab），「種子開花」（Seed to Blossom）的店主，妳的巴哈花精精油以及甚於治療的閒談，幫助我們頭腦保持清晰並提高生產力。獻給驚人的特蕾（Terye Trombley），謝謝妳療癒的禮物與治癒。

感謝所有慷慨填寫媽媽占星學問卷的朋友與粉絲，誠實分享你們的怪僻及令人深刻的旅程，你們幫助我們勾勒出星盤上每個星座的輪廓。我們閱讀了每個人的故事以及其他沒被引用的部分，希望你們知道你們有趣、誠實及動人的回答，已經全部都融合到這本最終成品裡。

媽媽的占星教養手冊——下

出　　版／楓樹林出版事業有限公司
地　　址／新北市板橋區信義路163巷3號10樓
郵政劃撥／19907596　楓書坊文化出版社
網　　址／www.maplebook.com.tw
電　　話／02-2957-6096
傳　　真／02-2957-6435
作　　者／歐菲拉・艾達特
　　　　　塔麗・艾達特
譯　　者／邱鈺萱
企劃編輯／陳依萱
校　　對／楊心怡、周佳薇
港澳經銷／泛華發行代理有限公司
定　　價／420元
出版日期／2022年2月

國家圖書館出版品預行編目資料

媽媽的占星教養手冊 / 歐菲拉・艾達特, 塔麗・艾達特作 ; 邱鈺萱翻譯. -- 初版. -- 新北市 : 楓樹林出版事業有限公司, 2022.02　面 ;　公分

ISBN 978-986-5572-89-1（平裝）

1. 占星術 2. 親職教育 3. 育兒

292.22　　110020914